안전하고 효과 좋은

도침요법

刀鍼療法

Acupotomy
Treatment

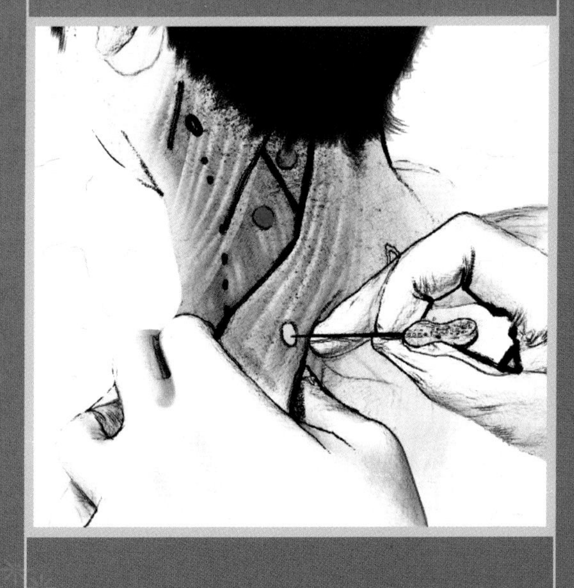

안전하고 효과 좋은

도침요법

첫째판 1쇄 인쇄 | 2022년 11월 16일
첫째판 1쇄 발행 | 2022년 12월 07일

지 은 이 조경하
발 행 인 장주연
출판기획 김도성
출판편집 이민지
편집디자인 이민지
표지디자인 김재욱
일러스트 이호현
제작담당 이순호
발 행 처 군자출판사(주)
등록 제4-139호(1991. 6. 24)
본사 (10881) 파주출판단지 경기도 파주시 회동길 338(서패동 474-1)
전화 (031) 943-1888 팩스 (031) 955-9545
홈페이지 | www.koonja.co.kr

ISBN 979-11-5955-946-4
정가 90,000원

이 책은 스승이신 이건목 교수님이 아니었으면
단 한 줄도 쓰여질 수 없었을 것입니다.

스승이신 이건목 교수님께 진심으로 감사와 존경을 표합니다.

감사의 말

처음 도침을 접했을 때 놀라운 경험을 했습니다. 기존에 잘 낫지 않던 환자들이 훡훡 나아가는 것을 보고 어찌나 신기하던지요. 마음먹고 제대로 공부하면 정말 놀라운 일이 벌어지겠다고 생각했습니다. 설레임에 잠을 이룰 수 없었습니다. 더 깊이 있는 공부를 하고 싶었지만 자료가 너무 없고 막막하기만 했습니다. 그저 알려주는 대로 놓고, 안 나으면 그만이 아닌가? 그 다음에는 어떻게 해야하나? 고민이 깊어졌습니다. 2013년으로 해가 막 바뀌었을 무렵 이건목 교수님을 만났습니다.

이건목 교수님은 의학을 공부하는 방법을 알려주신 제 인생의 스승님이십니다.

병을 알지 못하면 치료를 할 수 없다면서 질병을 제대로 이해하는 방법을 알려주시고, 언어의 장벽에 상관없이 수많은 책과 논문을 스스로 헤쳐나갈 용기를 주셨으며, 그렇게 확실한 앎을 통해서 창의적으로 문제를 해결해나가는 방법을 알려 주셨습니다.

무엇보다 기꺼이 내어주신 수술방에서 만난, 보석과도 같은 수천, 수만의 난치성 척추 환자들.. 그들이 나아가는 모습들을 보며 디스크와 협착증에 대해 명확하게 이해할 수 있었습니다. 하지만 개원가에 나와서는 스승님께 배운 치료법을 그대로 사용할 수 없었습니다. 일차의료의 임상에 맞는 새로운 치료법을 고안해야 했습니다. '최소자극도침'이라는 용어도 윤상훈 원장과 함께 낮에는 진료하고 틈틈히 함께 연구하며 고안한 상징적인 용어였습니다.

오늘날 도침을 접하고 배우고자 하는 열기가 뜨겁습니다. 시급한 문제는 현재 출판된 도침책이 없다는 것이었습니다. 당장 학생들을 가르쳐야 하는데 쓸만한 교재도 없었습니다. 학부에서 도침을 가르치는 입장에서 책임감이 막중했습니다. 윤상훈 원장과 가야할 곳은 먼데 둘이 하나하나 맞추는 것보다는 방향을 조금 달리하여 쓰는 것으로 했습니다. 도침요법은 그런면에서 더 친절하고 쉬운 책입니다. 제가 고민했던 많은 부분들을 저의 이야기로 정리하고, 도침으로 잘 나을수 있는 질환을 안전하게 치료하는 방법에 대해 설명한 책입니다.

첫 책이라 부족한 점이 있겠지만 아무쪼록 여러 원장님들께 조금이나마 도움이 되었으면 좋겠습니다.

마지막으로 저에게 변함없는 사랑을 주셨던 부모님, 아내 유혜경, 자녀 윤주, 강민에게 사랑과 감사를 보냅니다.

조경하

목 차

01 총론

02 경추상지

목 차

03 요추하지

Chapter 04 발목과 종아리 253

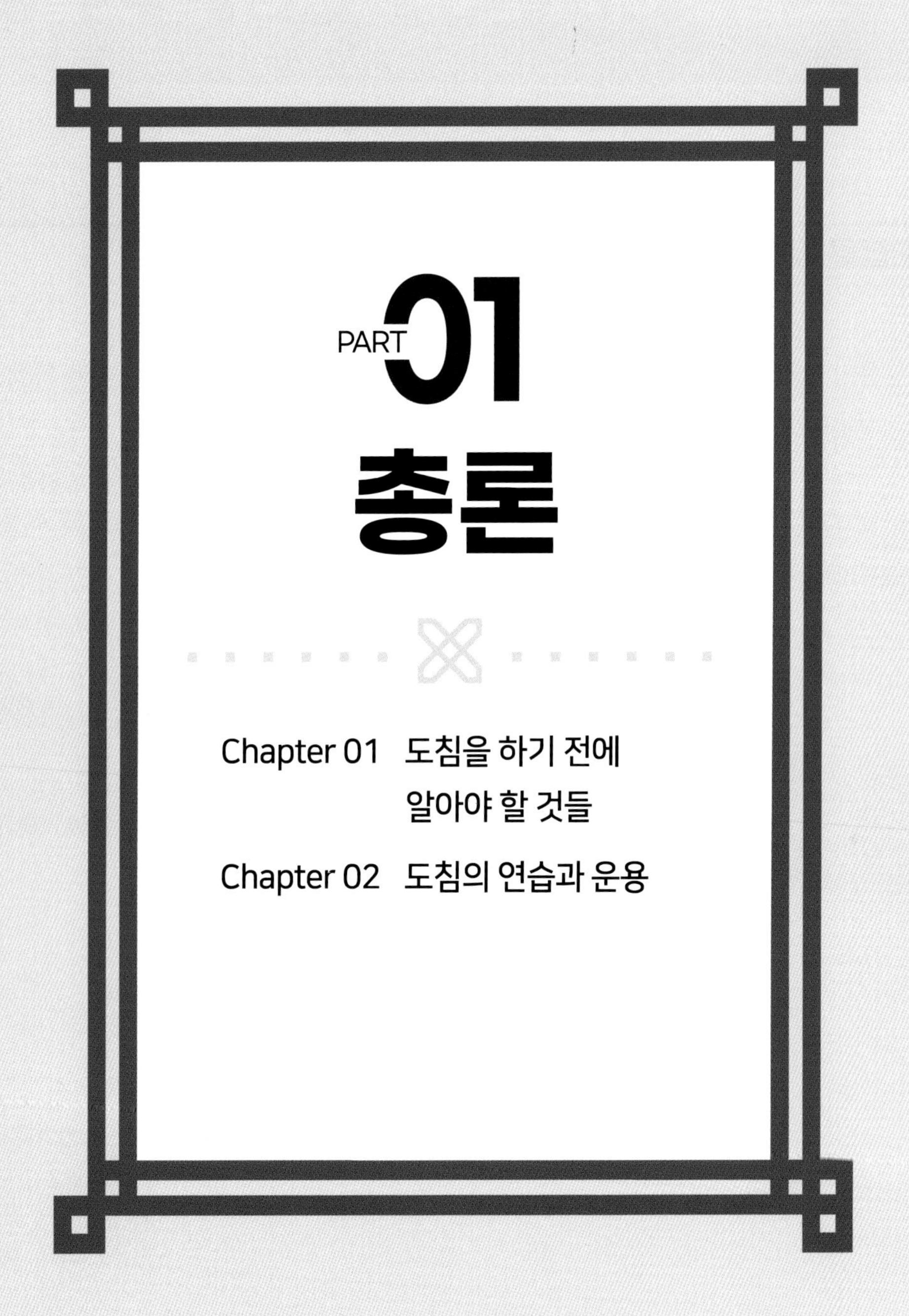

PART 01

총론

01 도침을 하기 전에 알아야 할 것들

1 도침을 시작하기에 앞서

도침은 칼날이 달린 침입니다(그림 1-1-1). 지금에 와서 호침이 주로 사용하는 침이 되었지만 고대 침의 시작은 얕게 찔러 피를 내거나 고름을 짜내기 위해 개발된 폄석(砭石)과 같은 도구입니다. 그런 의미에서 칼날이 달려 뚫고 자르는 역할을 하는 도침은 원시적인 침의 의미에 가깝다고 봐야 하겠습니다. 현대의학이 발달한 요즘 시대에 도침으로 무엇을 할 수 있고, 도침을 잘 사용하기 위해서는 어떻게 해야 할까요?

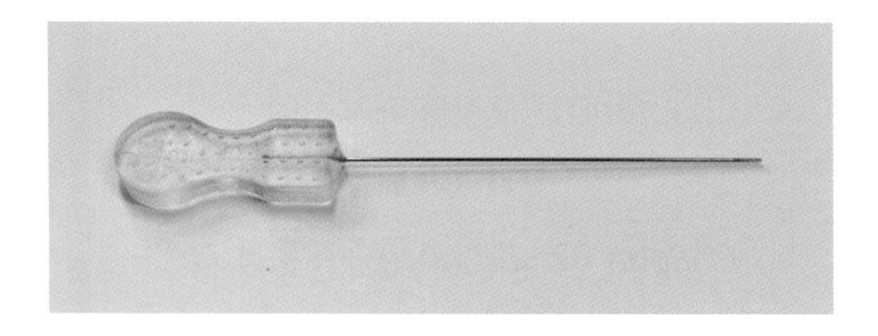

그림 1-1-1. 도침은 칼날이 달린 침이다.

1. 도침을 하는 의사가 갖추어야 할 기본적인 소양

도침은 날 끝에 진짜 칼이 달려 있기 때문에 우리가 실수를 한다면 환자에게 위험한 일이 생길 수 있습니다. 다행히 우리가 주로 사용하는 도침은 직경이 아주 작기 때문에 큰 손상은 잘 발생하지 않습니다. 그렇지만 규범에 맞춰서 도침을 쓰지 않으면 최악의 경우 혈관이나 신경 또는 척수를 손상시킬 가능성도 있다는 것 또한 부정할 수 없습니다. 환자가 다치는 것을 방지하려면 내가 칼을 정밀하고 안전하게 잘 써야겠죠?

도침을 하는 의사는 다음과 같은 네 가지를 명심해야 합니다.

첫 번째, 해부학에 대한 정확한 지식을 갖추어야 합니다.

도침의 목표점은 막연한 체표의 점이나 이차원적인 구조가 아닙니다. 진단이 정확했다면 도침의 침날 끝이 도달해야 할 명확한 삼차원의 한 포인트가 있습니다. 따라서 도침을 시술할 때는 내가 시술하는 부위를 3D로 투영해서 보고있다 할 정도로 해당 부위를 숙지하고 있어야 합니다. 이를 위해서 해부학에 대한 정확한 지식을 갖추어야 합니다.

1) 주요 신경혈관이 지나는 부위, 주행 방향을 숙지하는 것은 필수

고관절을 예로 들어 볼까요? 고관절 통증이나 장애로 고생하시는 분이 많습니다. 이 경우 도침이 큰 도움이 될 수 있습니다. 고관절을 안전하게 치료하려면 고관절의 3차원적인 구조 또한 잘 알고 있어야 합니다(**그림 1-1-2**). 그리고 무엇보다 생명에 큰 위협이 될 수 있는 대퇴동맥의 주행 방향을 알고, 해당 부위를 피해 도침을 삽입해야 합니다. 골반과 대퇴가 만나는 고관절, Neck of Femur까지 무사히 도침이 지나가는 자입경로와 거기에 존재하는 중요한 해부학적인 구조물들을 숙지해야 가능한 일입니다. 마치 도선사가 바다 속의 중요한 장애물들의 위치를 알고 배를 잘 끌고 가는 것처럼 우리는 도침을 안전하게 목표지점까지 도달시켜야 합니다.

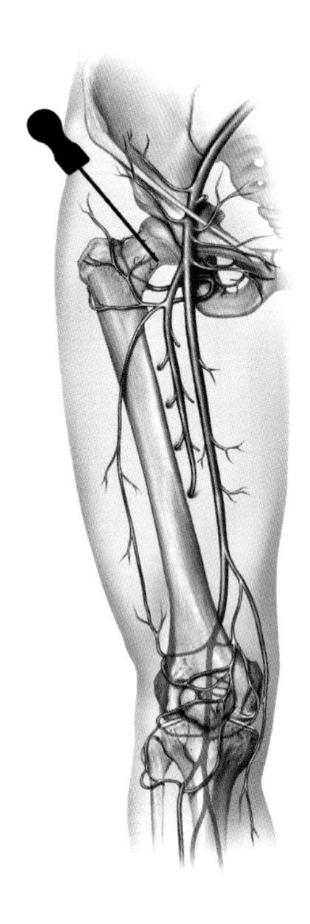

그림 1-1-2. 고관절의 도침 자입경로

2) 체표의 구조물을 이용해서 주변 해부구조물을 분별할 줄 알아야

무릎 부위를 시술한다고 할 때, 겉에서 무릎을 전체적으로 투영해서 본다는 생각으로 해당 부위를 알고 있어야 합니다(**그림 1-1-3**). 그래야 어느 부위가 문제가 있는지 정확하게 파악이 가능하고 관련된 상병을 찾아 낼 수 있겠지요. 시술을 할 때에도 도침의 자입점을 정하고 방향과 깊이를 설정하기 위해서는 이와 같이 투영된 해부학을 떠올리는 것도 매우 중요합니다. 초심자는 슬개골의 정확한 Outline을 잡는 것부터가 쉬운 일이 아닙니다. 무릎의 굴곡이나 신전된 각도에 따라서 슬개골의 위치도 자연스럽게 변하니 이 부분도 고려하지 않을 수 없지요. 따라서 표면 해부학은 물론 움직임에 따른 해부학도 깊이 있게 공부가 되어야 합니다. 실제 시술에 들어가면 매번 그림을 그려볼 수 없기 때문에 평소에 반복된 연습을 통해서 머릿속으로 자연스럽게 그려보는 정도가 되도록 단련해야 합니다.

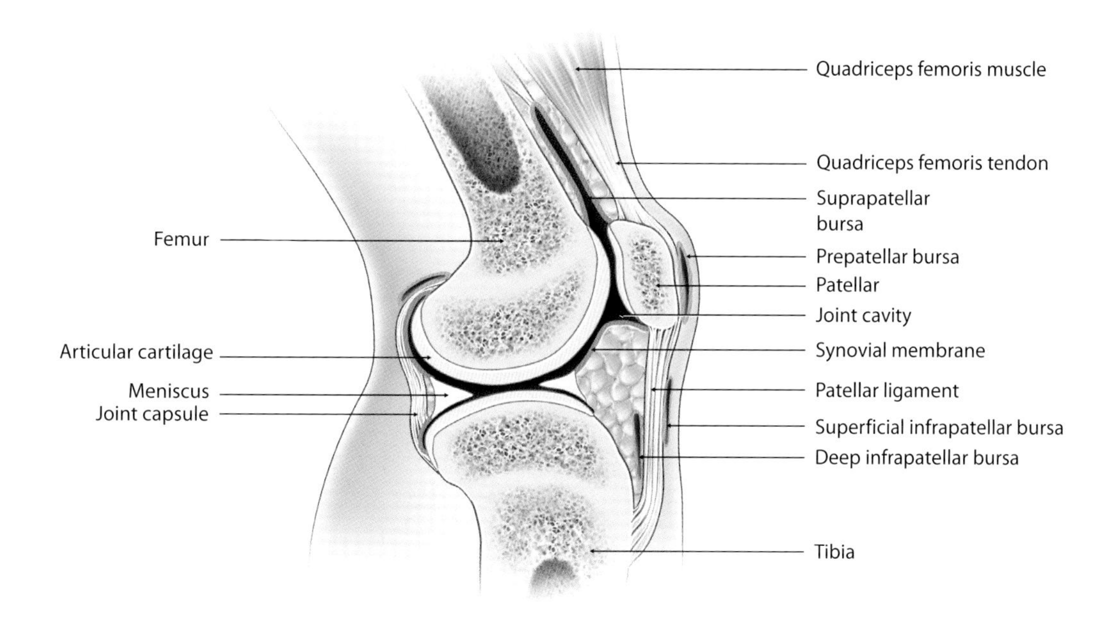

그림 1-1-3. 무릎의 해부구조

3) 인체 심부의 구조물도 예외가 아니다.

요추 후관절 부위에 도침을 놓아야 할 경우가 있습니다. 요추 4-5번의 후관절에 도침을 놓겠다고 하면, 일단 해부학적 지표들을 참고하여 요추 레벨을 파악하는 것부터가 관건이 됩니다. 먼저 골반릉을 파악해야 하겠지요? 골반릉의 최대 높이에서 좌우를 잇는 선을 파악해야 하는데, 처음부터 명확하게 확신이 서기 힘들 것입니다. 대략적인 선을 긋고 나면 요추의 극돌기를 파악하고 크로스 체크를 위해서 이것이 정확하게 몇 번 요추의 극돌기인지도 파악이 가능해야 합니다. 이를 제대로 수행하기 위해서는 반복된 연습과, X-ray나 초음파를 통한 확인 과정이 필요합니다. 도침 날 끝이 무사히 요추 후관절에 착륙했다면 도침의 각도를 어떻게 틀어야 하는지 알아야 골면을 타고 도침을 삽입할 수 있습니다. 따라서 각 요추 후관절마다 미묘하게 달라지는 후관절의 각도까지도 파악하고 있어야 합니다(**그림 1-1-4**). 와, 처음부터 쉽지 않겠다구요? 이 많은 과정을 감수할 가치가 있을 만큼 도침은 좋은 치료 효과를 가지고 있습니다. 높은 재현성으로 숙련되기만 하면 자신있게 치료할 수 있게 됩니다.

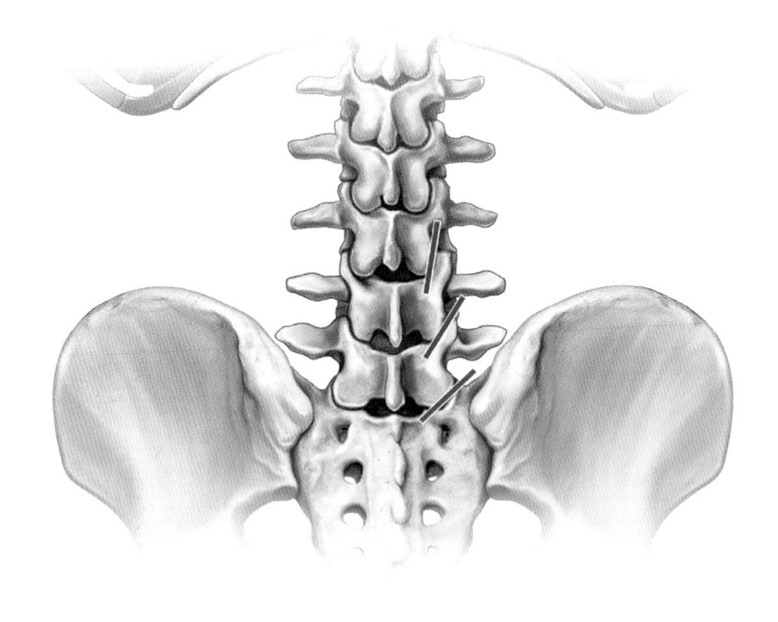

그림 1-1-4. 요추 후관절의 서로 다른 각도 : 요추 후관절의 관절각은 하위요추로 갈수록 커진다.

두 번째, 가능한 부작용에 대한 주의와 대처법을 숙지해야 합니다.

도침의 가능한 부작용으로 출혈, 신경 손상, 뇌척수액 누출, 감염, 기흉 등의 다양한 상황이 발생할 수 있습니다. 따라서 시술 시 이 부위가 상대적으로 위험한 부위이다, 안전한 부위다 정확히 알고 치료해야 합니다. 이러한 것들을 전반적으로 살핀 후, 만에 하나 생길 수 있는 문제의 대응 방법을 잘 알아두어야 합니다. 동일한 시술을 한다면 그 시술에서 발생할 수 있는 문제점이 나에게도 확률상 존재하기 때문입니다. 만 명 중에 한 명 발생하는 부작용이라면 만 번 시술을 하면 나에게 부작용이 나타날 확률이 한 번은 있다는 이야기입니다. 다른 점은 그것이 나에게 빠르게 나타나느냐 천천히 나타나느냐의 문제입니다. 미리 준비가 되어있고 그 확률을 알고 있다면 더욱 빠르고 현명한 대응으로 문제를 바로잡을 수 있습니다. 내가 시술하는 포인트가 특정 동맥의 옆이라고 한다면(예: 대후두신경과 후두동맥) 출혈 시 어느 정도의 압박을 가해야 하는지에 대한 시나리오가 머릿속에 들어 있어야 합니다. 시술 부위에 주요 신경이 지나는데 살짝 상처가 난다면 빠른 회복을 위해 어떤 대응을 해야 하는지 알고 있어야 합니다. 이를 피하기 위해 속도 조절을 어떻게 해야 하는지, 칼날 방향은 어떻게 하는지 알고 있는 것이 굉장히 중요합니다. 신경 손상도 발생할 수 있는 중요한 부작용 중의 하나입니다. 이것은 예를 들어 설명해 보겠습니다.

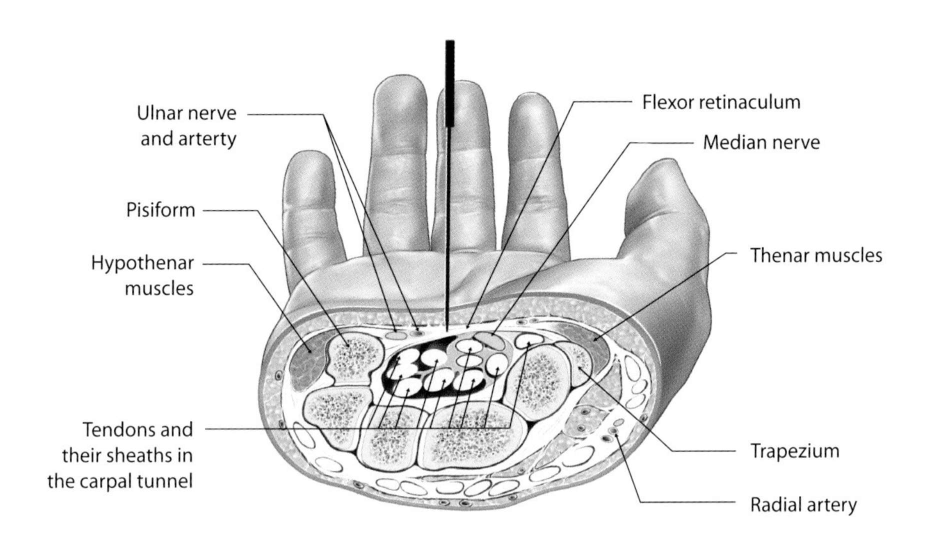

그림 1-1-5. 손목터널증후군 도침시술

정중신경이 압박된 손목터널증후군을 예로 들어 보겠습니다(**그림1-1-5**). 정중신경은 손목 정중앙에서 2-3지를 이은 선으로 지나갑니다. 이를 바탕으로 3-4지 간의 위치에서 시술 포인트를 잡아서 신경을 피한 시술 디자인을 고려하고, 신경이 손바닥에 종축으로 지나가기 때문에 칼날 방향은 신경이 지나는 방향으로 설정을 해서 유사 시 신경의 손상을 최소화할 수 있습니다. 그 다음으로 손목터널의 깊이를 미리 알고 있어야 합니다. 시술 시 도침날 끝으로 터널을 형성하고 있는 carpal tunnel ligament의 접촉 여부를 파악하고, 만에 하나 신경을 손상했다면 어떤 대응을 해야 하는지, 손상의 정도에 따라서 어떤 예후를 가지는지도 머릿속에 있어야 합니다.

세 번째, 병을 정확히 이해하고 구체적인 진단을 통해 타깃과 도구의 종류, 치료기간을 설정해야 합니다.

막연하게 '여기 아플 때 어디를 치료한다' 이렇게 접근하기보다는 이 사람의 진단명은 무엇이고 그 병의 진행 정도가 어느 정도라는 것이 확실히 이해가 된 상태에서 치료를 해야 합니다. 팔꿈치 통증이라면 팔꿈치질환의 개괄을 이해하고 '이 병은 사용하지 않고 보존적 치료할 경우 6개월 내에 자연적으로 나을 확률이 80%이고 12개월 내에 나을 확률이 90%이다, 일반적으로 문제가 오는 포인트는 어디이며 양방에서는 어떤 치료를 한다. 수술을 하게 되면 어디를 포인트로 어떤 방법으로 수술을 한다. 그 예후는 어떻다.'와 같은 기본적인 내용을 숙지하고 환자를 대해야 정확한 설명을 통해 치료 과정에 대한 공감을 얻게 됩니다. 거기에 구체적으로 이 사람만의 특수한 정황, 어떤 동작을 반복해서 이 병이 오게 되었는지, 시술 후에도 자주 사용할 예정인지, 노동을 피할 수 없는 상황인지, 잦은 스테로이드주사로 팔꿈치 힘줄이 많이 약화가 된 상태는 아닌지 등을 파악해 전반적인 치료기간과 주별 치료 횟수, 자극의 강도를 정할 수 있습니다.

네 번째, 최소한의 자극으로 치료하는 것을 원칙으로 합니다.

도침은 손상을 통해 회복하는 치료 방법입니다. 따라서 손상을 기본적으로 깔고 가는 수밖에 없습니다. 의사의 마음은 빨리 치료해 주고 싶은 게 인지상정이지만 최소한의 자극으로 낫는 방법을 늘 염두에 두고 가는 것을 추천드립니다. 만에 하나 과하게 치료해서 환자가 아파하거나 손상으로 힘들어 하면 의사도 괴로울 수밖에 없습니다. 둘째로 도침으로 수술을 대체하는 목적은 다른 부작용을 줄이기 위한 것도 있지만 일상생활을 충분히 하면서 수술과 같은 치료 효과를 기대할 수 있는 것입니다. 이를 생각한다면 일상생활에 부담이 되지 않도록 최소한의 자극으로 시술을 하는 것이 필요합니다. 셋째로 최소한의 자극을 통한 치료가 의외로 큰 효과가 있습니다. 도침은 손상 후 회복을 기반으로 하는 치료인데 가벼운 손상만으로도 인체의 조직은 회복반응을 시작하고, 압박된 신경은 약간의 혈행 개선만으로도 산소 공급을 받아 통증에서 벗어나기 시작합니다. 이와 같이 도침치료의 원리를 통찰해 본다면 과도한 시술보다는 최소한의 시술로 접근하는 것이 더 현명하고 바른 치료라는 것을 이해할 수 있을 것입니다.

2. 도침치료의 적응증과 금기증

➲ 어떤 경우에 도침을 사용해야 할까?

우리 몸은 근막, 힘줄이나 인대와 같은 조직에 손상이 오면 두터워지고 뻣뻣해지고 짧아지는 방식으로 변형이 오게 됩니다. 이러한 구조적인 변형을 끝이 뭉뚝한 호침으로 치료하기는 쉽지가 않습니다. 이 경우 침 끝에 칼날이 달린 도침을 사용하여 치료해야 합니다. 즉, 도침은 인체의 구조적인 변형을 치료하는 도구입니다. 그럼 이제 도침을 사용하면 잘 낫는 질환에 대해서 알아보도록 하겠습니다.

1) 근육과 인대 힘줄의 손상이 오래된 경우

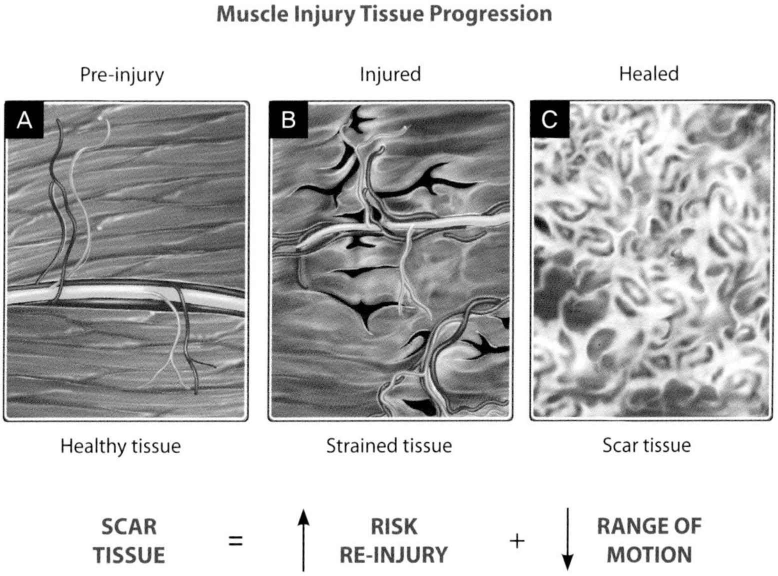

그림 1-1-6. 조직의 손상이 반복되거나, 너무 큰 손상이 발생하면 조직은 흔적을 남기고 회복된다.

도침은 기본적으로 퇴행이 진행된 조직에 작은 상처를 내서 정상화하는 치료법입니다. 근육은 물론이고 근육을 싸고 있는 근막과 이것이 이어진 형태인 힘줄에 도침을 사용할 수 있습니다. 일반적으로 근육은 재생력이 좋고 혈액공급이 원활해서 손상을 받더라도 정상으로 회복이 '잘' 됩니다. 그러나 근육의 손상이 너무 크거나 작은 손상이 반복이 되면 손상된 조직이 지방조직으로 대체가 되면서 근육의 운동기능이 떨어지게 됩니다. 여기에 근육을 싸고 있는 근막이나 섬유성 조직인 힘줄의 경우 근육에 비해 재생력이 떨어지는 상황이라 한 번 손상이 되고 나면 두터워지고 뻣뻣해지면서 제 기능을 못하게 됩니다(**그림 1-1-6**). 따라서 이 경우 짧아진 근막이나 힘줄 때문에 정상적인 운동에 제한이 오며 국소적인 순환이 안 되니 답답하고 무거운 느낌이 들게 됩니다. 이것이 만성적인 연조직 손상의 기본적인 병리입니다. 이때 도침으로 두터워지고 짧아진 조직이 잘 늘어나게 만들어 줍니다. 짧아진 조직이 늘어나면 어떤 일이 일어날까요? 근육과 관절의 정상적인 운동이 가능해지고, 조직이 두터워져 순환이 잘 되지 않는 상황이 개선되어 혈액 공급도 원활해지게 됩니다. 도침이 만들어낸 아주 작은 상처는 미처 회복되지 못한 조직에 혈액을 공급해 손상되었던 조직이 재생할 수 있는 기회를 줍니다.

근육의 파열 및 염좌, 인대의 손상 후 회복 저하, 힘줄의 병변, 근막의 변형 등이 이와 관련된 병리적인 상황입니다. 이것을 질병명으로 정리하자면 만성 염좌, 건초염, 어깨 회전근개 관련 질환, 경추통, 요통, 팔꿈치 통증, 족저근막염, 아킬레스건염 등 굉장히 많습니다.

2) 골관절염 디스크협착증 등 퇴행성 질환

관절염은 물론이고 디스크협착증에도 도침을 사용할 수 있습니다. 경추와 요추의 디스크 병변인 경우 추간판의 문제는 요추관절의 부정렬과 그 주변 조직의 불균형으로 유발되는 경우가 많습니다. 경추와 경추, 요추와 요추 사이의 디스크도 문제지만 이를 잡아주는 경추 요추의 관절의 인대와 주변 근육들의 문제도 무시할 수가 없지요. 이들 구조적인 병변을 개선하는 데 도침을 적절하게 사용한다면 디스크와 협착증의 치료가 가능합니다. 협착증이나 디스크가 심해지면 척추관과 그 주변의 순환이 되지 않아서 생기는 문제점도 있습니다. 도침을 통해서 심부 관절 자극을 주고 정말 척추관 내의 문제가 심해진다면 도침의 새로운 형태인 원리침을 사용할 수도 있습니다.

3) 신경포착질환

척추관에서 나온 신경이 인체의 사지 말단으로 신경이 뻗어가면서 고정되는 포인트가 있습니다. 혹은 신경이 체간이나 사지에서 방향을 바꾸거나 체표로 분출되는 부위가 있습니다. 이들 포인트에서 신경이 눌리기 쉬운데 가장 유명한 질환이 손목터널증후군이 있습니다. 신경이 눌린 경우, 이전에는 주사치료를 해보다가 수술을 하곤 했는데, 포착된 신경의 수술을 하는 경우 조직을 절개하면서 발생하는 불편함과 부작용을 줄이기 위해 최근에는 최소한의 자극으로 치료를 하기 위한 노력이 양방에서도 진행되고 있습니다. 도침을 이용해서 정중신경을 압박하는 손목터널을 이완시켜주면 수술의 효과를 대체할 수 있습니다(**그림 1-1-7**). 손목터널증후군은 신경포착질환의 90%를 차지하는 중요한 질환으로 이외에 팔꿈치 부위의 척골신경포착, 발목에서 신경이 눌리는 발목터널증후군 등의 질환이 있습니다.

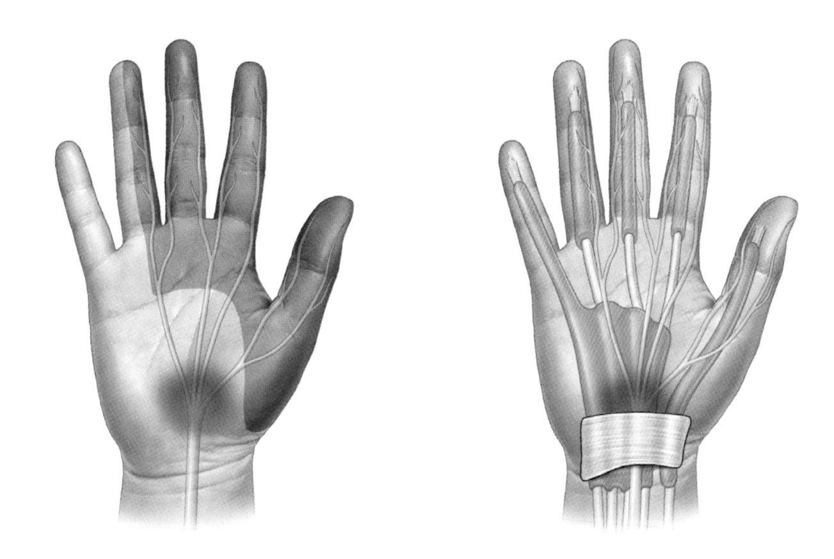

그림 1-1-7. 손목터널증후군은 대표적인 신경포착질환이다.

4) 척추와 연관된 내장기 및 부인과질환

장기를 지배하는 신경은 척추의 신경절에서 이어져 내려옵니다. 한의학에서는 배수혈을 이용해 내장기를 치료하는 혈자리로 사용해 왔지요. 위장기능의 저하나 심장의 이상, 자궁기능 혹은 생리에 문제가 있는 경우, 척추와 연관된 내장기질환이 있을 때 배수혈에 도침을 이용하여 치료할 수 있습니다.

자궁과 난소 골반관련 질환도 하부요추 및 천골과 연관이 되어 있고 도침으로 이와 관련된 질환을 치료할 수 있습니다. 예를 들면 월경통이나 생리불순 같은 경우도 도침으로 접근해 볼 수 있는 질환 중 하나입니다.

어떤 경우에 도침을 하지 말아야 되나?

첫 번째, 혈우병 환자나 항응고제 복용 등 지혈에 문제가 있는 경우

도침은 출혈을 동반한 치료입니다. 그래서 지혈이 안 되면 문제가 생기겠지요. 하지만 이것도 자세히 살펴봐야 할 점이 있습니다. 직경에 따라서 도침의 파급력이 다르다는 것을요. 두꺼운 직경의 도침은 1 mm가 넘는 반면에 도침의 직경이 0.5 mm 정도 되면 호침과 크게 다를 바가 없습니다. 호침의 경우 항응고제를 복용하고 있어도 문제가 없다는 연구결과가 있었지요. 0.5 mm 이하의 직경의 도침을 사용하는 경우 호침에 준해서 보는 것이 맞다고 생각합니다. 시술 후에 압박 지혈만 조금 더 신경 써주시면 되겠습니다. 혈우병 환자는 도침치료의 대상에서 제외하고, 항응고제 등을 복용하는 환자에게 0.5mm의 직경을 초과하는 도침을 사용해야 한다면 약을 처방한 내과의와 상의하여 일주일 정도 약을 중지하고 시술하는 것이 원칙입니다.

두 번째, 회복력에 문제가 있는 경우

도침은 상처를 한 번 내고 인체의 회복을 통해 재생하는 치료인데 이 때 회복을 못하면 인체에 데미지가 누적됩니다. 그래서 고령인 경우, 80대 중후반이 넘어가면 회복이 상당히 길어지는 것을 볼 수 있습니다. 치료 시 연령이나 회복력을 참고해서 딱 한두 포인트만 치료하면서 포인트를 조금씩 늘려가야 하고, 너무 과도하게 20회, 30회 자극을 해서 보내면 고령의 환자분 같은 경우 일주일 정도 앓아 누우실 수 있습니다. 또 희귀 난치병으로 인해서 체력 회복력이 떨어졌다, 이를테면 암이 걸렸다, 당뇨가 아주 심하다, 이런 경우는 최소한으로 가볍게 치료해야겠죠.

세 번째, 켈로이드 체질일 경우 신중하게 적용합니다.

켈로이드도 그냥 켈로이드 말고 '상처만 나면 그냥 켈로이드가 생긴다' 이런 경우는 피하시고, 꼭 시술이 필요한 환자분이 있다면 환자분의 동의하에 작은 직경으로 한 포인트씩 시험삼아 먼저 시술을 해보고 진행하시기 바랍니다.

네 번째, 시술 부위가 해부학적으로 위험한 부위일 경우

시술하려는 부위에 경동맥과 같이 큰 동맥이 지난다면 시술을 자제해야겠지요. 물론 혈관 위치를 명확하게 파악 후 옆으로 밀어내고 시술할 수 있다면 불가능한 것만은 아닙니다. 하지만 경동맥이나 대퇴동맥 같이 문제가 될 수 있는 부위는 일단은 절대적인 금기증으로 알아두고 시술할 때 반드시 주의하시기 바랍니다. 팔꿈치에서 주와부나 무릎 뒤쪽의 슬와부에서 동맥과 정맥이 지나가는 가운데 부위는 도침의 적용 부위가 될 해부학적인 구조물이 없습니다. 따라서 이 부위는 일반적으로 시술하지 않는 부위입니다(**그림 1-1-8**).

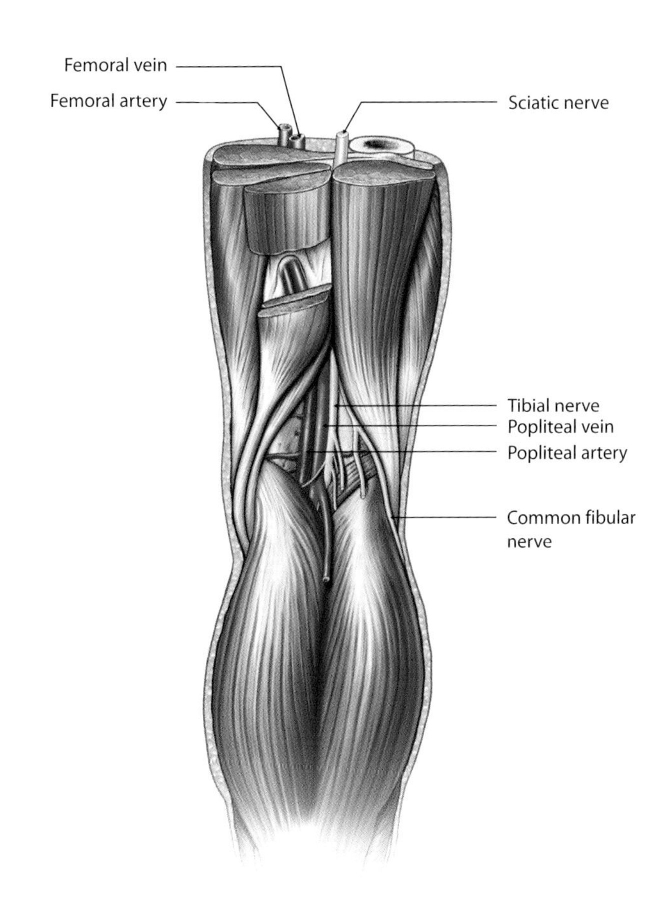

그림 1-1-8. 슬와부 정중앙에는 슬와동정맥이 지난다. 해부학적으로 위험하며 도침의 목표점도 아니다.

다섯 번째, 복강 흉강 등에 대한 시술은 자제합니다.

복강에 대한 시술은 안하면 좋겠어요. 왜냐하면 복강은 감염의 위험도 있고 정확히 어디에 들어가는지 파악이 힘들잖아요.

승모근 치료 시에도 침날이 흉강을 뚫지 않도록 조절합니다. 흉곽은 기흉이 발생하기 때문에 기흉이 발생하면 이 사람이 호흡을 확실히 못하겠죠. 그러면 흉통이나 찌르듯한 통증을 호소하면서 가슴을 부여잡고, 조금씩 조금씩 얼굴이 창백해지면서 쓰러집니다. 이거는 도침의 문제가 아니고 침 치료나 주사치료로도 문제가 생길 수 있는 부분이기 때문에 흉강에 대해서 잘 파악하고 흉강 자극을 안 하도록 해야겠어요. 주로 승모근, 흉추, 사각근, 옆구리 치료 시에 문제가 있을 수 있으니 더욱 주의를 기울여서 시술하도록 합시다.

여섯 번째, 환자가 침에 대한 공포심이 극심할 경우

환자가 침을 무서워하는 사람도 굉장히 많아요. 그래서 도침을 처음부터 무작정 해버리면 완전 자지러질 수도 있습니다. 작은 직경의 도침이라면 엄청나게 아프진 않은데, 공포감은 통증을 증폭시키고 때로는 환자의 미주신경성 실신을 유발합니다. 정서적 긴장으로 인해 사람이 기절하기도 하고 심한 경우는 사망도 가능합니다.

우리는 치료를 하기 전에 편안한 분위기를 조성해야 합니다. 의사 자체가 편안해야 되고 의사가 긴장해서 덜덜 떨고 이래버리면 예민한 환자는 그것을 민감하게 파악해 공포감을 느낄 수 있단 말이죠. 그래서 의사는 자신의 마음을 안정적으로 조절할 수 있어야 하고 더불어 상대방을 침착하게, 편안하게 해줄 수 있어야 합니다. 시술을 받는 환자가 '이 사람은 믿을 만해, 안전해' 이런 신뢰감과 편안한 느낌이 먼저 있어야 돼요. 환자가 침을 처음 접한다 그러면 정말 정말 부드러운 치료를 먼저 시작하세요. 가볍게 침을 맞도록 해주고 "하나도 안 아팠죠, 괜찮았죠. 저랑 치료하시면 크게 불편한 점 없이 잘 치료할 수 있습니다." 이렇게 안심을 시켜드리고 가벼운 치료를 해보다가 도침이 정말 필요하다 싶으면 그 때 "도침이 조금 따끔한 치료이긴 한데 치료받으면 호전이 되겠네요. 지금 상태에서는 도침치료를 받아보시는 것이 좋겠습니다." 하고 필요성을 설명해주세요. 시술자는 본인의 테크닉도 중요하지만 치료받는 사람의 치료 경험, 정서적인 상태도 항상 모니터링하면서 진행해야 합니다.

3. 도침치료의 기초원리 : 손상과 회복

Regeneration과 Repair

우리가 다치면 상처가 생기고 어떤 경우에는 흉터가 남게 됩니다. 근육이 뻣뻣하고 뭉친 부분들은 침이나 부항으로 풀어줄 수 있지만 상처가 난 후에 흉터처럼 조직이 짧아지고 뻣뻣하게 변형이 생기는 경우가 있습니다. 이 때 일반적인 치료가 잘 듣지 않아 난감한데요, 이럴 때 쓰는 도구가 바로 도침입니다.

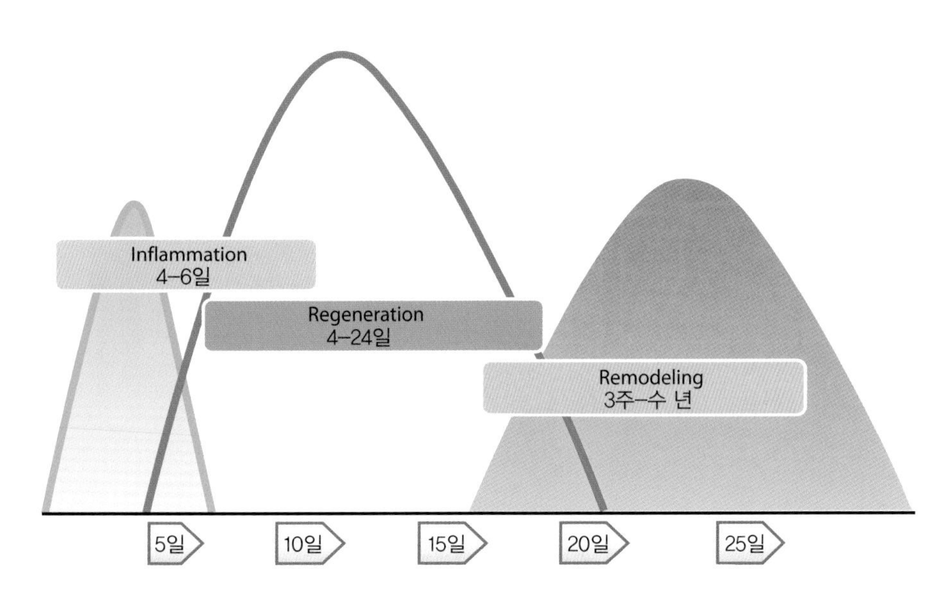

그림 1-1-9. 조직 손상 후 회복과정

상처가 나면 위와 같은 과정을 거쳐서 회복합니다(**그림 1-1-9**). 약 일주일 정도의 염증기, 염증기 후반부터 재생기가 한 3주 정도 지속되고 리모델링기가 수주에서 수개월(혹은 수년)간 이어지면서 회복됩니다. 각 과정이 겹쳐서 진행되며 3단계로 이루어지는 거죠. 우리가 넘어지면서 목이나 허리를 삐끗하면 처음에는 쑤시고 아프잖아요. 며칠 쉬고 염증기를 지나 대충 움직일 만한 상태가 됐는데 그때 우리의 조직 상태가 완전히 다 나았느냐? 그건 아니죠. 만약에 발목을 삐끗하고 다쳤는데 통증이 좀 덜하다고 다 낫지도 않은 상태에서 과도하게 움직이면 염증기-재생기-리모델링기가 수도 없이 중복되면서 비가역적으로 조직이 손상이 됩니다. 그래서 조직은 손상 후 잘 회복되었느냐(regeneration)

아니면 흔적을 남기고 회복되었느냐(repair)로 나눌 수 있습니다.

Regeneration(재생)은 손상 후 흔적을 남기지 않고 정상적으로 회복되는 경우를 말하고 Repair(고침상태)는 손상 후에 흔적을 남기고 회복을 하는 거예요. 급성 손상 후 회복과정이 잘 이루어지면 흔적을 남기지 않고 회복을 하지만 만성염증의 상태가 되면 조직의 섬유화(fibrosis)가 진행됩니다.

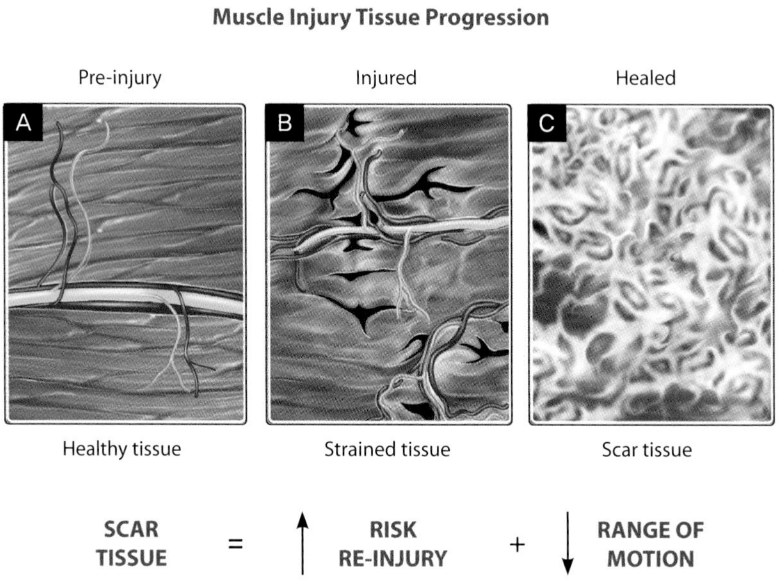

Muscle Injury Tissue Progression

Pre-injury | Injured | Healed

A | B | C

Healthy tissue | Strained tissue | Scar tissue

SCAR TISSUE = ↑ RISK RE-INJURY + ↓ RANGE OF MOTION

그림 1-1-10. 조직 손상과 흔적을 남기는 과정
정상 회복과정은 a → b → a / 흔적을 남긴 회복은 a → b → c의 단계로 진행된다.

Fibrosis가 형성된 원리를 다시 설명해보죠. 우리가 다쳤는데 상처가 좀 깊어요. 깊어서 어떤 쭉 파인 상태가 된다면 이게 조직이 천천히 회복할 수 없는 상태가 돼서 우리 몸이 상처를 흉터로 덮어버립니다. 누구나 몸에 하나씩 흉터가 있죠. 그게 고침상태(repair), fibrosis(섬유화)가 된 거죠(**그림 1-1-10**).

다음 그림(**그림 1-1-11**)을 한 번 보시죠. 위 그림은 정상적으로 리제너레이션되는 과정이고 아래는 리페어가 되면서 fibrosis가 형성되는 과정을 설명하고 있습니다. 위 그림에서 급작스런 손상 후에 matrix deposition과 regeneration이 번갈아 가면서 잘 교체가 이루어지는 것을 확인할 수 있습니다. 회복과정에서는 일시적으로 콜라겐이 침착됐다가 다시 빠져나가줘야 합니다. 그렇게 콜라겐이 빠지면서 정상 근육이 돌아오는 과정을 거쳐야 하는데, 아래 그림처럼 만성염증 상태가 되면 계속 염증이 누적되면서 콜라겐이 계속 쌓입니다. 계속 쌓이면 우리의 몸이 딱딱하게 변해요. 섬유화가 되고 그 조직 자체가 비가역적으로 기능을 못하는 상태가 되는 거죠.

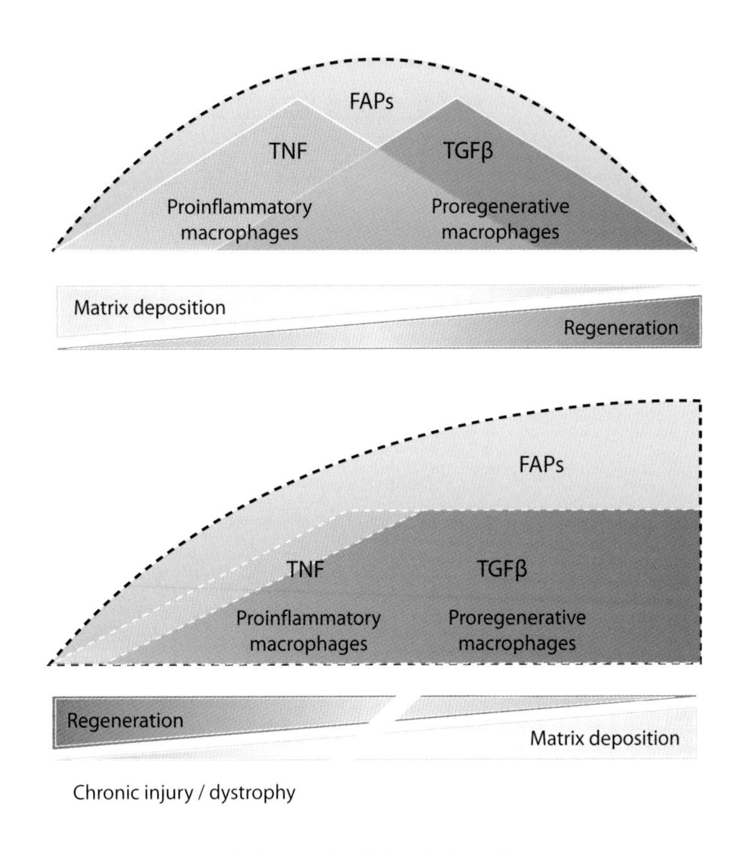

그림 1-1-11. 회복과정의 두 종류

다치면 염증이 적절히 생겼다가 빠지면서 속도를 조절해야 하는데 계속 염증이 생기는 상황은 운전 중에 쉼 없이 악셀을 밟아서 사고가 나는 그런 상태가 되는 겁니다. 우리 몸에 흉터라든지 Fibrosis 혹은 구축된 상태로 넘어가는 겁니다.

손상된 조직을 정상회복하기 위한 핵심요건

자, 정리를 한번 해보죠. 조직이 지속적으로 손상을 받았다. 이를 테면 우리가 허벅지 뒤쪽의 햄스트링을 다쳤어요. 우두둑하고 삐었는데 어쩔 수 없이 계속 걸어야 되는 상황이 있다고 합시다. 또 기초 지식이 부족해서 운동하면 나을 줄 알고 계속 달리고 이 악물고 축구를 하거나 농구를 막 계속한다고 합시다. 그러면 조직이 반복적으로 손상되어 1. 깊은 손상과 2. 조직의 틀 자체가 파괴되는 상황이 일어나죠. 인체는 여기를 흉터로 덮어버리게 되고 결국 흉터를 남기면서 회복할 수밖에 없는 상황이 옵니다.

그럼 정상 회복의 핵심 포인트는 무엇이냐? **염증의 기간과 강도**를 조절하는 것입니다(**그림 1-1-12**). 만약에 여러분이 예기치 않게 다쳤고, 흔적을 남기지 않고 정상적으로 회복하고 싶다. 그러면 어떻게 해야 한다? 염증 기간을 단축시키고 염증의 강도를 줄여야 합니다. 해당 부위를 과사용해서 계속 손상을 한다거나 술을 먹는다거나. 잠을 못 잔다거나 이런 상황들이 벌어지지 않도록 해야 합니다. 염증 상태가 계속 지속될 상황들을 피해야 되고 그 다음에 염증의 강도를 어떻게 조절할까요? 치료를 받아야겠지요. 얼음찜질을 한다든지, 침치료를 받는다든지, 약을 복용한다든지 해서 염증의 강도를 줄여야 합니다. 그랬는데 결국 어쩔 수 없이 fibrosis가 형성되었다면 어떻게 해야 하나? Fibrosis가 진행된 상태는 이를 되돌리기 위한 특별한 도구가 필요합니다. 그게 도침입니다. 도침은 fibrosis가 형성된 조직에 아주 가벼운 상처를 내서 regeneration을 일으키는 도구입니다.

너무 많이 써도, 너무 안 써도 병이 온다.

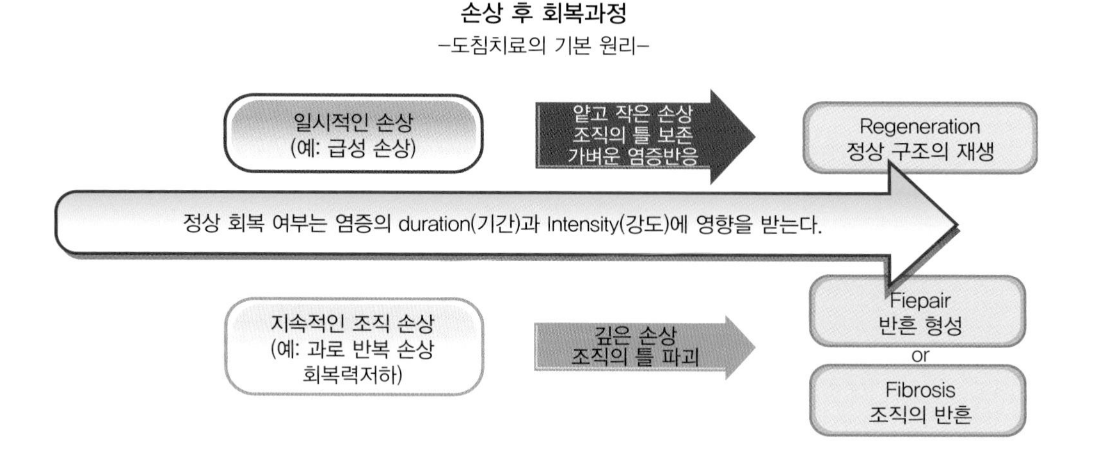

그림 1-1-12. 정상회복을 위한 핵심요건

손상만이 이러한 변형을 일으키는 것은 아닙니다. 일찍이 의서에서는 병의 원인으로 너무 써도 병이 오고 그리고 너무 안 써도 병이 온다는 것을 명시하였습니다. 너무 오래 긴장하고 한 자세로 있어도 병이 옵니다. 핸드폰을 너무 오래 하거나 정서적 긴장이 오래되면 문제가 발생할 수 있습니다. 과도하게 한 자세를 반복하면 혈액이 통하지 않아서 산소가 부족해진 조직이 망가져 퇴행이 유발됩니다. 결과는 마찬가지입니다.

도침이 좋은 대안이 될 수 있다.

도침은 손상, 노동, 운동 부족 등으로 인한 비가역적인 변화가 나타난 상황들에 대응을 하는 도구로 적합합니다. 도침은 굉장히 절제된 상황에서 아주 작은 손상을 유발해 다시 가벼운 염증 상황을 만들고 재생과 리모델링을 통해서 조직의 부분적인 회복을 유발합니다. 시술을 하는 입장에서 다시 설명드려보면 염증의 강도와 기간이 중요하다고 말씀드렸습니다. 따라서 도침을 통한 재생치료를 할 때도 너무 욕심을 내서 조직의 회복을 방해할 정도의 손상을 주면 안 됩니다. 시술 후에 너무 과하게 사용하거나 혹은 시술 빈도가 너무 잦아도 좋은 결과를 기대할 수가 없습니다. 우리가 의도했던 regeneration이 안 될 수가 있습니다. 최소한의 자극으로 여러 번, 수 주에 걸쳐서, 손상된 조직이 회복될 때까지 서로 시간을 두면서 치료하고 그 상황에서 양생이 필요하다거나 환자의 회복력을 돕기 위해서 한약이나 약침, 침치료 및 추나요법을 병행하면 됩니다.

2 도침을 적용할 수 있는 대표적인 인체 구조물

인체에는 다양한 구조물이 있습니다. 날카로운 칼 끝을 가지고 있는 도침의 특성을 고려하면 다양한 구조물의 병변을 치료할 수 있습니다. 그 중에서 제가 생각하기에 가장 도침이 잘 듣는 인체 구조물을 정리해 보았습니다. 도침 입문서인 이 책에서는 아래에서 정리한 구조물에 대한 치료를 바탕으로 하고 있습니다.

1. 단축/비후된 힘줄과 근막(Degenerated Tendon and Muscle Fascia)

도침치료의 기본 원리를 언급한 앞 장에서 주로 다루는 해부학적 구조물이 주로 힘줄과 근막에 적용이 됩니다. 과도한 손상, 반복된 손상 혹은 고정된 자세로 인한 허혈성 손상은 인체 구조물을 단축되고 비후되게 만듭니다. 변형된 조직은 원래의 기능을 잘 발휘하기 어렵게 하고 거꾸로 순환을 다시 저하시켜 불편함과 통증을 유발합니다. 이 때 도침으로 조직의 작은 손상을 통해 회복반응을 일으켜 regeneration을 촉진하고 국소의 순환을 개선하면서 동시에 조직의 단축을 회복시켜 기능을 회복하도록 돕습니다.

2. 염증 상태의 건초와 활액낭(Inflamed Tendon sheath and Bursa)

도침이 가장 빠르게 효과를 보는 파트가 이 부위입니다. 움직임이 많은 2형 tendon은 tendon sheath라는 주머니로 보호되고 있습니다. 주로 손목부위에서 건초염이 많이 발생하는데요(**그림 1-1-13**), 과도한 사용과 충격이 건초에 염증을 일으키고 통증을 유발합니다. 이때 도침으로 아주 가볍게 건초를 절개해주면 빠르게 통증과 불편함이 감소합니다.

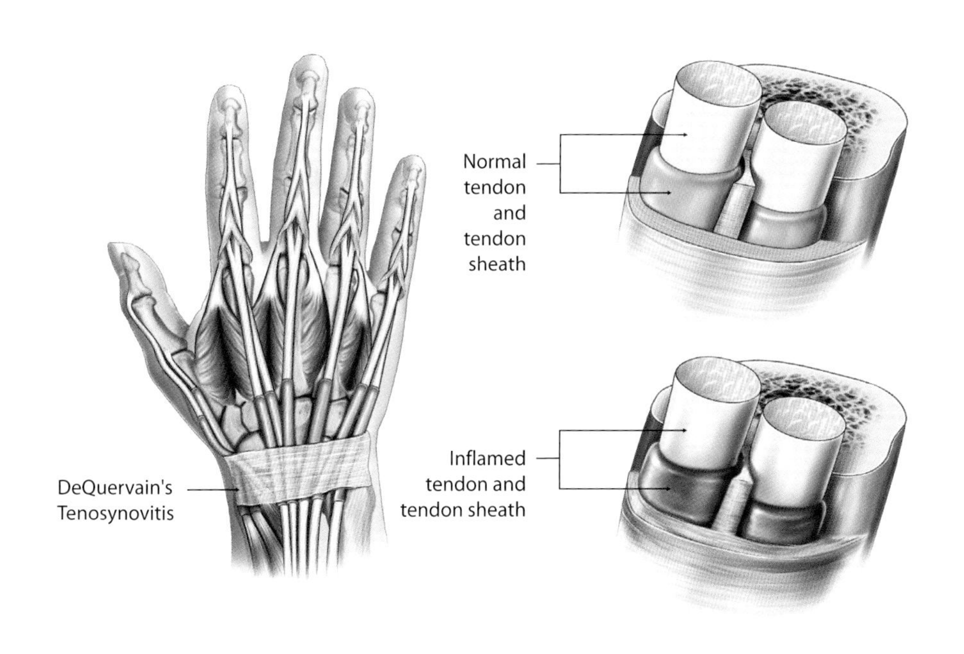

그림 1-1-13. 손목염증과 건초

견봉하 활액낭

비슷한 구조물로 활액낭을 볼 수가 있습니다. 활액낭은 통증 sensor가 많이 분포되어 있는 구조물로, 주변 조직의 손상이나 과부하로 염증이 생기면 이에 따른 염증부산물인 활액으로 가득차게 됩니다. Sensor가 많은 예민한 주머니를 떠올려보세요. 이 주머니에 팽팽하게 물이 차있다면 강하고 지속적인 자극이 유발될 수 있습니다. 이를테면 환자가 한동안 반복해서 어깨를 사용했다고 하면 견봉하의 활액낭이 부풀어오르게 되고 이 경우 주된 증상은 야간 혹은 휴식 시 통증, 쑤심입니다. 며칠을 쉰다고 해도 한 번 부풀어오른 활액낭은 쉽게 줄어들지 않고 지속적인 통증을 유발할 것이고 활액낭에서 유발된 통증은 다시 어깨의 염증을 지속하게 되는 원인이 됩니다. 이 경우 적절한 침 치료와 동시에 부풀어오른 활액낭을 약간만 줄여준다면 통증이 악화되거나 유지되는 사이클을 정상적인 사이클로 바꾸어줄 수 있습니다(**그림 1-1-14**). 밤새 쑤셔서 잠을 못자던 것을 도침치료로 편하게 잠들도록 해줄 수 있는 것이지요. 도침치료시 강한 자극보다는 활액낭의 가벼운 절개만으로도 활액낭의 신경자극이 감소하면서 통증이 극적으로 감소하게 됩니다.

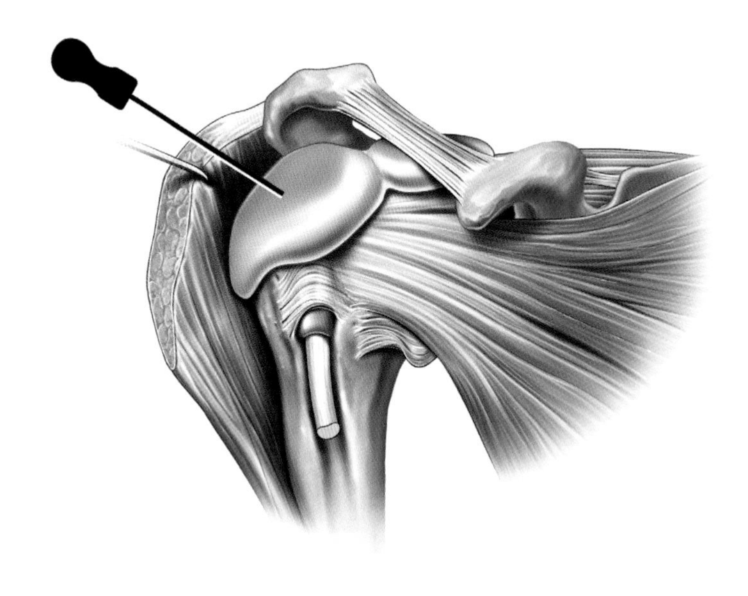

그림 1-1-14. 삼각근하 활액낭염 도침시술

3. 손상된 인대(Ligament)

인대의 만성적인 염증 상태일 때, 환자는 손상된 인대 부위에 집중된 압통과 운동 시 불편함을 호소합니다. 이 경우 도침을 이용해서 손상된 부위를 정확하게 자극, 치료해주면 빠른 치료 효과를 기대할 수 있습니다. 다만 인대의 파열이 진행되었다면 이 점을 고려하여 과도한 자극보다는 더욱 약한 자극을 통해 염증을 줄여주고 재생을 촉진하는 것을 목표로 치료하시는 것을 추천드립니다.

4. 신경을 압박하는 섬유조직의 해방 (Release of Nerve Entrapment : Retinaculum and Fascia)

앞서 설명했듯이 도침을 이용해 신경의 압박된 상태를 풀어줄 수 있습니다. 이 경우 목표가 되는 구조물은 신경이 아니고 신경을 둘러싸고 압박하는 구조물입니다. 손목에서는 transverse carpal ligament라는, 손목 뼈와 함께 retinaculum을 형성하는 구조물이고 후두에서는 후두신경이 분출하는 후두하 근막이 주요 포인트가 됩니다. 이들 구조물은 두터워지고 뻣뻣해지면서 신경을 압박합니다. 조직이 두터워지고 뻣뻣해지면 신경을 지나가는 길목에 압력이 형성되고 순환이 저해됩니다. 도침은 이러한 변형을 치료해 신경의 혈액공급을 도와주는 훌륭한 치료도구입니다(**그림 1-1-15**).

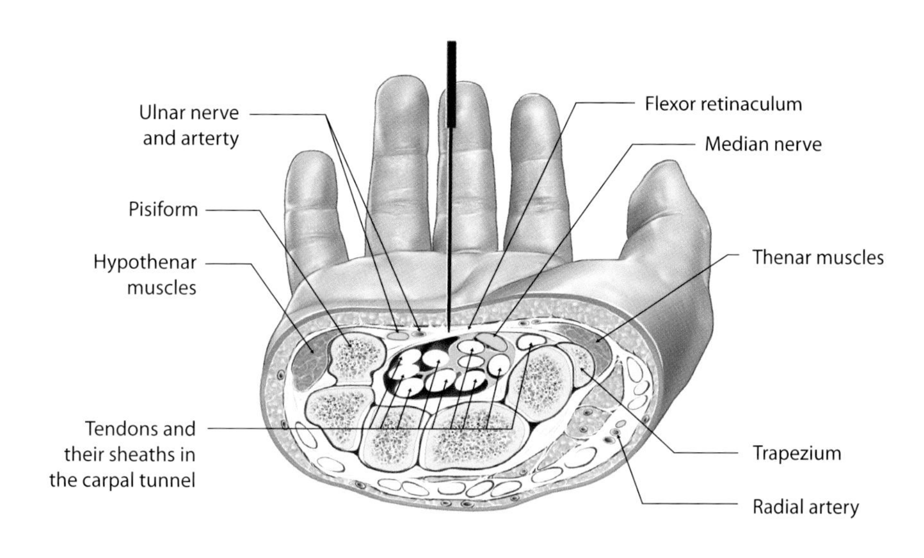

그림 1-1-15. 손목터널증후군의 도침시술

5. 퇴행된 관절(Degenerated Facet and Joint)

관절은 퇴행이 오면 굳어지고 운동이 안되며 뻣뻣한 감각을 느끼게 하고 그러면서 통증이 유발됩니다. 늘상 강조해왔듯이 뻣뻣해지고 굳어진 관절도 도침이 주된 치료도구가 됩니다. 말 그대로 뻣뻣해진 상태를 부드럽게 느슨하게 순환이 잘 되게 도와줍니다.

더불어 최근의 연구에 의하면 도침은 관절연골의 파괴를 막고 재생을 촉진하며 관절의 염증을 효과적으로 제어해 관절연골을 보호하는 등 다양한 생물학적인 기전을 가지고 있는 것으로 보고되고 있습니다. 따라서 관절에 문제가 있고 일반적인 치료로 잘 낫지 않아 고민이라면 도침을 사용해 치료해 보시는 것을 권유드립니다.

3 도침의 역사와 법적 근거

1. 도침의 역사

도침은 어떻게 시작되었을까요?

지금과 같은 발달된 문명이나 도구가 없었던 시절로 돌아가봅시다. 이 시대의 인류에 필요한 것은 당장의 불편함을 해결해줄 간단한 도구들이었을 것입니다. 불을 내는 부싯돌, 사냥을 위한 도구들, 가죽이나 직조물을 기울 바늘, 다양한 물건을 자르고 나눌 수 있는 칼과 같은 도구들 말입니다. 필경 이 시기에는 경혈에 대한 발견이나 체계적인 이해도 이루어지지 않았을테고, 이들이 마주한 건강을 위협하는 문제는 주로 가시에 대한 손상이라든지, 수렵이나 채집활동에서 발생하는 상해, 염증, 감염, 부종, 농양, 종창 등의 외과적이고 시급한 문제들이 주가 되었을 것입니다. 사냥을 하는 데 날카로운 창과 화살촉이 필수적이었던 것처럼, 가죽 옷을 기우는 데 바늘과 실이 필요했던 것처럼, 다치고 붓고 감염되어 상처가 곪으면 이를 해소해줄 날카로운 도구가 무엇보다 필요했을 것입니다. 폄석이나 골침과 같은 초기의 날카로운 도구들은 아직 경혈에 대한 이해가 발달되지 않았던 시절, 날카로운 도구로서 인체에 산적한 문제를 해결하기 위해 조직을 찌르고 나누는 의미를 가지고 시작되었을 것입니다. 찌르고 풀어주는 끝이 날카로운 형태의 도침이 침의 원형에 가깝다는 주장은 이와 같은 추론에 근거한 것입니다.

인류의 문명이 발달한 이후, 기록물로써 찾아볼 수 있는 오래된 자료들을 살펴본다면 황제내경의 소문과 영추에서 침의 역사를 들여다볼 수 있습니다. 이미 이 시기만 되어도 침은 굉장히 다양하게 분류가 되어 있고 그 용도에 따라 그 모양과 크기가 구분되어 있었습니다. 영추에는 다음과 같은 내용과 함께 각각의 침의 이름과 모양과 크기 용도를 서술하고 서로 다른 병에 서로 다른 침을 사용할 것을 강조하고 있습니다.

> 영추(靈樞) 관침(官鍼) “구침에는 각기 마땅한 바가 있으며, 길이와 크기에 따라 각기 쓰이는 바가 있다(九鍼之宜, 各有所爲, 長短大小, 各有所施也).”

(1) 구침, 피침과 봉침의 도침과의 연관성

이 시기에는 경혈을 치료하는 호침에 대한 명확한 설명이 있고 그 외에 경근과 부종 등을 타겟으로 하는 다양한 침이 사용되고 있었음을 확인할 수 있습니다. 지금에 와서 침치료는 외과적인 혹은 해부학적인 구조물을 직접적으로 치료하는 파트가 양방에 의존하는 부분이 많기 때문에 경혈을 치료하는 호침과 분리되어 보입니다. 하지만 양방과 한방의 분리가 없이 여러 상황에서 모든 병을 치료해야 하는 과거였다면 이와 같이 다양한 형태의 도구가 반드시 필요했고 그에 맞는 상세한 치료법이 존재했다는 것은 당연한 일이었겠지요.

(2) 조선의 치종교수 백광현

조선후기 현종과 숙종 대에 활약했던 어의인 백광현(1625-1697)은 독학으로 침술을 배워 말을 치료하던 마의(馬醫)였습니다. 침술로 동물인 말의 병을 치료하면서 자신감이 생기자, 사람의 병도 치료하기 시작하였는데, 재미있는 것은 그가 정식으로 내의원에 시험을 치르지 않았음에도 그 실력과 유명세를 통해 내의원에 특채가 되었고 결국에는 왕을 치료하는 어의가 되는 성취를 이루게 되었다는 것입니다. 그의 전공은 종기를 날카로운 침으로 절개하여 치료하는 것이었는데 당시 위생상태가 좋지 않고 항생제 등이 개발되지 않아 종기가 성행한 상황에서 이를 치료하는 적절한 방법을 개발하여 《실록》에도 "백광현은 종기를 잘 치료하여 많은 기효(奇效: 뛰어난 효험)가 있으니, 세상에서 신의(神醫)라 일컬었다." 라고 기록되어 있습니다.

신의(神醫)라 불리던 백광현이 사용했던 도구도 절개를 위해 도침과 유사한 형태의 도구가 응용되었을 것으로 생각됩니다. 지금에 와서는 종기를 치료할 일이 많지 않지만 오늘날에도 거대한 화농성 여드름이나 활액낭염 등과 같은 상태일 때 소종(消腫)시키는 목적으로 도침을 사용할 수 있습니다.

(3) 삼릉침의 응용

[三稜鍼]

침 종류의 하나. 침 끝이 삼각추 모양으로 생기고 침날이 세모진 침이다. 염좌(捻挫), 타박상, 편도선염, 중설(重舌), 고혈압발증, 두통을 비롯한 여러 가지 병을 피를 뽑는 방법으로 치료할 때에 쓴다.

(한의학대사전, 2001. 6. 15., 한의학대사전 편찬위원회)

개화기를 거치면서 한의사의 외과적인 치료가 점차 소외되고 있는 가운데 임상에서 아주 외과적인 치료법이 잊혀진 것은 아닙니다. 도침이 널리 사용되기 전에는 삼릉침을 사용하여 해부학적인 구조물을 자극하고 국소의 병변을 치료하는 방법이 존재했습니다. 삼릉침은 주로 염좌나 타박상, 두통, 어혈질환에 사용되었으며 임상을 하면서 연배가 있는 환자분들의 말을 들어보면 예전에 많은 환자들이 삼릉침이나 대침과 같은 침 도구를 통해서 급성과 만성질환에서 특효를 보았음을 자주 들을 수 있었습니다. 아쉬운 점은 이들 도구나 치료법이 명확하게 정리되고 보급되지 않아 개개인의 비방 혹은 치료법으로 남아있다가 소멸되어 온 것이 안타깝습니다.

2. 중국 침도의 역사

침도의 고안과 그에 맞는 이론의 설립 : 주한장 朱汉章

현대 도침요법에 큰 영향을 끼친 인물은 중국의 중의사 주한장(1949–2006) 선생입니다. 그는 중국 강소성에서 태어나 고등학교를 갓 졸업한 1969년 赤脚医生(맨발의 의사)로 의업을 시작했습니다. 당시의 열악한 의사 보급현황에서 약식교육 후 마을에서 의사로 일하면서 손을 다쳐 굴곡신전을 할 수 없는 목공의 손을 치료하기 위한 방법을 고안하기 위해 만들어진 것이 침도요법입니다.

(1) 침도의 시작

1976년의 어느 날 한 목수가 일을 하다가 도끼에 손바닥을 다쳤습니다. 사고 후 손바닥이 눈에 띄게 부어올라 병원에서 치료를 받은 후 붓기는 가라앉았지만 손바닥과 손가락을 접었다 펴는 것이 힘들었습니다. 검사결과 손바닥 내부에 유착과 흉터가 생겨 수술이 필요하다고 판단했지만 수술 후에 후유증이 없다고는 장담할 수 없었습니다.

수술 후 후유증으로 목수일을 할 수 없게 되면 가족의 생계가 어려워질 수 있기 때문에 목수는 수술을 받지 않고 여기저기서 보존적인 치료법을 찾았습니다. 결국 그는 당시 시골인 강소성 수양현에 있던 '작은 신선'이라 불리는 젊은 의사에 이르렀습니다. 주한장은 이 환자를 치료하기 위해 다양한 방법을 고심한 끝에 대담한 시도를 하기로 결정했습니다.

(2) 시술방법

주한장은 9호(4 mm) 주사바늘을 사용했다고 합니다. 환자의 환측 손바닥의 충양근과 수지굴근의 교차점을 찌르고, 몇 번을 박리, 발침 후, 손바닥을 여러 차례 쥐락펴락하도록 하였습니다(시술 후 운동개념). 환자는 제대로 펴거나 잡을 수 없었던 손을 구부려 움직일 수 있게 됐으며 며칠의 재활치료만으로 손바닥 기능을 거의 회복하게 되었습니다.

이 성공적인 시도로 주한장은 끝이 날카로운 작은 침을 이용한 시술로 충분히 수술(open surgery)을 대신할 수 있다는 자신감을 얻었습니다. 주한장은 침구침을 다듬어 하단을 칼날 모양으로 만들어 반흔을 자르고 유착을 분리하도록 고안하였습니다. 그리하여 상단에는 납작한 손잡이를 달아 칼날이 움직이는 정확한 위치와 방향을 제어할 수 있도록 한 도면(圖面)을 만들었습니다.

이후 도면을 북경 인민 수술 기구 공장에 보내서 첫 번째 소침도를 만들었고 이와 같은 사연으로 침과 메스를 하나로 통합한 작은 의료기기가 오늘날의 '침도'입니다.

[주한장 연혁]

- 1949년 중국 강소성 출생
- 1972년 남경중의학원에 입학
- 1976년 술양현 중의원 의사로 근무시작 : 소침도 고안
- 1978년 술양현 중의원 부원장 : 침도요법이 장쑤성의 중점 연구과제로 지정
- 1979년 강소성 중의원 골상과 주치의 : 본인이 개발한 침도요법의 연구를 전담, 소침도요법 초고 완성
- 1980년 강소성 위생청 침도요법 검증 시작
- 1984년 남경금릉중의골상과의원의 원장 : 침도요법 특화 병원
- 1985년 남경중의학대학의 부교수
- 1987년 제1기 전국 소침도요법 강습반 시작
  이후 1996년까지 1,000여 기수의 수만 명의 의료인에게 전파
- 1989년 남경중의학대학 부속병원 근무
- 1990년 정교수와 주임의사로 근무하며 《요통》이라는 책을 출간 : 중국소침도요법연구회 설립. 제1차 전국소침도요법학술교류회
- 1991년 《슬관절 외과학》이라는 책을 번역 출판 : 중국중의약학회소침도요법전업위원회 설립, 중국중의약학회산하 각 성, 시 분회 설립
  이후 해외 강습을 통해 대만 홍콩은 물론 말레이시아 · 싱가포르 · 태국 · 러시아 · 우크라이나 · 인도네시아 · 일본 · 한국 · 미국 · 이탈리아 · 호주 · 멕시코 · 칠레 · 브라질 · 남아공 등 40여 개 국가와 지역에 소침도요법 전수
- 1992년 中国中医药出版社를 통해 중문판과 영문판 《小针刀疗法》을 출간. 중국추나수법 180종 출간
- 1993년 북경으로 중국중의연구원과 부속병원인 장성의원 원장. 침도의학의 연구와 교육에 전념 : 북경 전국소침도요법학술교류대회에서 "침도의학"으로 격상. 중국중의약학회침도의학분회 설립
- 1995년에는 북경 중국중의연구원 침도의학교육학교 교장직 겸임
- 2001년에는 북경중의약대학 침도의학연구교육센터의 주임을 맡아 대학교재의 편찬과 연구를 맡음
- 2006년 10월 14일 57세의 나이로 급성 심근경색으로 사망

3. 도침의 법적 근거

도침은 대한민국의 급여의료행위입니다.

도침술은 삼릉침, 대침 등을 이용한 자락술의 일종으로 임상에서 사용되어 오다가 1990년 대에 들어 중국의 주한장 교수가 개발한 침도를 들여와 지금과 같은 형태로 시술하게 되었습니다. 한의표준의료행위에는 경혈침술의 일종으로 등록되어 있습니다. 도침술은 대한민국의 급여의료행위인 경혈침술의 연장선으로서 한방시술 및 처리료 산정지침에 따라 경혈침술에 20% 가산된 급여를 받도록 되어 있습니다(그림 1-1-16).

제14장 한방 시술(施術) 및 처치료(處置料)

[산정지침]

(1) 침, 구, 부항술은 1일 2회 이상 시술한 경우에도 외래는 1일 1회, 입원은 1일 2회 산정한다.

(2) 침술은 1일 3종 이내로 산정하되 「하-3」 내지 「하-8」, 「하-10」의 침술은 최대 2종까지만 산정한다.

(3) 같은 날에 「하-51」과 「하-53」 또는 「하-53」과 「하-54」를 실시한 경우에는 「하-53」의 소정점수만을 산정한다.

(4) 경혈침술(하-1)에 자락술 또는 도침술, 산침술(산자법)을 시술한 경우에는 경혈침술(하-1) 소정점수의 20%를 가산한다.(산정코드 세 번째 자리에 2로 기재)

그림 1-1-16. 건강보험요양급여비용 자료 중 도침술

도침술의 도구

아래는 식약청 코드를 부여받은 도침의 예시입니다. 도침술을 할 때는 아와 같이 식약청에 등록되어 고유의 코드를 부여받은 도구를 사용하여야 합니다.

재료 명칭	모델명	제조사명	포장 단위	식약청 코드	사용 용도
도침	도침 1호	동방침구 제작소	1EA	A84010.01	침병을 손으로 잡아 치료하고자 하는 부위에 침체를 삽입함으로써 질병치료에 사용하는 침

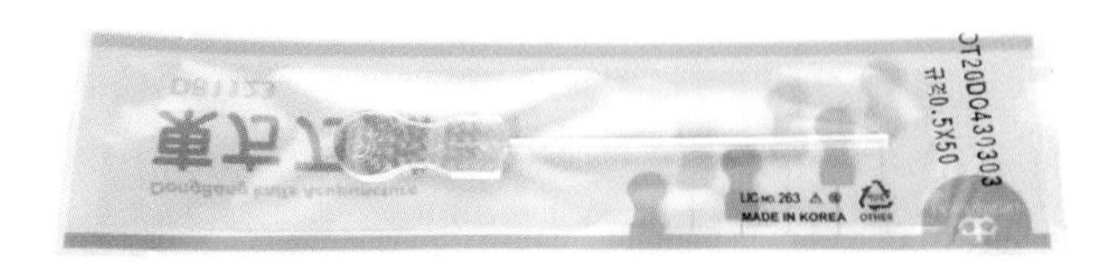

그림 1-1-17. 시판되는 도침의 사진

02 도침의 연습과 운용

1 도침시술 준비하기

1. 준비물

도침의 종류

현재 우리나라에 유통되는 도침의 직경은 0.4 mm에서 1.0 mm까지 다양합니다(그림 1-2-1). 일반적으로 가볍게 도침을 시술하기 위해서는 0.4-0.5 mm의 직경을 표준으로 사용하시는 것을 권유드립니다. 0.4 mm 직경의 도침은 처음 도침을 맞거나 통증에 과민한 분, 손바닥, 발바닥 등 통증이 더 심한 곳의 시술에 적합합니다.

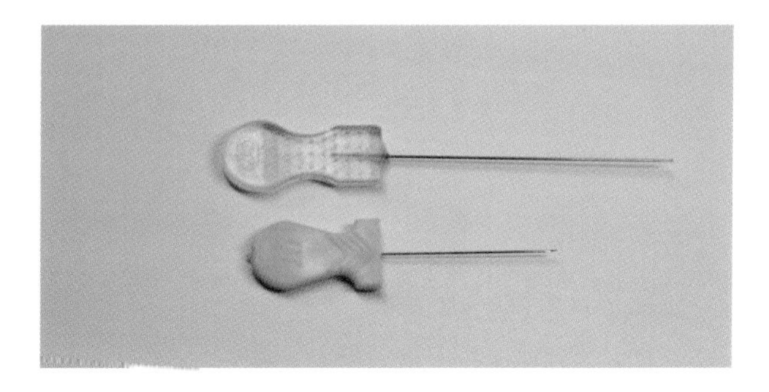

그림 1-2-1. 가장 많이 사용하는 도침. 위쪽은 직경 0.5 mm, 길이 5 cm, 하단은 직경 0.4 mm, 길이 3 cm

에탄올/요오드 : 자세한 설명은 다음 페이지를 참조하세요.

거즈

도침은 출혈을 동반하는 경우가 많기 때문에 시술 후 출혈 여부를 확인하고 적극적으로 지혈을 해야합니다. 이때 감염을 예방하기 위해 멸균된 거즈를 사용하여 압박 지혈해야 합니다. 일반적으로 추천하는 거즈의 사이즈는 2인치 크기로(**그림 1-2-2**), 지혈 시 이 거즈를 한 번 접어서 압박 지혈하면 손에 피가 묻지 않고 지혈하기에도 적당한 두께가 됩니다(**그림 1-2-3**).

그림 1-2-2. 2인치 직경의 거즈 : 임상에서 주로 사용하기에 걸맞다.

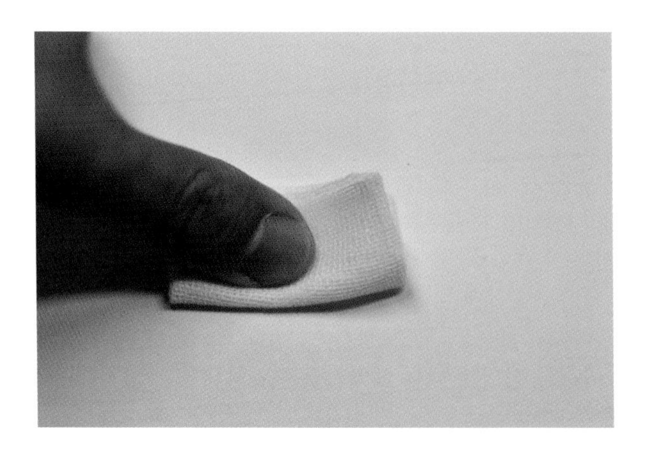

그림 1-2-3. 실제 지혈 시에는 거즈를 반으로 접어서 압박하는 것이 적합하다.

➡ 장갑

장갑은 라텍스 재질로 된 일회용 장갑을 사용하는 것을 추천드립니다.

➡ 밴드

시술 후 지혈이 되면 시술 부위에 원형의 밴드를 부착하여 시술 부위 감염을 예방하도록 합니다(그림 1-2-4).

그림 1-2-4. 도침 후 많이 사용하는 지혈밴드의 형태

2. 소독하기

어떤 소독약을 사용할 것인가?

에탄올 vs. 요오드

➡ 에탄올

- 중간 혹은 낮은 수준의 살균력
  - 영양형 세균에 신속한 살균효과, 결핵균, 진균, 바이러스에도 효과가 있지만 아포까지 파괴하진 못함

- 농도가 60-90%일 때 최적

- **피부에 대해 가장 효과적인 살균력**
  - 77% 이소프로필 알코올
  - 메탄올은 낮은 소독력과 독성으로 사용하지 않습니다.
  - 오픈된 상처나 점막 부위 등에 자극성이 강하여 사용할 수 없습니다.

요오드(povidone iodine)

- **광범위한 미생물에 대한 살균력**
  - 그람 양성균, 그람 음성균과 아포 , 바이러스, 진균, 완충 등
  - 건조 시 살균력 발생
  - 심한 창상 시 멸균 증류수로 희석
- **피부에 대해 가장 효과적인 살균력**
  - 포비돈 아이오딘 10%
  - 부작용 : 요오드 과민증, 알러지, 발적, 피부염 등 드물게 가능

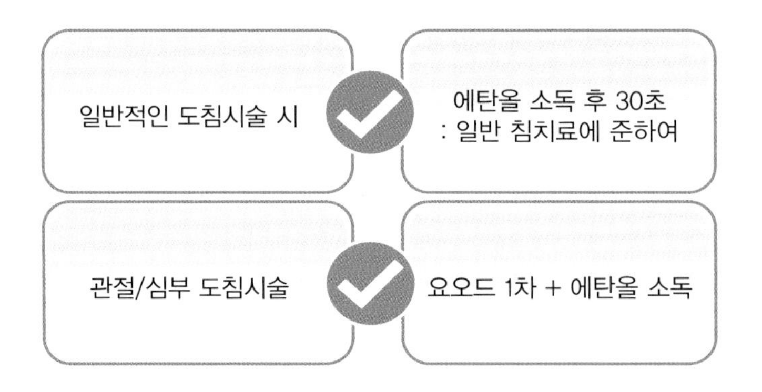

에탄올은 일반적인 침 시술에 준해서 도침을 진행할 때, 즉 적은 직경에 저자극의 시술을 할 때 에탄올만 가볍게 소독하고 30초 후에 시술을 진행합니다. 요오드는 시술 부위가 깊거나, 감염의 우려가 있거나, 관절 부위처럼 소독에 더 주의를 기울여야 할 때 사용합니다. 요오드로 소독할 때에는 먼저 요오드를 충분히 시술 부위에 넓게 도포하고 수 분간 건조 후에 에탄올로 소독 후 시술합니다.

참고

외과적 무균술(멸균술) 3대 원리

(1) 멸균된 물품끼리 접촉할 때만 멸균상태가 유지된다.
: 멸균된 물품은 멸균된 장갑을 착용 후 만지도록 한다.

(2) 멸균된 물품이 오염되었거나 멸균되지 않은 물품에 접촉된 경우 :
오염된 것으로 간주한다.

(3) 멸균된 것인지 오염된 것인지 의심스러울 때에는 : 오염된 것으로 간주한다.

우리가 사용하는 도침은 멸균된 도침입니다. 멸균된 침체를 맨손으로 만진다거나 멸균되지 않은 곡반에 빼 놓고 사용한다면 도침이 오염되었다고 볼 수 있습니다. 따라서 바로 폐기하고 새로운 도침을 사용해야 합니다. 도침시술 시 가능하면 글러브를 착용하시고 외과적 무균술의 원리를 잘 파악하고 시술 간에 멸균이 유지될 수 있도록 각별히 신경써야 합니다.

3. 장갑 착용

기본적으로 니트릴/라텍스 글러브를 착용하고 자극량이 크거나 인체 심부의 시술일 때는 멸균 글러브를 착용하도록 합니다. 외과적 멸균술을 참고하여 시술 부위에 맨 손을 접촉하지 않고 글러브를 착용하도록 합니다.

❶ 기본적으로 니트릴/라텍스 글러브를 착용하고 자극량이 크거나 인체 심부의 시술일 때는 멸균 글러브를 착용하도록 합니다. 외과적 멸균술을 참고하여 시술 부위에 맨손을 접촉하지 않고 글러브를 착용하도록 합니다.

❷ 착용하려는 장갑의 입구 부분을 잡아 주세요.

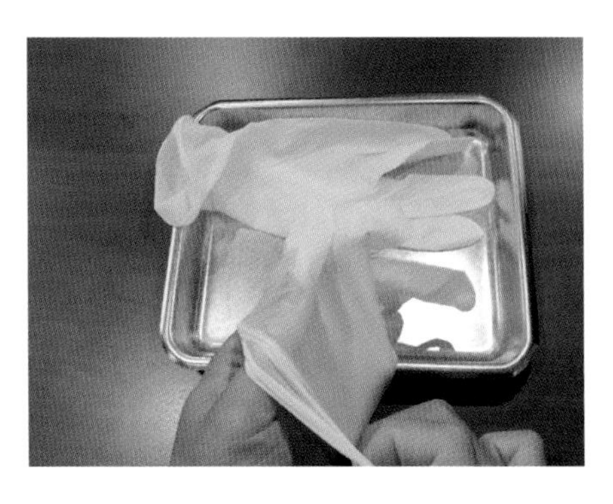

❸ 손가락의 방향에 주의하여 각 손가락을 제자리에 넣어줍니다.

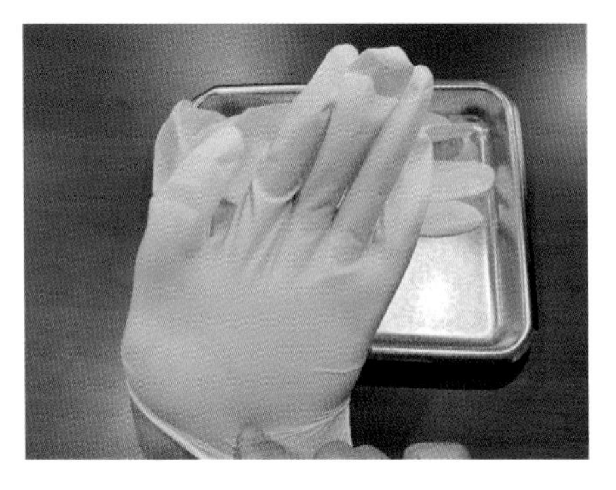

❹ 반대 손으로 장갑을 끝까지 잡아당기면서 손가락을 넣은 부분도 끝까지 밀어 넣습니다.

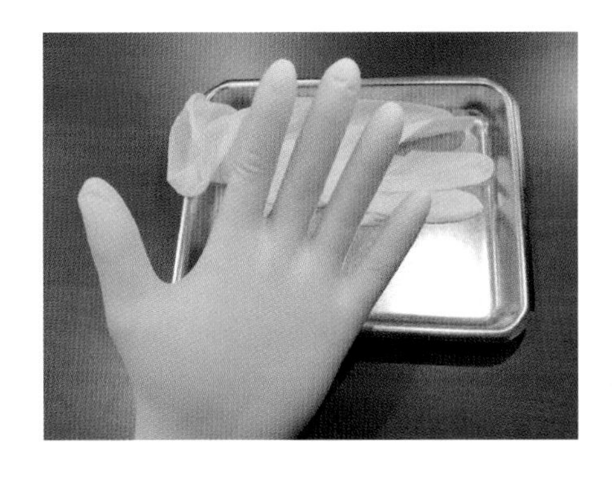

❺ 장갑이 팽팽하게 착용이 되도록 합니다.

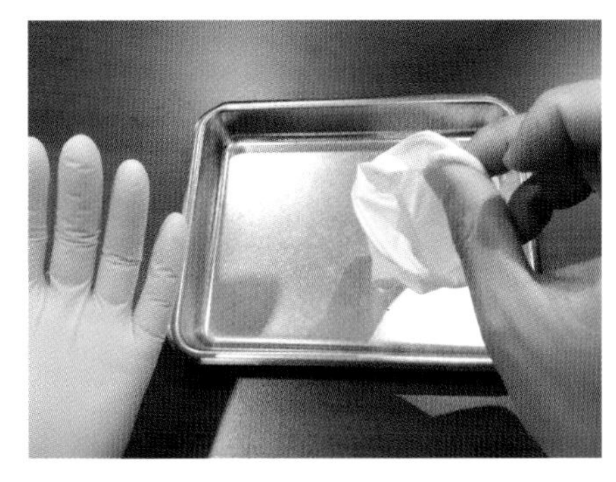

❻ 반대쪽도 장갑 입구를 잡고

❼ 먼저 착용한 장갑으로 장갑의 바깥쪽 면을 고정하고 착용하려는 손가락을 장갑의 안쪽으로 밀어넣습니다.

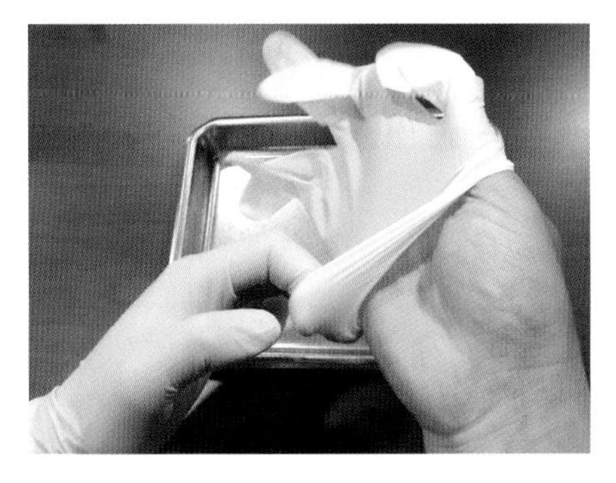

❽ 손가락이 들어가면 반대 손으로 장갑을 강하게 당겨줍니다.

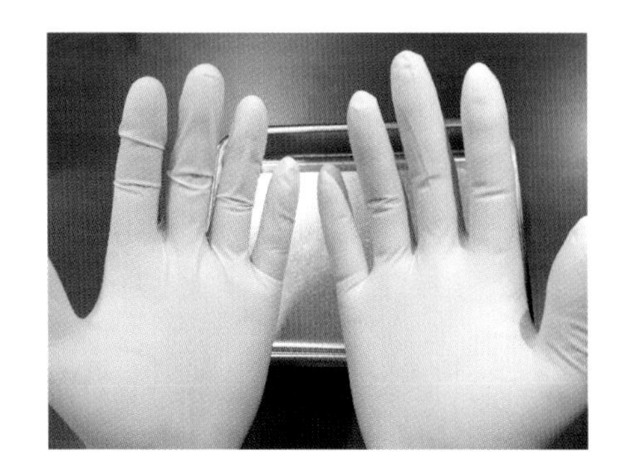

❾ 장갑 착용 중에 맨 손가락이나 맨 손바닥에 닿지 않도록 주의해주세요.

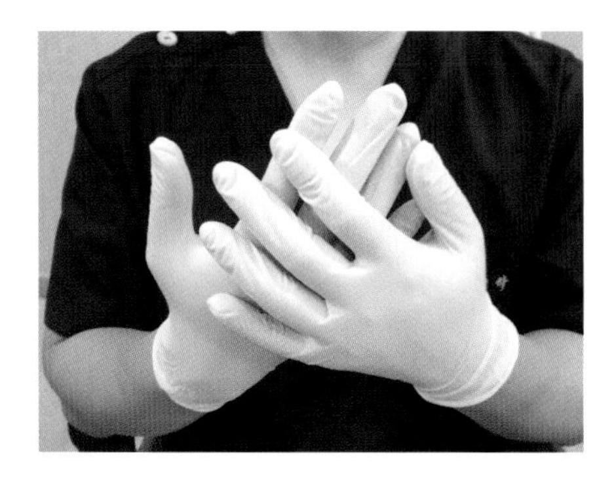

❿ 손은 항상 시선이 머무는 곳에 두고 소독/멸균된 부위나 도구 이외에는 닿지 않도록 합니다.

2 도침 자입 실제와 순서

1. 정점: 압통점과 깊이를 반영한다

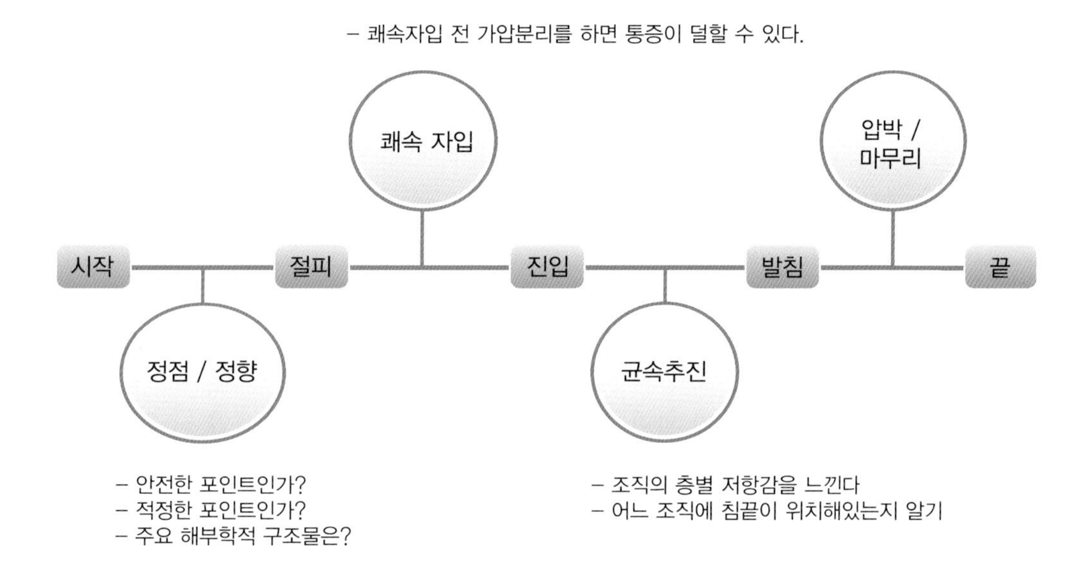

그림 1-2-5. 도침시술 한눈에 보기

시술하기 전에 치료 포인트를 정합니다. 이것을 정할 '정', 점 '점' 해서 '정점'이라고 합니다. 병변 부위가 뻣뻣하거나, 조직이 과민해져 압통이 있다면 치료 포인트가 됩니다. 만약 대상 부위에 압통이 심하지 않다면 적절한 치료점인지 다시 고려해 보셔야 합니다. 그만큼 압통점을 잘 찾는 것은 중요합니다.

압통점을 찾았다면 그 다음으로 도침이 자입될 체표면의 점과 도침이 진행할 방향, 그리고 도침이 도달할 깊이를 생각합니다. 호침의 타겟이 하나의 구멍 즉, 혈이라면 도침은 정확한 3차원적인 해부학적인 점으로서의 목표점이 있습니다. 도침에서 정점을 한다는 것은 도침이 체표에서 들어갈 점과 함께 목표점으로서의 심부의 점도 정하는 것입니다.

2. 정향: 도침의 칼날 방향을 정하는 세 가지 원칙

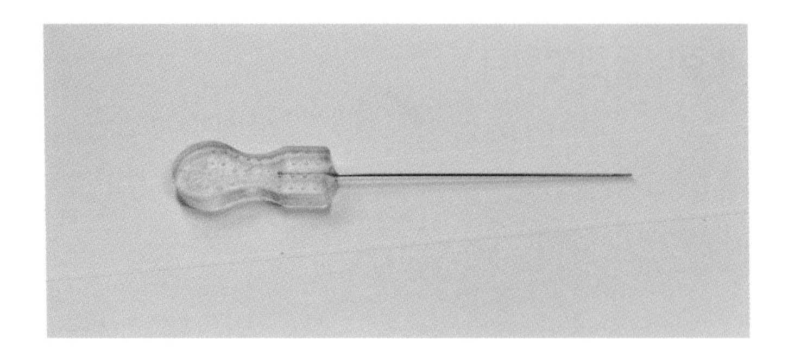

그림 1-2-6. 도침의 손잡이와 칼날 방향은 일치한다.

"도침의 칼날 방향은 도침에서 매우매우 중요합니다." (그림 1-2-6)

특히 첫 번째 말씀드릴 신경과 관련해서 매우 중요하다는 것을 강조하고 싶네요. 우리는 '작은' 손상을 통한 회복을 위해 도침을 사용합니다. 우리가 치료 대상으로 삼는 신경, 인대, 근육, 근막 등 인체조직은 대부분 섬유, 다발로 이루어져 있습니다. 즉 이것들은 결이 있으며 결 방향으로 손상을 주면 빠르게 회복하지만 결에 직각으로 손상을 입으면 회복이 더디고 손상 후 흔적이 남을 확률이 높아집니다. 신경의 경우 다발을 절단하면 재생이 안될 수도 있기 때문에 특히 주의해야 합니다.

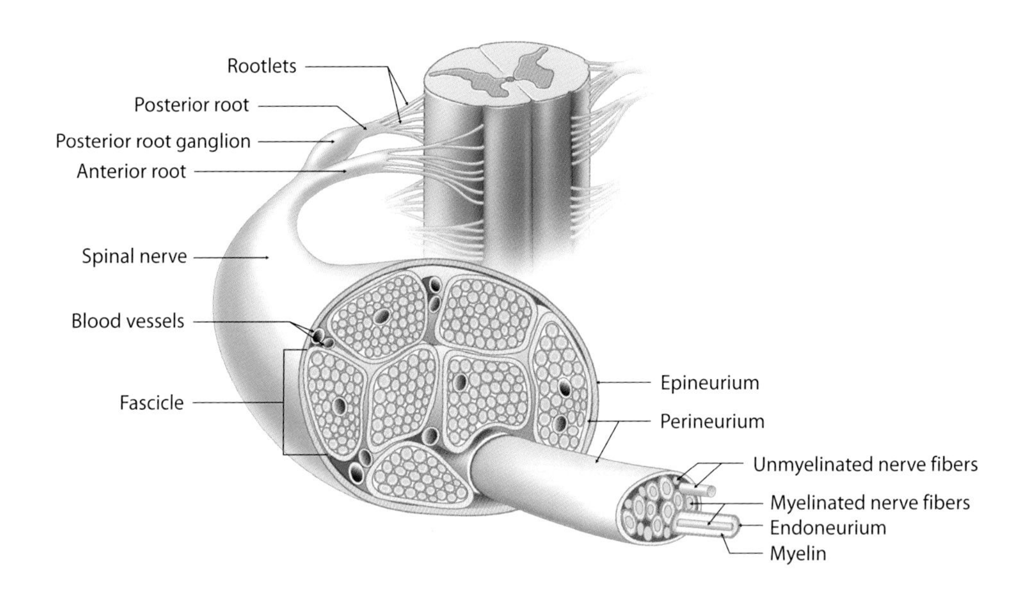

그림 1-2-7. 신경다발의 형태

첫 번째, 신경 혈관의 주행 방향과 도침날의 방향을 일치시킨다.

신경이 상지를 따라서 손 끝으로 주행한다고 해봅시다. 도침을 놓았을 때 칼날이 신경 혈관과 같은 방향으로 가면 살짝 비껴간다든지 콕 찍히기만 해요. 그런데 이게 신경 혈관에 수직으로 강하게 들어가면 신경을 잘라요. 신경 같은 경우는 다발로 이루어져 있지요(그림 1-2-7). 다발이 살짝 상처나면 스스로 알아서 고칩니다. 그런데 이게 수직으로 잘라져 크게 벌어져 버린다면 인체가 끊어신 다발을 스스로 이을 수가 없는 상황이 생깁니다(그림 1-2-8). 이 경우 회복이 어렵고 오래 걸리며 심한 경우 수술인 신경접합술도 고려해야 하는 경우가 있습니다.

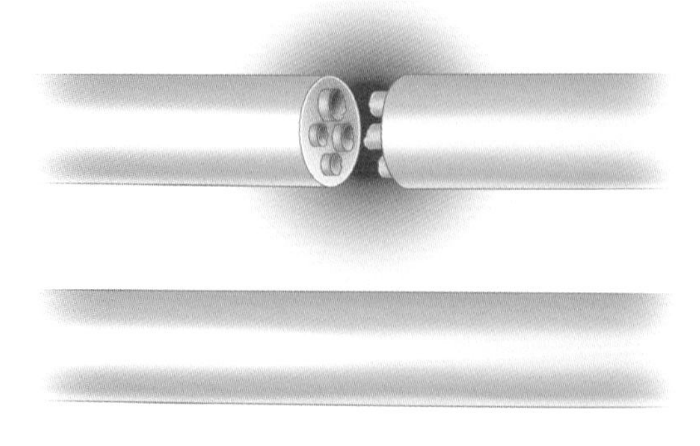

그림 1-2-8. 신경다발의 손상 모식도

두 번째, 인대 건 섬유 방향과 평행해야 된다.

인대도 손상을 최소화해서 회복하는 것이 제일 좋습니다. 그래서 결모양대로 손상을 주는 게 제일 바람직합니다. 그런데 직각으로 썰어버리면 다발이 손상이 되면서 회복이 더 더지고 치료가 아닌 염좌나 파열이 발생하여 퇴행을 유발하는 수가 있습니다.

세 번째, 근섬유 방향과 날 방향을 일치시킨다.

근육도 우리가 손상을 최소화하면서 지켜주는 것이 아무래도 좋겠습니다. 그래서 근육과 인대 건이 어떤 방향으로 주행을 하고 있는지 그 안에 있는 신경과 혈관이 어떤 방향인지. 어디서 어떻게 꺾어지는지 잘 알고 치료를 해야 되겠어요. 하지만 임상을 하다보면 반드시 이 세 가지 원칙이 충돌하는 경우가 생깁니다. 그렇다면 모든 것을 잊고, 첫 번째 신경 혈관의 주행 방향으로 칼날 방향을 일치시켜 자입하는 것이 가장 중요합니다. 신경과 혈관의 큰 손상은 돌이키기 어렵기 때문입니다.

3. 가압분리(옵션)

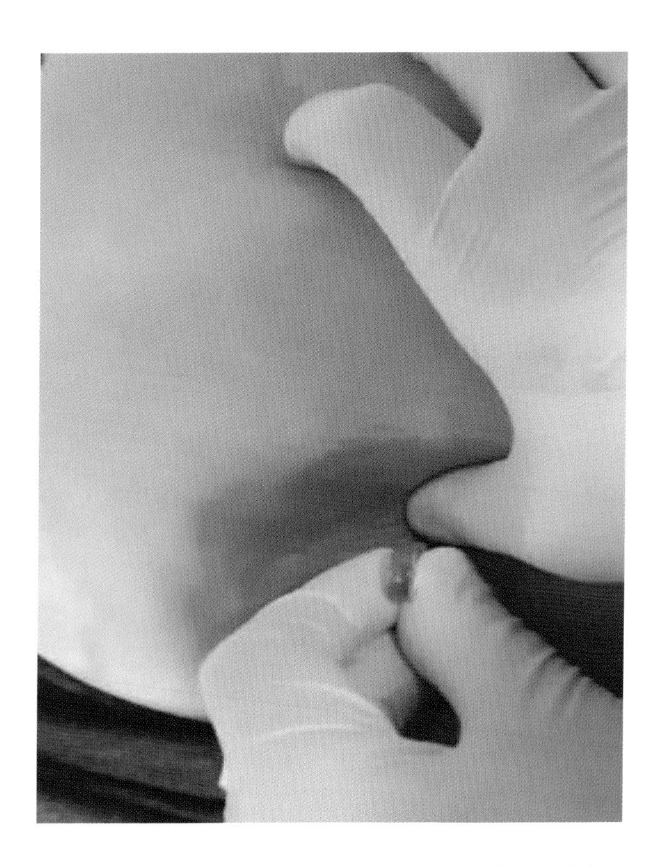

그림 1-2-9. 좌골 점액낭염에서 가압분리 후 도침시술 장면

가압분리가 필요한 경우도 있고 그냥 해도 되는 경우도 있습니다. 우리가 뼈에 부착된 활액낭을 목표로 치료한다거나 뼈에 붙어 있는 건 인대를 치료해야 된다고 합시다. 이 경우 표피에서부터 피부 지방층을 뚫고 들어가서 시술하려고 하면 시술 깊이가 굉장히 깊어집니다. 그러면서 정확한 시술이 어려워지는데요, 이 부위를 보조수로 꾹 눌러서 뼈까지 딱 누른 상태라면 우리가 들어갈 범위가 작아집니다. 자입 깊이가 5 cm 들어가야 될 게 1 cm까지도 줄어드는 거죠(**그림 1-2-9**). 엉덩이 지방층이 굉장히 두꺼운데 그걸 꽉 눌러주면 바로 뼈에 찍을 수가 있거든요. 그러면서 안전하게 다른 부위로 벗어나는 일 없이 정확하게 치료가 가능한 거죠. 이럴 때는 압력을 줘서 다른 층과 목표물을 분리를 시켜주는 그런 역할도 있고, 주변에 신경 혈관이 지날 때 그 부분들을 꾹 눌러서 주변 신경 혈관을

옆으로 배제를 한 상태에서 시술하기 위한 목적도 있습니다.

자, 목표 점도 정하고 칼날 방향도 정하고 보조수로 포인트까지 딱 잡아두었습니다. 이제 도침을 놓기만 하면 됩니다. 이 때 세 가지 순서가 쾌속 자입 – 균속 추진 – 조직층차를 느끼면서 자입하는 것입니다.

4. 쾌속 자입: 빠른 절피

빠르게 자입을 해야 피부를 뚫으면서 통증이 적습니다. 이것은 굉장히 중요한 포인트입니다. 왜냐하면 표피에 중요한 통각센서들이 많이 분포하고 환자분들도 통증을 회피를 하려는 느낌이 있는 센서들은 대부분 표피층에 있거든요. 그래서 표피를 망설임 없이 빠르게 뚫어주는 것이 중요합니다(그림 1-2-10, 1-2-11). 의사의 숙련도가 여기서 나타납니다.

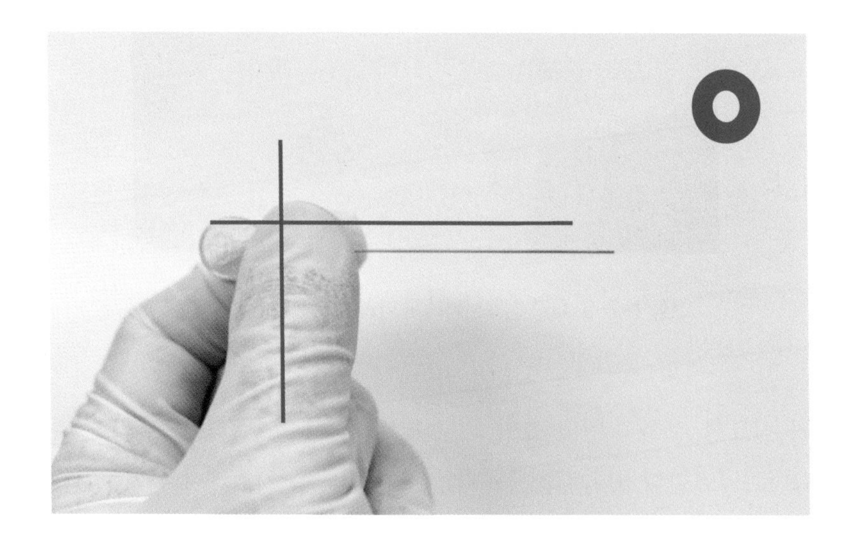

그림 1-2-10. 쾌속 자입을 위한 도침의 올바른 지지각도 : 엄지와 도침손잡이를 90도로 하면 손목스냅을 사용하여 쾌속 자입이 가능하다.

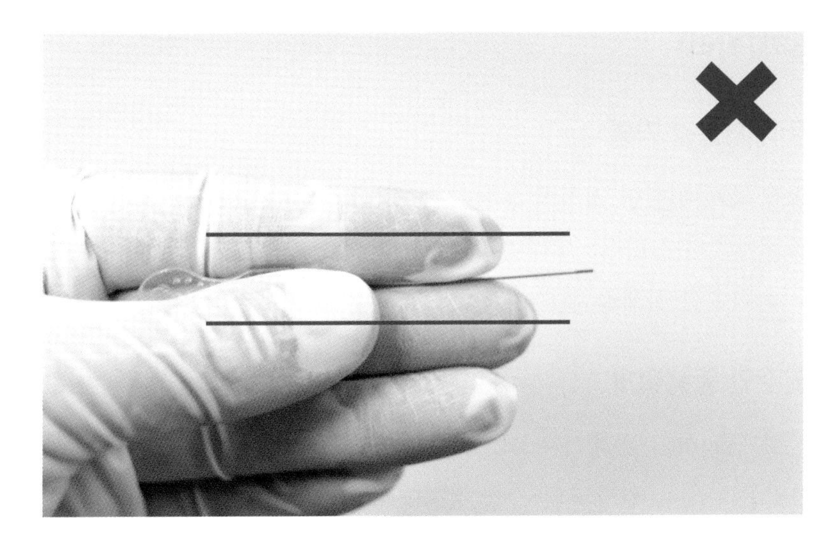

그림 1-2-11. 쾌속 자입에 방해가 되는 도침의 지지각도 : 엄지와 도침날의 각도가 일치하면 손목스냅을 사용하여 쾌속 자입이 불가능하다.

5. 균속추진: 조직의 층차감별하며 최대한 천천히 진입한다

손목스냅을 이용해 표피를 빠르게 뚫고 나서는 목표지점까지 천천히 들어가야 됩니다. 천천히 들어가면 신경 혈관들은 살짝 만난다 해도 환자의 반응에 따라서 진입을 중지해서 손상을 피할 수 있고 방향을 바꾸거나 발침 후 다시 진행할 수 있는 기회가 있거든요. 그래서 일단 표피를 뚫고 나서는 최대한 서서히 목표점까지 들어가야 합니다.

이 때 서서히 진입하되 조직의 층차를 느끼면서 자입해야 됩니다. Open surgery가 아니기 때문에 눈을 감은 상태에서 시술하는 거나 마찬가지잖아요. 피하로 도침이 들어가고 니면 눈뜨나 감으나 마찬가지죠. 그저 침 끝의 감각에 의지해서 현재 이 부위가 어느 부위라는 것을 파악을 해야 됩니다.

만약에 Rhomboid M.의 견갑골 내측면을 치료한다면 우리가 어쩔 수 없이 trapezius를 뚫고 가지요. 표피를 뚫을 때 툭 하는 느낌이 나고 그다음에 승모근의 outer layer fascia를 뚫고 그 다음에 안 쪽으로 한 번 더 뚫으면 Rhomboid M.에 도달하게 되지요. 그 다음에 더 들어가 골면에 닿으면 아 이제 견갑골이구나. 이 세세한 층의 차이와 느낌을 가지고 치료해야 합니다. 일단 표피를 뚫고 들어가면 한없이 섬세해야 합니다.

6. 목표점 절개(박리)

1) 도침 끝의 저항감 감별

이제 내가 목표로 했던 지점에 도달하면 손상 후 두터워지고 유착이 발생한 조직 고유의 저항감이 느껴집니다. 그러면 그 부위가 부드러워지면서 순환과 재생이 이루어질 수 있도록 적절한 절개를 해줍니다.

2) 절개 횟수와 종행절개

적절한 절개를 하기 위해서는 어느 정도의 자극을 주어야 할까요? 일단 환자가 처음 도침을 맞는다거나, 원장님의 시술 경험이 많지 않다면 목표점에 1회 절개만으로 시작해봅니다. 이후에 환자의 치료 반응을 봐가면서 회수를 늘려가면 됩니다.

표피를 뚫고 목표점의 절개를 수회 이상 진행하는 이유는 환자의 통증이 표피를 뚫을 때 가장 심하기 때문에 표피는 한 번만 뚫고 목표지점에서는 수회의 절개를 적절히 진행하여 적은 통증으로 효율적인 자극을 할 수 있기 때문입니다.

절개방법에는 칼날의 방향과 일치하는 종행절개법과 칼날 방향과 수직으로 방향을 틀어가며 자입하는 횡행절개법이 있습니다(그림 1-2-12). 종행절개를 하면 칼날의 자국이 --- 이렇게 점선모양으로 만들어지고 횡행절개를 하면 한자 내 천(川) 자 모양으로 칼날 자국이 납니다. **일반적으로 2회 이상의 절개를 할 때 종행절개를 사용합니다.** 그 이유는 칼날의 방향을 주요 신경 혈관의 방향과 일치시키면서 가기 때문에 혹시 해당 부위의 자입 시 손상을 최소화하기 위해서입니다.

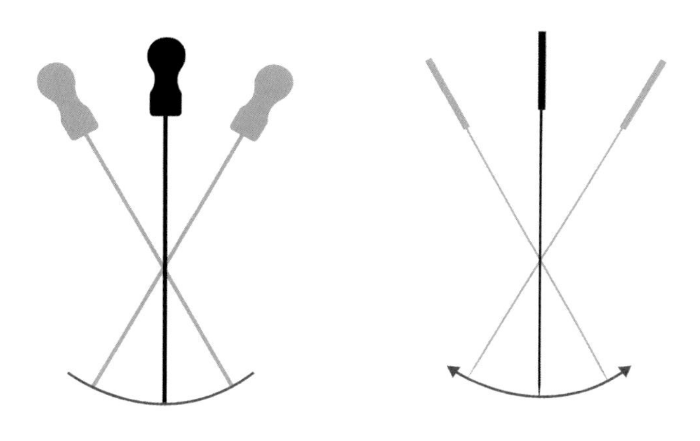

그림 1-2-12. (좌) 종행절개, (우) 횡행절개

7. 발침

어떤 중국책에서는 단침(斷針), 즉 침이 끊어지는 원인으로 어떤 의사가 발침 시에 순식간에 험하게 빼는 것을 그 원인으로 지목한 것을 보았습니다. 침이 휘어지거나 끊어질 정도로 함부로 발침을 하는 것이지요. 굳이 침이 손상될 정도로 험하게 발침하는 분은 없을 것이라고 보고 이 파트는 간략하게 넘어가겠습니다.

8. 압박 지혈 그리고 티칭

시술하고 나서는 지혈을 잘 해줘야 됩니다. 왜냐하면 시술 후 혈종이 생길 수가 있는데 혈종은 피하에 피가 고여 딱딱하게 굳게 되잖아요. 그러면 일상생활 움직임에 제한을 받게 됩니다. 예를 들어 목이 안 움직여서 도침시술 후 이 부분에 혈종이 생겼다고 해보죠. 그러면 이물감으로 인해 고개가 더 안 돌아가게 됩니다. 물론 일주일이면 충분히 다 없어지지만 일주일 동안 환자가 느낄 불안감이나 불편함을 예방하기 위해서는 시술 후 내가 어떻게 마무리해주느냐가 중요합니다.

시술 부위에 피가 나오지 않아도 붓는다면 내부에 혈종이 생길 수 있습니다. 이는 혈관을 건드려서 혈관이 붓는 경우가 많은데요, 시술 부위가 약간 부어오른다면 압박 지혈법을 동일하게 적용하여 시술 부위에 체중을 실어서 30초에서 1분간 압박해줍니다. 그러면 그 부위가 가라앉고 환자는 편하게 일상생활이 가능합니다. 이를 놓쳐서 환자분이 집에 돌아간다면 그 부위가 스스로 가라앉을 때까지 한동안 불편함을 겪게 됩니다.

그래서 시술 후에 반드시 출혈과 부종 여부를 확인하고 압박 지혈을 잘해서 마무리해줘야 합니다.

환자분에게 설명하기

시술 후 통증? 부작용 vs. 회복과정?

치료한 후에 하루 이틀 정도 뻐근하고 아플 수 있다는 것을 환자분에게 알려주시는 것도 중요합니다. 손상을 통한 회복 과정이기 때문에 하루 이틀 아플 수 있다고 알려주면 환자분들이 잘 이해를 하십니다. 그런데 바쁘다고 처음 시술받는 분에게 설명해주지 않으면 환자는 이 통증을 치료에 대한 부작용이라고 생각해 버립니다. 그러면 향후 치료에 대한 신뢰의 문제가 생기죠. 따라서 치료 후 아프지 않은 경우도 많지만 '하루나 이틀 정도 통증과 뻐근함이 수반될 수 있다.' 환자분께 루틴하게 설명을 해주는 것이 중요합니다.

그리고 우리가 재생을 위한 치료를 했는데 이 부위를 과도하게 사용을 하면 안 되는 것을 환자분이 모르고 있다면 과도하게 사용하는 수가 있겠죠. 따라서 시술 부위의 과도한 사용을 자제할 것도 안내해주시기 바랍니다.

환자분에게 할 멘트를 예를 들어 보겠습니다.

"○○○ 님, 오늘 도침시술한 부위가 하루이틀 정도 뻐근하면서 불편할 수 있습니다. 혹시 치료부위가 많이 아플 때는 얼음을 5분 정도 대주면 잘 가라앉습니다. 회복되는 과정에서 조금 불편할 수 있기 때문에 그 부분들을 조금 감안해주시고 치료 후 회복되면서 전반적으로 차차 좋아지니까 걱정하지 마세요. 또 시술 부위를 덜 사용하시고 과음이나 과로 등 너무 무리하지 않도록 조심해 주세요."

추나, 침 치료 혹은 스트레칭 안내

저는 한의원에서 도침 하나만 사용하지 않습니다. 각 치료도구나 술기가 고유한 의미를 가지고 있고 서로 간에 도움이 된다고 보고 있습니다. 추나를 통해 부정렬 상태를 개선해 주고 뻣뻣한 근육을 이완시켜준다면 더 나은 효과를 기대할 수 있습니다. 침 치료를 통해 국소 혹은 전신의 순환을 개선한다면 환자는 더 나은 몸상태가 될 수 있겠지요. 환자 스스로 집에서 스트레칭을 병행한다면 더 잘 회복할 겁니다.

3 도침 자입 연습하기

1. 도침을 잡는 자세

이 파트는 손가락이 잘 보이도록 장갑을 끼지 않고 사진을 찍었습니다. 실제 시술 시에는 장갑을 착용하고 시술하는 것이 좋습니다.

아래 자세가 도침을 잡는 바람직한 자세입니다(그림 1-2-13).

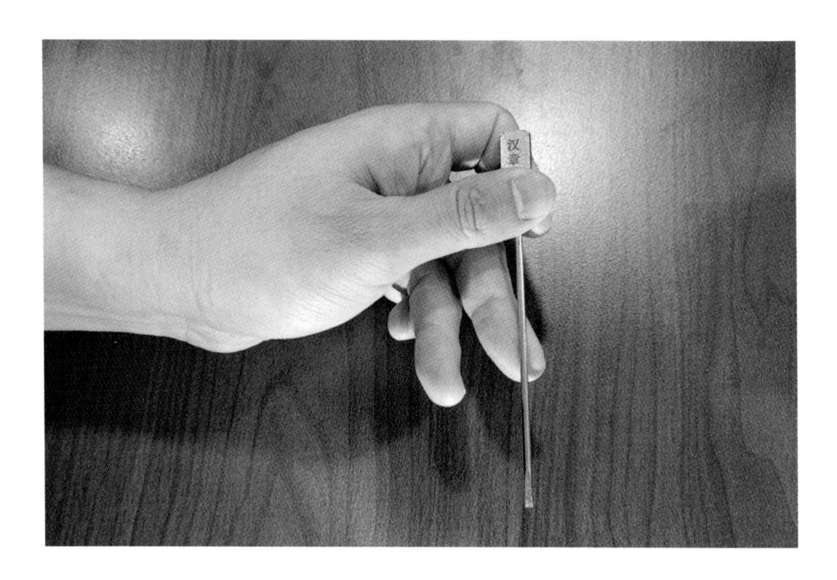

그림 1-2-13. 도침을 잡는 기본 자세

1. 엄지와 검지가 도침의 헤드를 잘 잡고 있고
2. 손목-엄지-도침의 각도가 직각을 이루고 있습니다.
3. 검지는 가능하면 도침의 방향으로,
4. 중지는 자연스럽게 침체를 지지해줍니다.

이렇게 해야 손목의 스냅을 이용해 표피를 안정적이고 빠르게 뚫을 수 있습니다.

이제 가장 표준이 되는 0.5 mm×5 cm 도침을 이용해서 잡는 법을 설명해 보겠습니다.

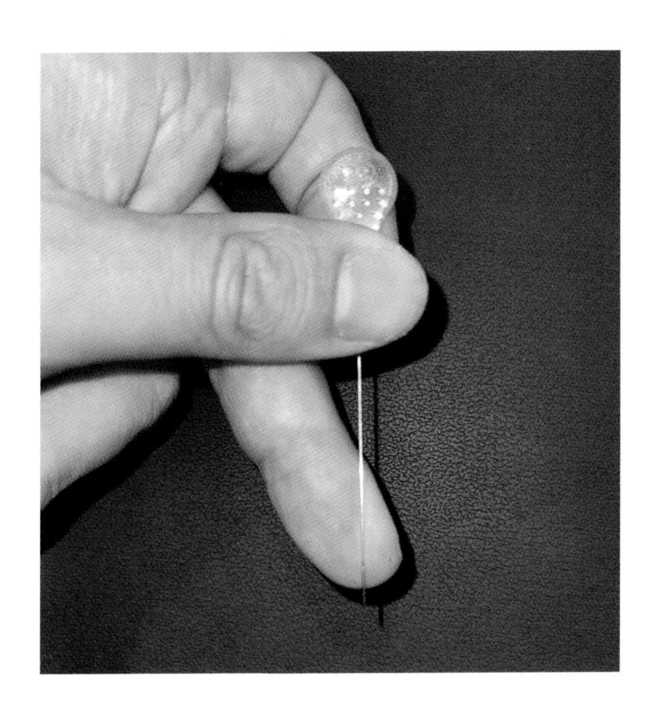

그림 1-2-14. 5 cm 도침을 잡는 자세

아주 안정적으로 도침을 잡고 있는 모습입니다(**그림 1-2-14**). 여기서 주목할 점은 중지로 도침을 잘 지지해 주는 것입니다. 중지의 안쪽면으로 단단하게 지지해주세요. 그래야 아프지 않게 빠르게 표피를 뚫고 자입이 가능합니다. 엄지, 검지, 중지의 각도를 잘 봐주세요. 이제 도침을 잘못 잡은 케이스를 보면서 무엇이 문제인지 알아보죠.

2. 잘못된 자세

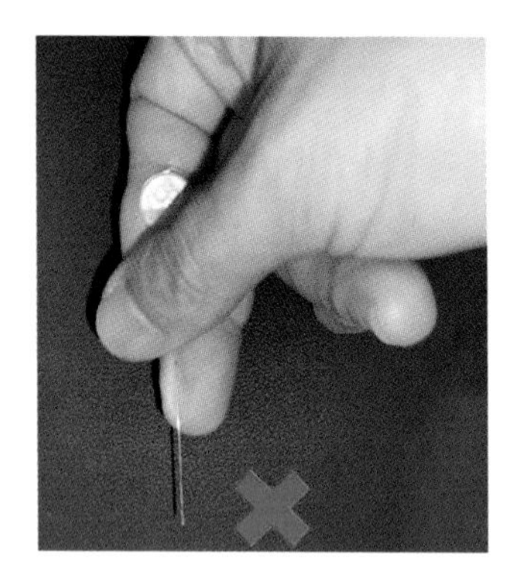

중지가 너무 위쪽으로 잡혀 있습니다. 이렇게 잡으면 아프지 않게 표피를 뚫기 어렵습니다. 표피에서 도침이 낭창거리면서 머무는 시간이 길어지면 길어질수록 환자는 큰 공포심을 느끼게 됩니다.

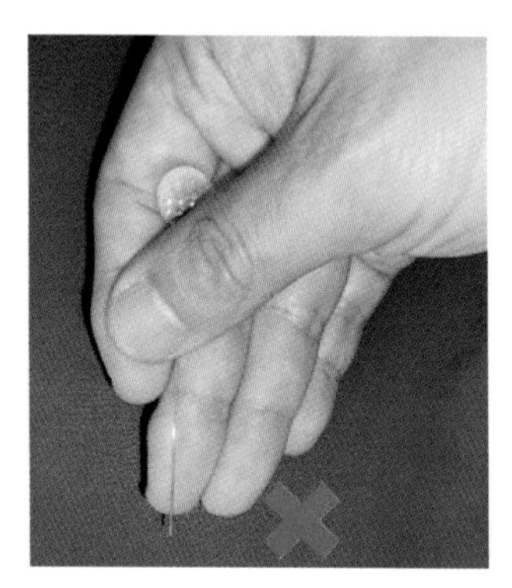

엄지와 도침이 직각을 이루지 못하면서 스냅을 이용해서 도침을 자입하기 어렵게 됩니다. 비슷한 자세로 한번 도침을 놓는 시늉을 해보세요. 자입이 쉽지 않음을 알 수 있습니다.

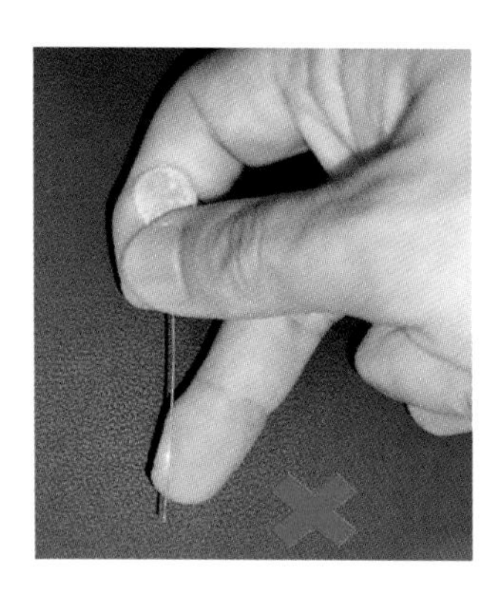

너무 긴장한 나머지 도침이 휘어버렸네요. 저렇게 도침을 놓으면 표피가 뚫리지 않을 뿐더러 원하는 타겟지점으로 바로 가지 못하고 체내에서 휘어서 들어갑니다.

3. 종이컵을 이용한 자침연습

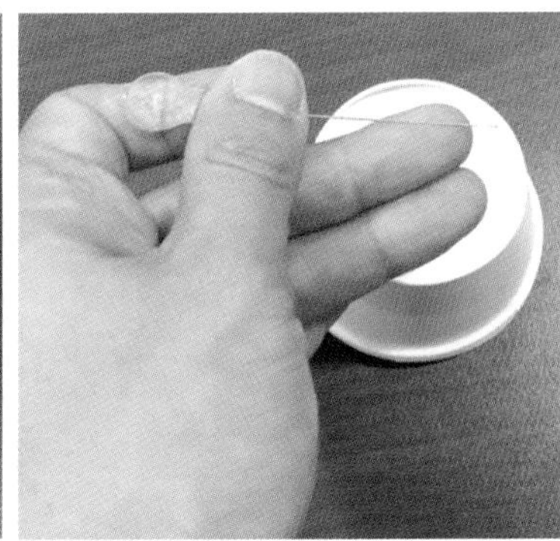

그림 1-2-15. 종이컵을 이용한 도침 연습

종이컵 세 개를 겹쳐보세요. 종이컵의 맨 위는 표피, 중간층은 타겟이 되는 근막, 맨 아래층은 신경이라고 부르겠습니다. 표피는 빠르게 뚫고 – 타겟이 되는 근막층만 구멍을 뚫어줍니다. – 신경까지 뚫어버리면? : 미션 실패입니다. 섬세한 컨트롤이 요구되는 연습입니다.

이제 인체라고 생각하고 도침을 자입할 준비를 해볼까요? 맨 오른쪽처럼 표준 자세를 해서 도침을 놓을 준비를 해보세요(그림 1-2-15).

도침 자입은 다음과 같은 순서로 이루어집니다.

1. 기본 자세를 잡아주세요
2. 환자의 표피에 도침을 수직으로 대주세요.
3. 빠르게 절피해주세요
4. 천천히 근막으로 들어갑니다.

도침 자입 시 미리 표피에 도침을 대고 뚫고 들어가는 이유는 환자의 통증을 최소화하기 위함입니다. 표피에서 떨어져 멀리서부터 도침을 뚫고 들어가려고 하면 환자가 아파하기 쉽습니다. 자입 전에 체표면에 수직으로 도침을 대는 것도 중요합니다. 도침의 자입 포인트는 3차원상의 한 점입니다. 바로 위에서 대상을 투시해보고 있다고 생각하고 시술을 합니다. 이때 도침을 눕혀서 들어가게 되면 원하는 포인트에 닿기 쉽지 않습니다. 위험한 구조물을 피하기도 쉽지 않습니다. 따라서 처음부터 도침을 체표면에 수직으로 자입하는 습관을 들이는 것이 좋습니다. 체표면에 수직이라고 하면 인체는 둥근 조직이 많으니 다양한 각도가 가능할 것입니다. 따라서 도침 자입 전에 각 자입점에 도침이 직각을 이루고 있는지 잘 파악하고 자입하시기 바랍니다(**그림 1-2-16**).

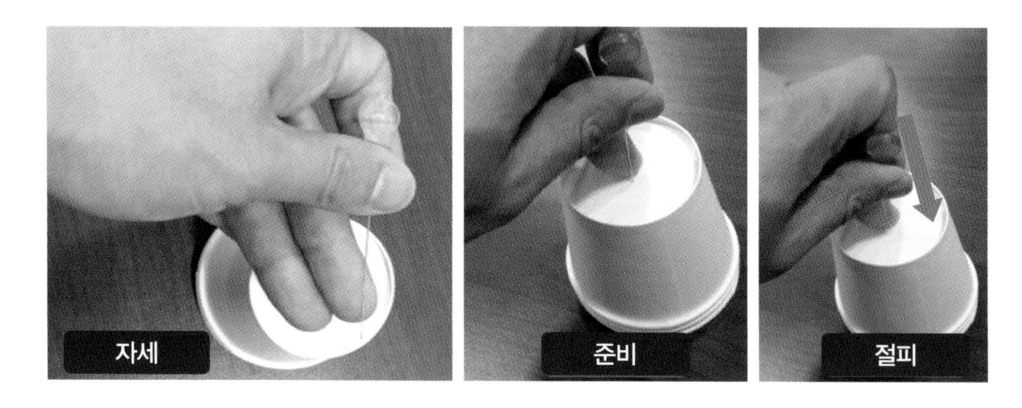

그림 1-2-16. 도침연습 과정

➡ 자침미션 – 종행절개 연습

- **자침미션** : 구멍 하나로 세 개의 점을 연달아 만들기 종행절개 – 즉 표피에 구멍을 하나만 뚫고 목표점인 근막에는 도침날의 방향대로, 즉 종축으로 구멍을 내는 방법입니다. 이 테크닉을 쓰는 이유는 제일 통증이 심한 표피의 자극을 최소화하고 목표점이 되는 근막이나 인대의 자극은 충분히 하는 것입니다. 그러면 환자는 한 번만 도침을 맞아도 되고, 과도한 자극을 피할 수 있게 되지요.

1. 표피에 구멍을 하나 뚫고,
   (치료 포인트에 직각으로 도침을 자입하세요. 눕혀서 자입하면 타겟에서 멀어지기 쉽습니다.)
2. 근막에는 구멍을 세 개 뚫어보세요. 도침의 날 방향 – 종축으로 5–10도 정도만 기울여보세요. 너무 많이 기울여도 좋지 않습니다. 여기서 중요한 것은 도침의 날 방향, 종축으로 기울이는 것입니다. 횡으로 즉 옆으로 기울여서 자입하는 연습을 하지 않습니다. 안전 자입을 위해 도침의 날 방향, 손잡이 방향인 종축으로 시술하는 것을 추천드립니다.
3. 맨 아래층 즉, 신경을 뚫으면 실패입니다. 섬세하게 침 끝의 감각을 느끼면서 도침의 깊이를 컨트롤하는 연습을 해보세요.

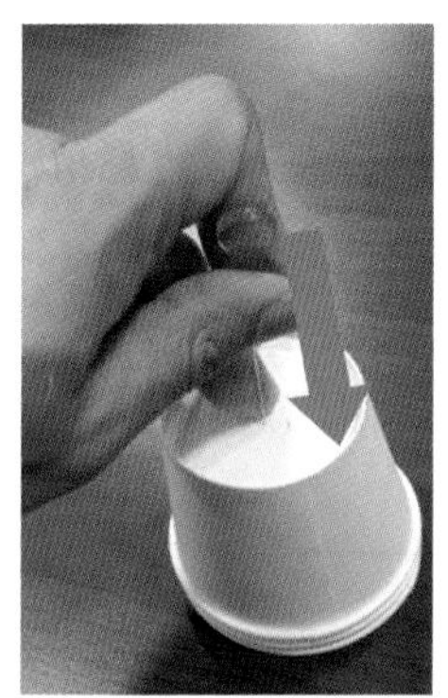

그림 1-2-17. 종행절개 연습

제대로 놓게 되면 표피에는 구멍이 하나고 근막에는 도침의 날 방향대로 일렬로 선 세 개의 구멍, 그리고 맨 마지막 종이컵에는 아무 구멍이 없는 상태가 됩니다. 이렇게 가지런하게 도침의 자국이 나도록 연습해보세요(**그림 1-2-17**).

TIP

도침의 안전 자입을 위해서 중지를 잘 사용하는 것이 중요합니다. 위의 준비자세 사진을 다시 한 번 잘 살펴보세요. 저는 이렇게 중지를 이용해 침체를 지지하는 것을 Lock을 건다라고 표현하는데요, 내가 원하는 깊이만큼 침체에 중지를 위치해서 그 이상 침이 들어가지 않도록 조절하는 것입니다. 대부분의 시술 포인트에 시술 깊이를 가이드 해드리는 만큼 그 깊이를 넘어가지 않고 유지할 수 있도록 깊이 조절 연습을 하시기 바랍니다.

4 도침의 가능한 부작용

도침 후에 가능한 부작용은 다음과 같은 여섯 가지 정도가 있습니다.

1. 통증	2. 출혈과 혈종	3. 신경 손상
4. 기흉	5. 뇌척수액 누출	6. 시술 부위 감염

여기서 간단하게 정리해보자면 통증, 출혈, 신경 손상은 자입속도와 치료 강도의 조절 실패로 인해 생기고, 기흉과 뇌척수액 누출은 시술 깊이 조절의 실패, 감염은 소독에 대한 기본기를 놓치는 안일함에서 옵니다.

1. 통증 : 도침 후 통증이 발생하는 원인

1) 도침을 너무 강하게 했다.

너무 강하게 시술하면 염증반응도 강하게 오면서 불편함이 있겠지요? 일반적으로 한의원에서 가볍게 도침을 하는 경우라면 시술 후 전혀 불편함이 없거나 하루이틀 약간 뻐근한 정도의 불편함이 남는 것을 목표로 시술합니다. 하루이틀 지속되는 약간의 불편함은 도침의 자연스러운 반응입니다. 이에 대한 오해를 방지하기 위해서는 시술 전후에 미리 환자분에게 말씀해주시는 것이 중요합니다.

그런데 통증이 1주일 이상 가는 경우라면 우리가 목표로 하는 regeneration을 넘어서는 과도한 시술이 아니었나 고심해 보아야 합니다. 이 경우 다음에는 전보다 약한 강도로 시술을 해야 합니다.

2) 혈종이 생긴 경우

혈관을 건드렸는데 지혈을 충분히 해주지 못하고 안에서 혈종이 생길 수 있습니다. 이 경우 움직일 때 조직이 늘어나야 하는데 이물질(혈종)이 압박을 하기 때문에 통증이 발생하고 원래 움직임의 각도가 나타나지 않을 수 있습니다. 일반적인 작은 혈종은 며칠이면 가라앉지만 처음에 지혈을 잘 해준다면 그 자리에서 수월하게 마무리 될 수 있습니다.

3) 인대와 건의 염좌 유발

인대는 안정성을 부여해주는 조직이잖아요. 그런데 인대 자극을 과도하게 하면 도리어 안정성 사용 시 통증이 유발될 수 있습니다. 이를테면 팔꿈치같은 데를 도침을 했는데 되려 더 굽혔다 펴는게 안 되면서 통증이 나타나는 상황이 발생될 수도 있습니다. 발목염좌로 도침을 했는데 굵은 도침으로 과도하게 자극했다면 보행이 더 힘들 수도 있겠지요. 결국 이런 것도 1)처럼 과도한 자극에 의해서 발생하는 것이고, 인대라는 조직의 특성을 이해하고 환자의 상태에 따라 적절하게 시행한 도침치료는 인대와 건의 빠른 회복을 만들어낼 수 있습니다. 혹시 도침을 과도하게 해서 인대자극이 발생한다면 사용자제를 안내하고 가벼운 사혈을 통해서 염증을 가라앉히고 냉찜질을 해서 진정 시켜줍니다.

4) 시술 부위의 과사용

시술을 했는데 그 다음에 너무 써버리는 거죠. 환자분이 시술 후 회복해야 할 시기에 과하게 써버리면 어떻게 될까요? 혹은 과도하게 한 자세로 공부를 오래 했다든지 재밌는 드라마를 며칠씩 몰아서 봤다든지 해도 시술 후 통증이 더 심해지는 수가 있습니다. 회복에 필요한 조직의 순환이 안 되는 상황이죠. 따라서 시술 후 몸 관리, 양생도 중요합니다.

5) 환자의 체력 저하상태

도침은 약간의 손상을 통한 회복치료인데, 회복력이 떨어지면서 회복을 전제로 한 통증이 길어지고 통증의 강도가 심하게 나타나는 경우도 있습니다. 이 경우도 길어야 1-2주 정도면 회복이 되는데 환자분께 잘 설명드리고 몸조리를 잘 하도록 안내해드려야 합니다. 특히 80대가 넘어가면 다른 사람보다 회복이 안 되는 경우가 많습니다. 이때는 특히 자입 횟수와 강도를 줄여서 시술하셔야 합니다.

TIP

도침을 처음 시술받는 경우는 가볍게 시술해보자.

환자에 적합한 치료자극을 확신하지 못한다면 처음에는 살짝만 시술해보기를 바랍니다. 한두 포인트만 시술한다면 그 정도는 아주 약한 자극을 준 것입니다. 이후 그 사람의 반응을 보고 강도를 조절하시면 됩니다. 환자분이 처음 도침을 맞을 때는 항상 시술 후 더 불편한 점은 없는지, 지혈은 잘 됐는지, 아픈 부위도 움직여 보시도록 하고 문제가 없는지 확인하시기 바랍니다.

TIP

도침시술 후 통증이 있을 수 있음을 티칭하는 것을 잊지 말자.

일반적으로 회복을 위한 염증기인 이틀 동안은 둔한 통증이나 뻐근함이 있을 수 있습니다. 이것은 정상적인 범위 내의 통증이니 걱정하지 않도록 미리 알려줄 필요가 있습니다. 이러한 정보를 미리 주지 않으면 환자 분이 오해할 수 있습니다. 원장님이 직접 설명을 못해드린다면 간호사분들이 시술 후에 설명할 수 있도록 분위기를 만들어주셔야겠습니다.

2. 출혈과 혈종

흔히 사용하는 작은 직경의 도침으로는 큰 문제가 발생하지 않습니다. 환자분이 항응고제나 아스피린 등을 복용한다해도 0.5 mm 이하 작은 직경의 도침을 사용한다면 침 치료에 준해서 접근하면 됩니다. 다만 0.75 mm 이상, 이를테면 1 mm 직경의 도침을 사용해야하는 상황처럼 도침의 굵기가 굵어지고 시술의 강도가 강한 치료가 필요하다면 약을 처방한 내과의와 상의하에 1주일 정도 해당 약을 중지하고 시술해야 합니다.

혈종을 어떻게 컨트롤하나?

첫째, 끝까지 주의 깊게 관찰을 해서 상황을 컨트롤하는 겁니다.

환자의 시술 부위에 출혈이 생기면 출혈을 완전히 멈춘 다음에 보내야 합니다. 진료하는데 바쁘다고 시술 후 부주의하게 보내면 혈종이 생겨서 움직이려는데 뭔가 걸리겠죠. 안에 어떤 이물질이 생긴 거니까 움직이는 각도(ROM)가 안 나오고 통증이 더 심해져요. 겉으로 보이지 않는다고 출혈이 없는 것은 아니다. 이것도 굉장히 중요합니다. 그래서 시술 부분이 살짝 부어 있는 것 같다면, 침 구멍이 너무 작기 때문에 구멍으로 피가 안 나오지만 안에서는 작게 고여 있는 경우도 있습니다. 그럴 때는 꾹 눌러주기만 하면 그 자리에서 다 사라집니다.

둘째, 압박 지혈법을 숙지합니다: 반드시 체중을 실어서 최대압박 30초!

도침 후 '압박 지혈'을 해야 합니다. 도침 이후에 압박 지혈하는 방법은 멸균거즈를 사용하여 엄지에 체중을 실어서 30초간 꾹 눌러주는 것입니다. 30초간 전신의 체중을 실어서 압박 후 떼어보고 지혈이 안되면 다시 30초 눌러줍니다. 그래도 지혈이 안 되면 손을 떼지 않고 1분에서 3분까지 압박해줍니다. 보통 이 정도 절차에서 대부분의 지혈이 마무리 됩니다. 그런데 지혈이 안되었다구요? 지혈법이 제대로 되었는지 확인해보세요. 2-4지로 대충 막는다고 지혈이 되지 않습니다. 압박 지혈하지 않으면 한없이 출혈이 발생할 수 있습니다. 지혈은 혈관의 압력보다 높은 압력으로 출혈 부위를 압박했을 때 가능합니다. 따라서 지혈 시에는 꼭 체중을 실어서 엄지로 꾸-욱 눌러주시는 것을 잊지마세요(그림 1-2-18).

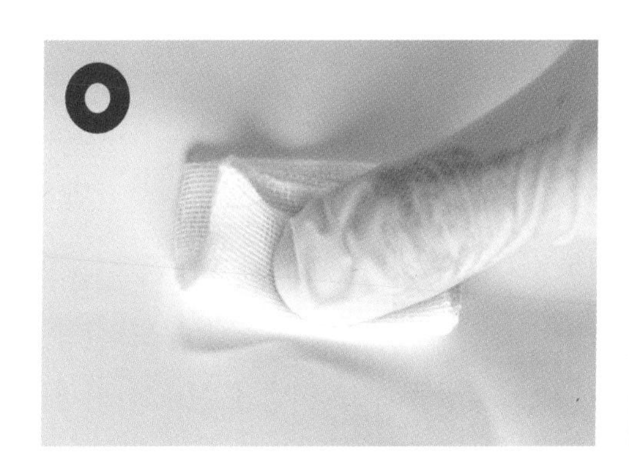

그림 1-2-18. 도침 후 압박 지혈법 (좌) 올바른 지혈법, (우) 잘못된 지혈법

셋째, 각 치료 부위의 특성을 알아야 합니다.

주요 혈관 부위를 잘 알고 있다면 큰 문제가 없을 거예요. 후두 신경통을 치료하는 것을 예를 들어 보겠습니다. Occipital nerve 근처에는 occipital artery가 있지요. 이 artery는 이 신경과 함께 꼬여 있기 때문에 시술 시 출혈을 쉽게 피할 수 없습니다. 도리어 출혈이 있으면 적절한 부위를 선택한 것으로 볼 수 있습니다. 동시에 시술 후에는 출혈이 날 수 있기 때문에 잘 봐야 되고, 겉에서 잘 안 보여도 잠시 후 머리카락을 타고 목으로 흘러내리기도 하고 엎드렸을 때는 안 나와도 치료 후에 일어나서 집에 가려고 일어섰는데 피가 주르륵 흘러내리기도 합니다. 그러면 환자분이 상당히 당황스럽겠죠. 이 부위는 동맥이기는 하지만 압력이 낮기 때문에 30초만 압박 지혈해 주시면 아주 지혈이 잘 됩니다. 그래서 시술 시 어떤 부위는 자연스럽게 출혈이 나는 부위, 어떤 부위는 절대 건드리지 말아야 하는 부위 등 자세한 특성을 알아야 합니다.

3. 신경 손상

신경 손상을 예방하기 위해서는 신경의 주행 방향과 침날의 방향을 일치시켜야 한다고 여러 번 강조했습니다. 하지만 신경 손상을 예방하는 가장 확실한 방법은 뭐니뭐니해도 신경이 지나는 부위를 피하는 것입니다. 신경을 최대한 피하되 우리가 피치 못하게 신경이 지나가는 부위를 치료해야 한다면 '자입속도'와 '침날 방향'으로 만약에 있을 손상과 부작용을 최소화해야 한다는 이야기입니다.

경추신경근 손상

지난 10여 년간 도침시술과 관련한 경추신경근 손상 사례가 몇 차례 보고된 바 있습니다. 경추신경근이 손상되면 상당히 심각한 부작용이 발생할 수 있습니다. 누구도 신경근을 의도하고 시술을 하지는 않았을 것입니다. 하지만 경추 심부로 시술을 한다면 신경근을 피하기 쉽지 않습니다. 따라서 이 파트를 꼭 숙지하시고 문제가 발생하지 않도록 많은 공부를 해두시기 바랍니다.

경추신경근 손상 시 가능한 부작용

신경근 이하로 이어지는 심각한 통증, 저림, 마비, 감각 및 운동장애

심부 경추시술 시 경추신경근 손상의 가능성은 열려 있습니다.

지금 본인의 경추 측면을 눌러보세요. 잘 만져보면 단단한 경추의 transverse process가 만져질 겁니다. 경추 후면에서 승모근을 뚫고 3-4 cm 정도 깊이면 경추 신경근에 충분히 닿을 수 있습니다. 그만큼 경추신경근은 생각보다 얕은 곳에 존재합니다. 흔히 쓰는 0.5×5 cm 직경의 도침으로 충분히 신경근 손상을 유발하고도 남을 깊이입니다.

경추 후관절에서 약간만 미끄러지면 시술 시 칼날 방향은 위험성을 높입니다.

게다가 경추 시술 시에는 인체의 종축으로, 즉 칼날이 환자의 머리와 발끝 방향으로 되어 있는 상태에서 시술이 이루어지는데, 예기치 않게 만날 수 있는 경추신경근은 하필 이 방향과 직각입니다. 이렇게 신경과 도침이 직각으로 만나면 신경근의 다발이 손상되어 상처가 벌어지고 예후가 불량할 수밖에 없습니다(그림 1-2-19).

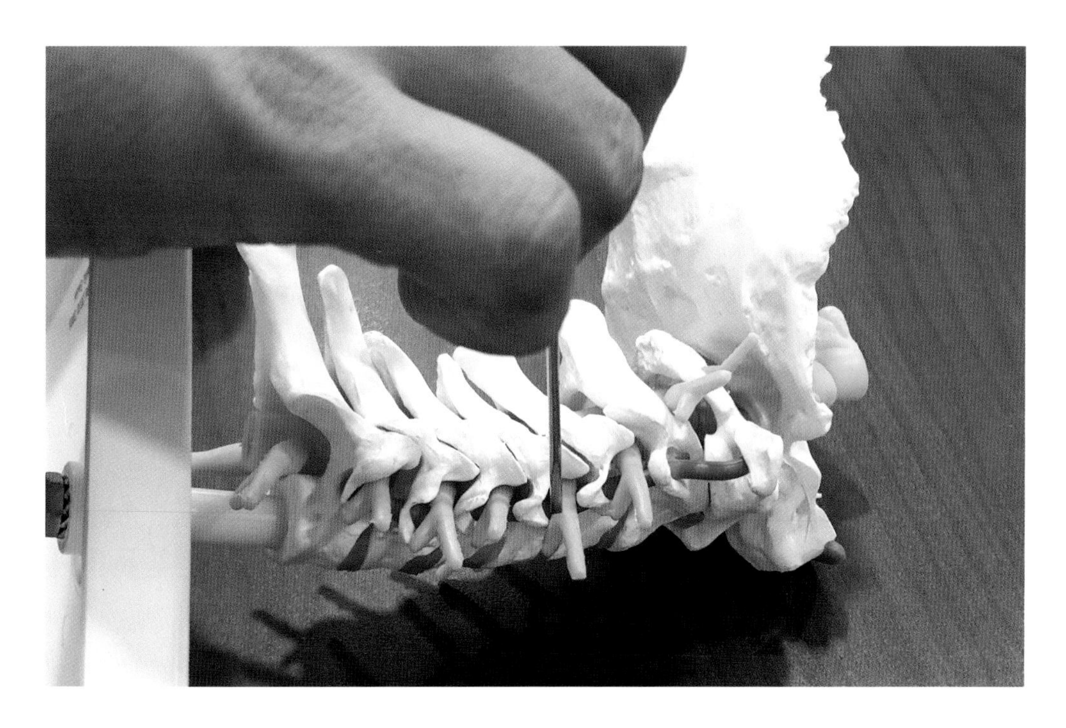

그림 1-2-19. 경추신경근과 직각으로 자입 시 신경손상 발생 가능성이 있다.

굳이 신경근이 있는 경추의 심부까지 도침치료를 해야만 하는가?

아니오, 1차 의료기관에서라면 경추 심부의 도침술이 굳이 필요없다고 자신있게 말씀드릴 수 있습니다. 경추부의 도침치료는 아주 효과가 좋습니다. 그리고 추나치료와의 궁합이 아주 좋습니다. 경추의 도침시술 후 심부에서 이루어지는 경추의 부정렬 문제는 추나를 이용해서 마무리가 가능합니다. 역으로 추나만으로 경추의 문제를 잡아주기에는 주변 조직의 단단한 긴장과 변형이 문제가 되어 의사의 노력과 시간이 너무 많이 들 수 있습니다. 이 상황에서 도침이 아주 적절한 역할을 해줄 수 있습니다.

심부 경추시술을 아예 금기시하는 것은 아닙니다.

다만 어떤 한의사 분이 필요에 의해서 혹은 습관적으로 경추 심부 시술을 하고 계신다면 경추 신경 손상은 확률의 문제일 뿐이라고 말씀드리는 것입니다. 부작용 빈도가 만 명 중에 한 명이라면 해당 깊이에서 백 명, 천 명을 치료할 때는 문제가 없을지언정 만 명을 치료한다면 아무리 주의 깊게 시술을 하여도 한 명 정도는 신경 손상이 유발될 확률이 생긴다는 것이지요. 피치 못하게 수술을 고려하고 있다거나 심각한 경추의 신경근 병증이 있는 경우 경추 심부에서 시술할 수 있는 도침기법이 있습니다. 이 기법은 그 위험성을 고려하고서라도 임상상 훌륭한 효과를 가지고 있음을 누차 확인하였습니다. 다만 이 기법은 고도의 전문성을 갖추고, 적절한 대응방안을 갖춘 의료기관에서 충분한 부작용 고지하에 진행하는 것이 맞다고 봅니다.

안전한 임상을 원하신다면

안전한 임상을 원하신다면 경추 측면(사각근 등)은 적절한 안전 포인트를 선택하여 최대 0.5 cm 이내에서, 경추 후면에서 도침 시술은 최대 1.5 cm 이내로 하시고 관절의 부정렬이나 심부의 치료가 필요하다면 추나로 마무리하는 것을 추천드립니다. 앞에서 말씀드린 대로 1차 의료기관에서 임상을 하신다면 굳이 필요 없을 정도로 천층에서의 도침치료만으로 충분한 개선효과를 확인할 수 있기 때문입니다.

왜 요추신경근은 따로 이야기 하지 않나요?

요추신경근은 후관절까지만 해도 5 cm 정도 되기 때문에 일반적인 사이즈의 도침으로는 손상을 유발하기 쉽지 않습니다. 그만큼 신경근이 깊이 있어서 손상이 잘 발생하지 않는 것입니다.

신경포착 부위 손상 가능성

도침시술을 많이 하는 부위로 손목터널증후군 혹은 후두부의 후두신경통 부위, 추가적으로 발목터널 부위 정도가 있습니다. 신경포착 부위는 어쩔 수 없이 신경 경로 위에서 시술하기 때문에 신경과 만날 확률이 높습니다. 다만 경추 신경근 손상에 비해 비교적 위험이 적고 이미 신경 위를 지나고 있다는 것을 인지하고 있기 때문에 시술자가 안전에 유의하여 시술하기 마련입니다. 이 부위를 시술할 때는 굵은 도침보다는 0.5 mm 이하의 작은 직경으로 규범에 따라 시술을 하신다면 크게 문제가 없을 것입니다.

TIP

신경 손상 예방을 위한 Tips

1. 주요 신경의 깊이로 들어가지 않는다.
2. 피치 못하면 아주 천천히 들어간다.
3. 칼날 방향은 반드시 신경 주행 방향으로 한다.

4. 뇌척수액 누출

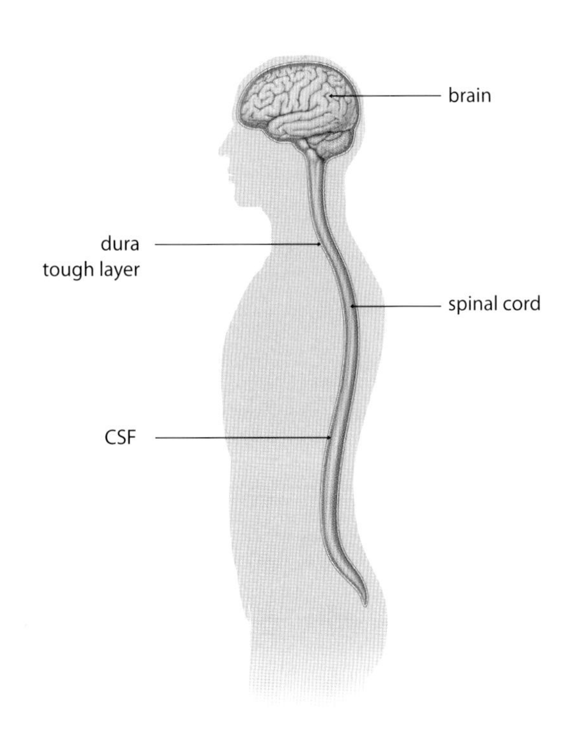

그림 1-2-20. 뇌척수액의 분포

1) 손상원리

우리의 뇌와 척수는 **그림 1-2-20**과 같이 뇌척수액이 담긴 물주머니와 같은 형태를 이루는데, 보통 후관절이나 경추심부근육, 측돌기를 목표로 시술하다가 상위 경추의 후궁간으로 주사바늘 등이 자입되는 경우가 있습니다. 보통 후관절이나 경추심부근육, 측돌기를 목표로 시술하다가 상위 경추의 후궁간으로 주사바늘 등이 자입되는 경우가 있습니다. **그림 1-2-21**과 같은 형태로 시술이 되면 도침 뿐 아니라 약침, 강한 침 치료로도 뇌척수액 누출이 발생할 수 있습니다. 조금 쉽게 설명하면 척수를 싸고 있는 포장지에 구멍이 나서 물이 방울방울 새어나오는 것입니다(잘못하면 척수까지도 손상 가능한 부위입니다).

2) 증상

이 경우 주로 호소하는 증상은 두개 내의 저압으로 인한 두통입니다. 환자분과 인터뷰를 해보면 특이하게 누우면 두통이 없는데 앉거나 서면 두통이 발생한다하는 경우가 많습니다. 이는 앉거나 서면 CSF에 둥둥 떠있어야 할 Brain이 아래로 쏠리면서 두통이 유발되는 것입니다. 물론 어떤 경우는 자세에 상관 없이 증상이 있는 경우도 있습니다.

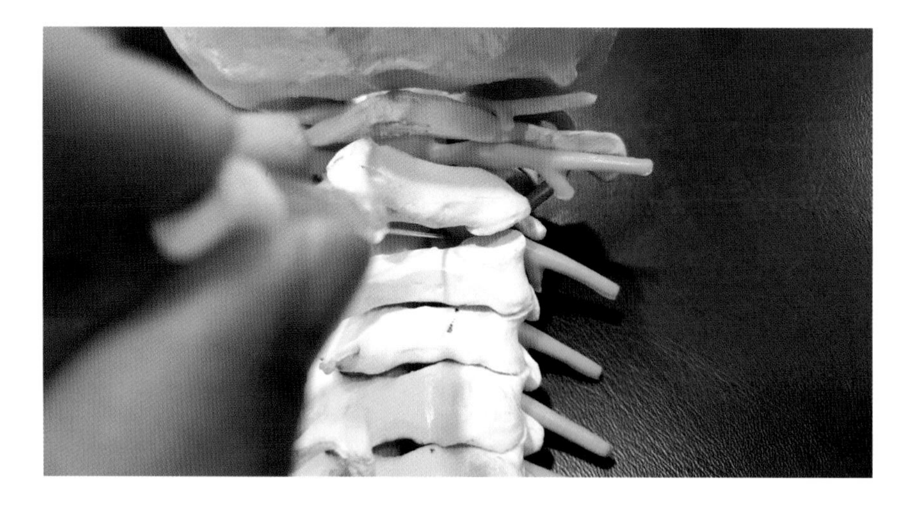

그림 1-2-21. 뇌척수액 누출 : 척추 간의 빈 공간으로 도침이나 주사 자입 시 뇌척수액이 누출될 수 있다.

3) 경과

일반적으로 며칠간 휴식하거나 입원해서 수액을 맞으며 와상 안정하면 호전되는 경우가 많습니다. 그래도 호전이 안되면 blood patch라는 테크닉을 사용합니다. 경막외혈액봉합술이라고도 불리는 이 테크닉은 이름과는 달리 단순합니다. 환자의 혈액을 빼서 손상된 경막부위에 주사해 피딱지가 앉으면서 뇌척수액 누출 부위가 봉합되는 것입니다. 성공률도 95% 정도 되는 간단하면서도 효과가 좋은 테크닉입니다.

경추 심부의 시술은 후관절 내측으로 삐끗해도, 후관절 외측으로 삐끗해도 신경절단, 뇌척수액 누출 등 일반 한의원에서 만나기 힘든 부작용을 유발할 수 있습니다. 이를 예방하기 위해 정확한 시술법을 숙지하고 가능한 부작용에 대한 대응방법을 잘 준비한 상태에서 시술해야 합니다. 다만 앞선 글에서도 말씀드렸듯이, 안전을 위해 경추 심부 시술 자체를 자제하는 것이 사고를 원천적으로 차단하는 방법입니다. 1차 의료기관에서 환자를 보면서 반드시 경추 심부의 시술이 필요한 것은 아니기 때문입니다.

4. 기흉

도침을 사용하고 기흉이 났다는 분은 아직 만나보지 못했습니다. 다만 침 시술 이후에 기흉이 발생한 사례는 몇 차례 들을 수 있었습니다. 기흉 파트에 있어서는 침과 도침을 따로 구분해서 볼 필요가 없습니다. 다만 추가적으로 저는 침이고 도침이고 기흉을 유발할 만한 부위는 극도로 피합니다. 그리고 예상 외로 흉곽에 치료 포인트를 잡을 일이 별로 없다고 봅니다. 따라서 흉추 부위의 일반적인 치료 포인트는 흉추 기립근상, 승모근 레벨인 깊이 1 cm 이내에서 이루어지고, 늑간이나 흉추 심부의 침 치료는 지양합니다.

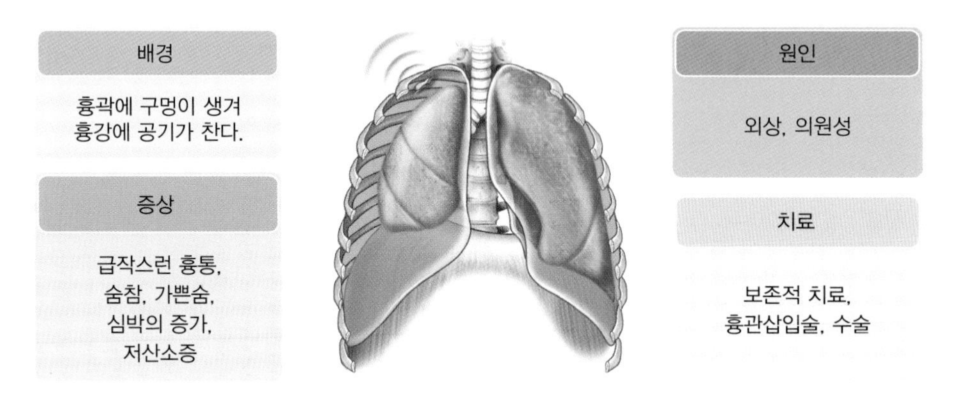

그림 1-2-22. 기흉의 개념도

TIP

기흉 예방을 위한 Tips

1. 승모근 자입 깊이 최대 2 cm
2. 심부근육을 타게팅하는 것을 자제한다.
3. 흉추 부위 자침을 삼간다.

5. 시술 부위 감염

감염에 있어서 주의해야 할 점 : 침이나 약침을 할 때와 마찬가지로 도침 시술 시에도 시술 부위의 감염에 주의를 해야 하는 것은 당연합니다. 시술 전에 시술 부위를 소독하는 것은 기본이고, 멸균된 시술도구를 사용하는 것도 기본이지요.

그럼 어떤 경우에 도침을 사용하면서 감염이 발생할 수 있을까요?

- 시술 시 맨손으로 침체를 훑는 경우
- 시술 전에 손톱이나 손으로 환부를 누르고 소독하지 않는 경우
- 환자가 시술 후 부주의하게 환부를 관리하는 경우

기본 테크닉에서 손가락 지지 부위 이후로 도침이 들어간다면 장갑착용이 필수입니다.

이를테면 골반 심부의 중둔근을 치료해야 하는 경우 장갑 착용을 하지 않고 중지로 침체를 오염시킨 후에 자입하는 경우 감염이 발생할 수 있습니다.

TIP

시술 후 감염을 막기 위한 Tips

1. 멸균된 도구를 사용한다.
2. 사용 직전에 개봉한다.
3. 시술 시 장갑을 착용한다.
4. 시술을 위해 환부를 만졌다면 시술 직전에 소독을 다시 해준다.
5. 시술 후에 소독을 하고 밴드를 붙여준다.

5 도침의 안전구역

이번 파트에서는 인체의 어느 부위가 치료 목표이며 어느 부위에 도침을 사용하는지 알아보도록 하겠습니다.

1. 경부

경부는 특히 도침으로 인해 문제가 발생 시 경추 신경근 손상과 같은 심각한 후유증을 남길 수 있는 부위입니다. 이외에도 뇌척수액 누출이나 기흉 같은 부작용도 유발될 수 있습니다. 경부의 안전시술 부위를 경추 측면(그림 1-2-23), 경추 후면으로 나누어서 보겠습니다.

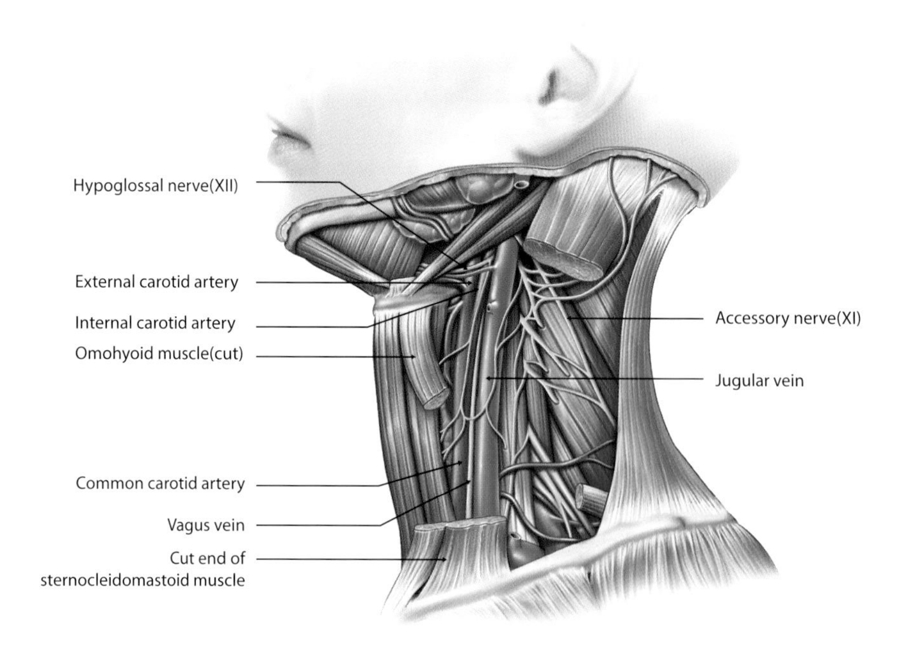

그림 1-2-23. 경추 측면의 해부도

경추 측면 부위

경추 측면 시술 시 너무 심부로 시술을 하면 경동맥 손상 등으로 심각한 부작용이 유발될 수 있습니다. 다행히도 경추 측면의 치료 대상은 근육을 싸고 있는 근막의 바깥층이 타겟입니다. 1 cm 이상 들어갈 필요가 없기 때문에 정확한 시술 포인트와 깊이만 주의하시면 됩니다. 추가로 사각근 하단 침 치료 시에도 조금만 심부로 들어갈 경우 기흉이 발생할 수 있으니 이 부분도 참고하여 시술하시기 바랍니다.

경추 측면의 주요 치료 대상

사각근을 싸고 있는 근막(investing fascia : superficial layer of deep cervical fascia) 흉쇄유돌근의 기시부 종지부, 근복의 압통점(근막위주 천층, 0.5 cm 이내)입니다(**그림 1-2-24**).

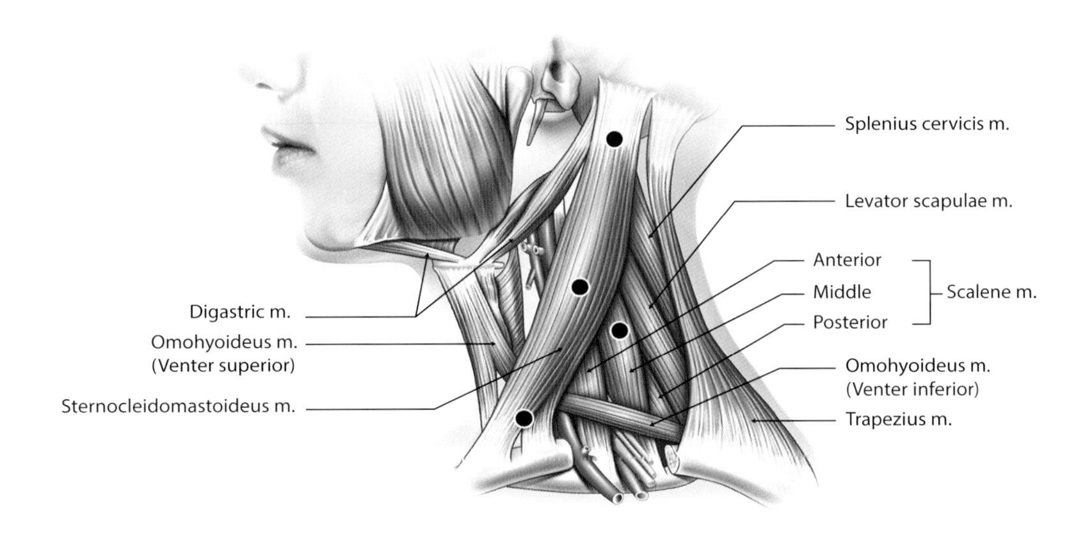

그림 1-2-24. 경추 측면의 도침치료 포인트 : 모두 0.5 cm 정도 깊이의 근막이 타겟이다.

경추 후면 부위

경추 후면은 척수나 신경근이 3-4 cm 정도 심부에 위치하여 경추 측면보다 어느 정도 깊이의 여유가 있습니다. 다만 앞에서 설명한 바와 같이 후관절 등을 타겟으로 하여 치료 시 뇌척수액 누출, 신경근 손상과 같은 문제가 발생할 수 있으니 주의하시기 바랍니다. 완고한 경추디스크를 제외하면 한의원에서 이루어지는 대부분의 도침치료는 최대 깊이 1.5-2 cm 이내에서 치료가 가능한 경우가 많습니다. 따라서 경추 후면의 심부도침시술은 가능한 자제하도록 합니다.

2. 흉부

흉부는 폐가 위치한 곳이며 마른 사람의 경우 약간만 골간으로 들어가도 기흉의 가능성이 있습니다. 따라서 되도록 뼈로 덮여진 부분 위에서 시술하며 폐의 깊이에 주의해서 과도한 심자를 피하도록 합니다(그림 1-2-25).

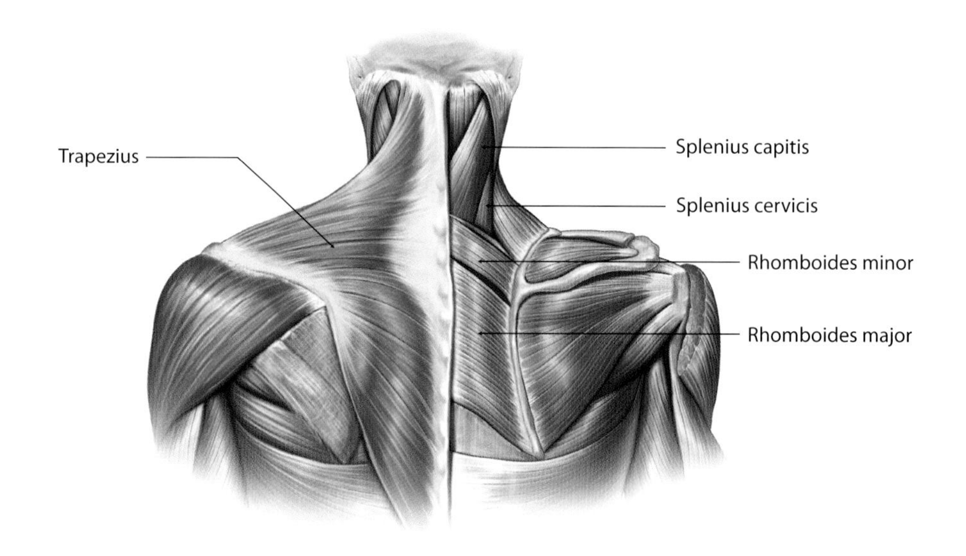

Superficial (left side) and deep (right side) muscles of the neck and upper back (posterior view)

그림 1-2-25. 흉부의 치료 대상

흉부 전면

쇄골, 흉골 부위와 뼈 위쪽으로 확인하여 시술하며 그 외의 부위는 아주 얕게 시술하도록 합니다. 흉골 부위의 경우 염좌가 발생하여 반복적으로 통증과 압통이 발생할 수 있습니다. 자세히 압통점을 감별하여 시술하면 좋은 효과를 기대할 수 있습니다. 그 외의 늑간 부위는 가능하면 사혈침을 사용한 자락관법을 사용하는 것이 안전상 더 좋습니다.

흉부 후면

흉부 후면, 등 부위는 다양한 근육이 층층이 덮여 있습니다. 등 통증이나 어깨 통증이 있을 경우 많은 경우 천층의 근막의 긴장과 압통이 원인이 될 수 있으며 치료점도 생각보다 천층에 있습니다. 예를 들면 등 부위의 통증의 많은 경우가 승모근의 천층근막의 치료로 호전되며, 심부의 능형근이나 견갑거근을 치료해야 하는 경우는 승모근 치료로 호전되지 않는 완고한 통증 혹은 운동을 통해 발생한 특정 심부근육의 손상이나 염좌인 경우가 있습니다.

늑간(**그림 1-2-26**)의 치료 시에는 늑골간의 레벨을 넘어가는 도침치료 시 바로 기흉으로 이어질 수 있습니다. 이 부위의 도침치료를 꼭 해야 할 경우는 많지 않으나 시술 시 안전 깊이를 잘 확인하여 치료하도록 합니다.

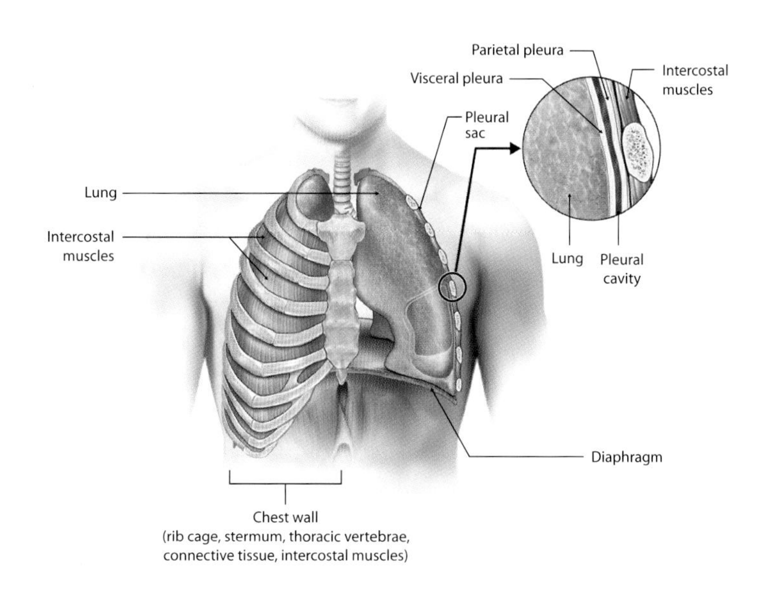

그림 1-2-26. 늑간의 해부도

3. 요추

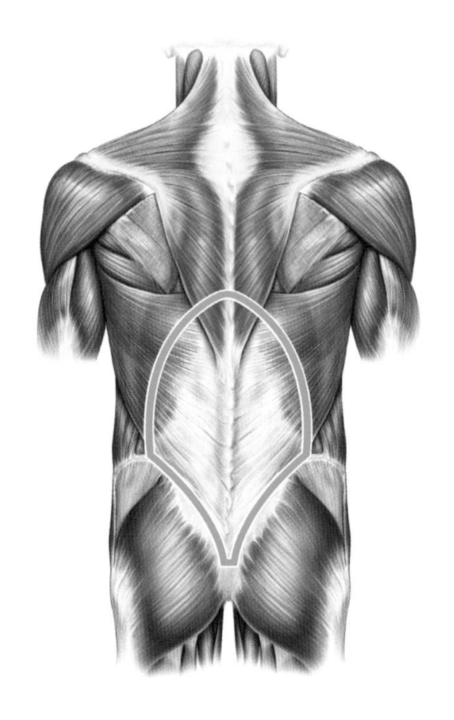

그림 1-2-27. 흉요근막의 모양

상위 요추(L1-L3)

상위 요추의 경우 관절심부의 문제보다는 흉요근막(**그림 1-2-27**)에 대한 치료가 필요한 경우가 대부분입니다. 따라서 환자의 압통점과 치료점을 주로 천층에서 찾아서 치료하는 것이 효과적입니다. 상위 요추에서 심부자입을 시도하다 척추극돌간으로 황색인대를 뚫고 들어갈 경우 척수 손상으로 인한 하지마비나 감각이상이 유발될 수 있습니다.

하위 요추(L4, 5)

하위 요추는 경부나 흉부, 상위 요추에 비해 비교적 안전한 부위입니다. 필요한 경우 하위 요추에서는 관절 심부까지 도침 자입이 가능합니다. 주로 디스크나 후관절 문제가 빈발하는 요추 4번과 5번에서 골면을 확인하여 심자하도록 합니다. 초심자는 안전을 위해 필요한 경우 장침으로 가이드하거나 초음파를 이용하여 요추의 아웃라인을 확인하면서 시술하시기 바랍니다.

4. 천골과 골반, 고관절

천골과 골반

천골(그림 1-2-28)은 전반적으로 안전한 부위이나 심부에 위치한 좌골신경이나 주변의 대혈관의 주행에 유념하여 시술해야 합니다. 이 경우 시술받는 환자의 자세에 따라서도 신경혈관의 위치가 달라질 수 있으니 확인해야 합니다. 자세한 내용은 각론에서 함께 공부하도록 하겠습니다.

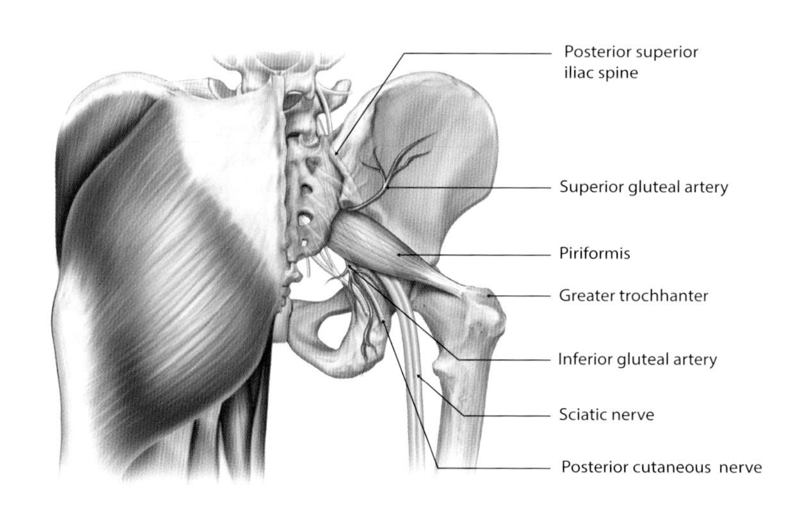

그림 1-2-28. 천골과 골반의 해부도

고관절

고관절(그림 1-2-29) 치료 시 대퇴골두의 관절부에 도침을 자입해야 할 때가 있습니다. 서혜부에서 고관절에 접근 시 대퇴동정맥이 주행하는 부위를 먼저 확인하여 안전하게 시술해야 합니다. 이 부위에서 부주의한 시술은 대퇴동맥의 손상으로 심각한 문제가 발생할 수 있습니다. 시술 시 대퇴골과 골반의 각도를 참고, 대퇴골두의 각도를 유추하여 femoral triangle을 피하여 도침의 자입경로를 설정합니다. 자세한 내용은 해당 파트에서 배우겠습니다.

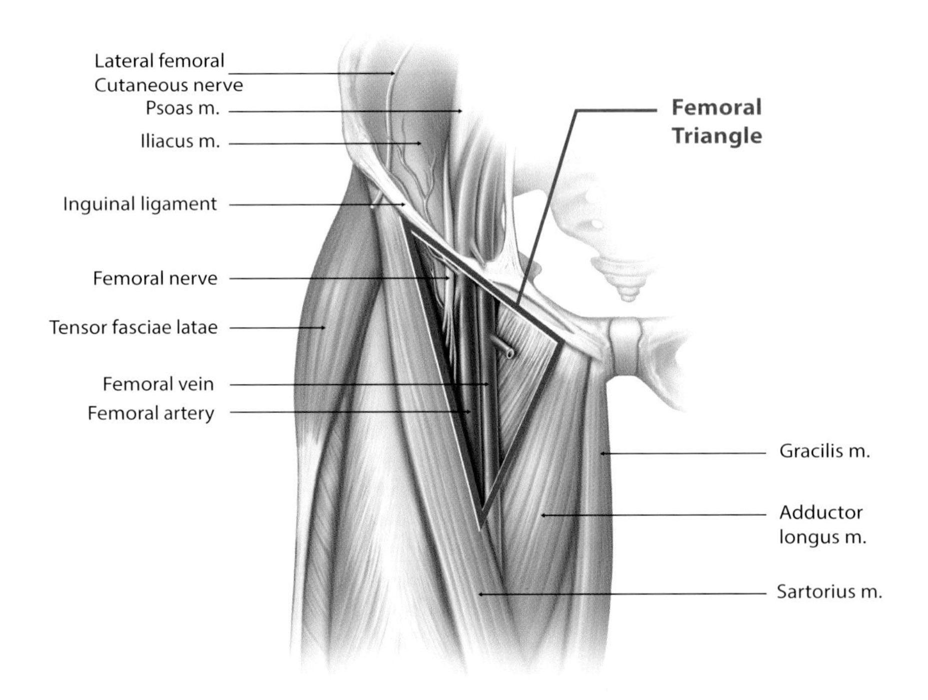

그림 1-2-29. 고관절 인근의 해부도

5. 깊이조절의 중요성

도침시술에 필요한 깊이는 생각보다 얕습니다. 염좌 등으로 인한 손상과 피로누적으로 인한 허혈성 손상은 인체 심부보다는 천층에 몰려 있으며 치료와 회복도 시술을 가볍게 얕게 해주면서 더 잘 되는 경향이 있습니다. **도침의 안전은 기본적으로 시술 시 얼마나 깊이조절을 잘 하느냐에 달려있습니다.** 앞서 설명드린 중지를 이용한 Lock 기법을 통해서 안전깊이를 잘 통제하며 시술하시기 바랍니다.

6 도침의 임상운용

1. 도침시술 기획하기

먼저 이 파트를 이해하기 위해 간단히 용어에 대해 약속을 하고 넘어가지요.

- 시술 포인트 : 시술을 하기 위해 자입하는 점입니다.
- 자입, 제삽, 자극 횟수 : 시술시 도침으로 찌르는 횟수를 설명하기 위해 사용하고 있습니다.

시술 포인트가 한 점이라도 자입 횟수는 10회가 될 수 있습니다. 한 포인트로 들어가서 10회 찔렀다 빼는 것을 반복하면 자입 횟수는 10회가 되는 것이지요.

각론에서도 편의를 위해서 시술 포인트, 자입 횟수 등을 위의 정의를 바탕으로 설명하였으니 참고하시기 바랍니다.

환자를 처음 만났을 때 어떻게 도침시술을 기획해야 할까요?

중국에서 침도를 할 때는 일반적으로 1주일에 1회 시술을 잡습니다. 한 번 시술 시 도침을 찌르는 자입 횟수는 40-50회로, 사용하는 도침의 직경도 상대적으로 굵고 횟수가 많아 자극량이 강하기 때문에 마취를 한 후에 이루어지지요. 시술마다 종류가 다르겠지만 이렇게 3주간 3회 정도 시술이 이루어집니다.

우리나라는 아무래도 내원 빈도나 환자 관리가 중요하고, 국소마취가 쉽지 않기 때문에 한 번 시술 시 10회 이하로 자입하되 1주일에 2회, 최대 3회까지 시술 빈도를 잡는 것을 제안드립니다. 산술적으로 보았을 때 중국과 같은 자입 횟수를 시술한다고 하면 우리는 총 10-15회 정도 시술하면 되겠네요.

이렇게 여러 번에 나눠서 시술하면 자연스럽게 최소의 자극으로 시술이 되는 것은 물론이고 조직의 손상이 상대적으로 적기 때문에 시술의 위험성이 감소합니다. 또 환자의 통증이 덜하기 때문에 시술에 대한 환자의 거부감이 적습니다.

그러면 임상에서 도침을 운용하는 방법을 보기 쉽게 정리해보겠습니다.

- 첫 시술은 1부위를 선정, 2-3회 자입(환자의 거부감을 덜고, 예후 확인을 위해)
- 환자 반응과 호전도에 따라 시술 시 제삽 자극 횟수를 증감합니다.
  - 시술 후 큰 통증 없이 호전 중이지만 증상이 아직 남음
    → 같은 횟수
  - 시술 후 통증 없었으나, 별로 호전이 없음
    → 제삽 횟수 증가 ex) 두세 부위에 2-3회씩 자입
  - 시술 후 통증이 심하고 2일 이상 지속
    → 시술 간격을 늘리거나 자입 횟수를 줄임

2. 도침의 시술 간격

시술 후 환자분이 다음과 같이 물어보곤 하시지요,

"이 치료는 얼마 간격으로 받아야 해요?"

시술 시 총 자입 횟수가 10회 이내라면 2일 간격으로 시술이 가능합니다. 직접 도침을 맞아보시면 느끼실 수 있습니다. 도침으로 인해 유발된 무균성 염증기가 지나고 시술 후에 불편한 느낌이 없어지는 기간, 즉 회복기로 들어가는 기간은 일반적으로 2일입니다. 최소의 자극으로 도침을 시술하면 보통 아무 불편함이 없거나 1일 정도 뻐근한 감각이 있고 2일 째엔 통증이 사라지면서 증상의 호전을 느낀다는 말입니다.

3. 도침 운용 시 주의사항

1) **급성**으로 연조직이 손상된 경우(염좌, 근파열 등), 초기에는 안정 및 염증을 가라앉히는 치료를 하다가 만성으로 가면서 관절이나 근육이 유착 및 구축 경향 시 도침치료를 고려합니다.

   그러나 급성기 자락의 의미로 도침을 사용하는 경우 도침이 의외로 상당히 유용합니다.

   예) 인대의 염좌 및 압통시 손상 포인트에 도침치료
   활액낭염, 건초염 형성 시 도침 자입 시 빠른 회복 기대

   : 이 경우 손상 후 회복을 목표로 하지 않기 때문에 자입을 여러 번 하지는 않습니다.

2) **마른 여성, 암환자** 등은 다른 사람보다 데미지가 크므로 치료 시 인대, 건 손상에 주의해야 합니다.

3) 관절이나 척추 심부로 삽입할 때는 **소독과 멸균에** 각별히 주의합니다(외과적 무균술 참조).

4) 환자가 잘 낫지 않는다고 호소하면 욕심이 나기 마련입니다. 하지만 **한 번에 너무 여러 번 제삽을 하거나 갑자기 큰 직경의 도침을 사용하면서 과자극하지 않는 것이 좋습니다.** 최대 3-4회 이내에 시술을 마무리하고 발침하는 것을 원칙으로 조금씩 경험을 쌓아가시기 바랍니다. 낫지 않으면 다음 기회라도 있지만 환자가 악화되면 다음 기회를 얻을 수 없습니다.

5) **고령(75세 이상)**에 체력이 소진된 경우, 과한 도침치료는 수일간 통증을 유발할 수 있습니다. 특히 고령인 경우 유착 해소를 위한 치료(신경포착, 관절낭 유착)는 가능하지만, 조직재생을 목적으로 자극할 경우 재생이 잘 안 될 수 있습니다. 이 경우 여러 번에 나누어 조금씩 시술을 권합니다.

6) 만약 자극량이 너무 많았거나 과도한 심부자극을 했거나 조직의 통증이 심하거나 과민해져 있으며 통증 자체에 과민한 사람의 경우 치료 후 이틀 정도 통증이 더할 수 있다고 확실히 **미리 알리는 것이 중요**하며 통증 시 집에서 얼음 찜질을 하도록 하여 환자의 원성을 사지 않도록 합니다.

PART 02

경추상지

01 경추

1 승모근 : 등과 어깨가 뻐근할 때

특징

- 견정혈 인근의 긴장과 압통

히스토리

- 핸드폰, 컴퓨터, 장기간의 긴장, 스트레스

증상

- 승모근 인근의 긴장과 뻐근함, 등 통증

PE

- 견정혈, 견갑내측의 인근의 압통점

영상진단

- 일반적으로 영상진단상 큰 변화는 관찰되지 않음
- 경추추간판탈출증 등의 배재진단으로 MRI CT 등을 활용할 수 있음

1. 승모근의 개요

인체의 후면에서 가장 큰 지분을 차지하는 근육 혹은 근막을 들자면 요추에서는 흉요근막, 경추와 흉추에서는 승모근이라고 할 수 있습니다. 저는 승모근에서도 승모근의 외층 근막(outer layer)을 주요 포인트로 보고 있습니다(**그림 2-1-1**). 승모근의 외층근막은 후경부와 등, 어깨 그 내부 근육을 감싸고 있는 결체조직으로 과도한 사용, 염좌 같은 손상으로도 문제가 올 수 있습니다. 최근 휴대폰이나 컴퓨터의 사용시간이 늘어나면서 한 자세를 오래 지속해 승모근의 외층근막에 피로가 집중되고, 긴장이 유발되는 경우가 많습니다. 외층근막을 목표로 도침을 하면 1 cm 이내의 자침으로 충분히 치료가 가능하게 되어 더욱 안전하게 도침시술이 가능합니다.

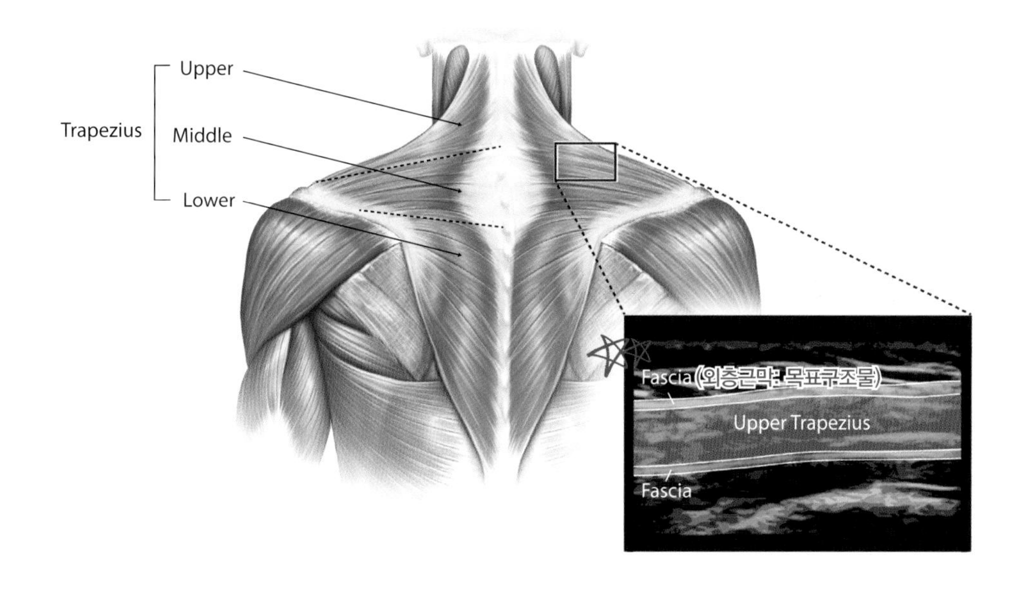

그림 2-1-1. 승모근의 해부도

2. 승모근의 해부학과 안전깊이

승모근은 상부·중부·하부의 세 부위로 나눌 수 있습니다. 목과 어깨, 등을 넓게 덮고 있어 해당 부위의 압통이 확인되면 압통점의 outer layer를 도침으로 가볍게 절개해줍니다. 그럼 outer layer는 어떻게 생겼을까요? 모식도를 통해 확인해보겠습니다(**그림 2-1-2**).

승모근의 안전깊이에 관하여

초음파를 통해 확인해보면 승모근의 외층근막은 남성의 경우 깊이 1 cm, 마른 여성의 경우 0.5 cm 이내의 치료로 충분히 치료가 가능합니다. 대부분의 등과 목 치료 시 1 cm 이내의 자입깊이로 치료해보세요. 충분히 좋은 효과를 거둘 수 있을 것입니다.

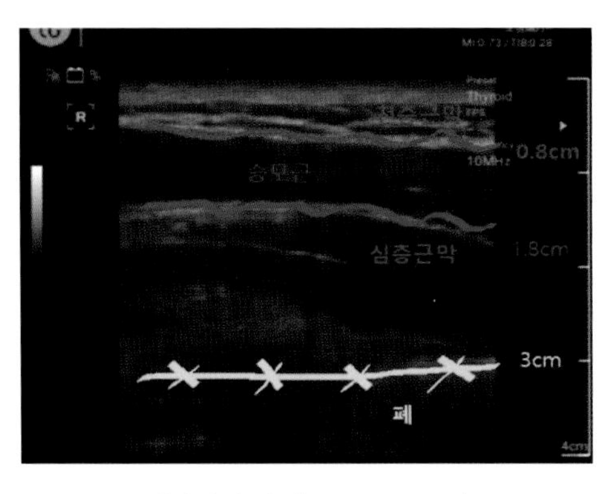

일반적인 남성(174 cm, 73 kg)

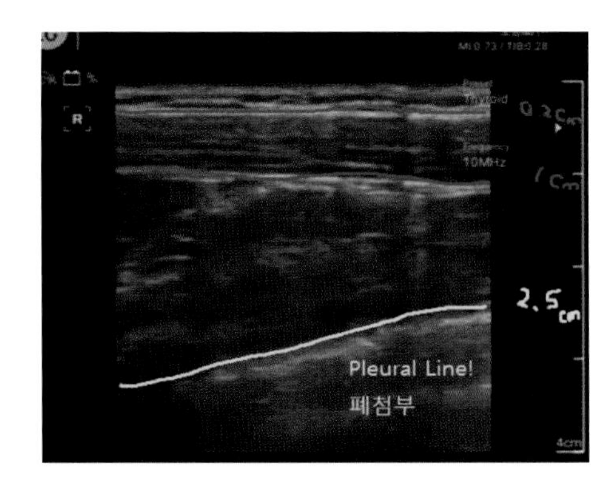

상당히 마른 여성(160 cm, 40 kg)

그림 2-1-2. 승모근 외층(천층)근막의 개인별 차이

3. 승모근의 도침치료

난이도 ★ 위험도 ★★

체위

환자는 앉거나 엎드립니다. 훈침 예방을 위해 가능하면 엎드리고 양 팔은 위 쪽으로 올려서 최대한 긴장을 낮춘 상태에서 시술합니다(**그림 2-1-3**).

시술 포인트

양측 승모근을 전반적으로 쥐듯이 잡아보고, 엄지로 꾹 눌러서 긴장이 심하면서 환자분이 압통을 호소하는 부위를 좌, 우측 각각 2-3 포인트 선정합니다.

자침 깊이 / 자입 포인트 / 자입 횟수

0.5-1.5 cm(단, 대부분 1 cm 정도에서 마무리) / 2-4 포인트 / 포인트당 2-3 회

침날 방향

근육의 결을 따라 침날 방향을 정함

자침 팁

- 자침 횟수: 환자의 어깨가 긴장이 심하다고 해도 처음 시술을 받는다면 가볍게 도침을 시작해서 환자의 반응에 따라 횟수를 조절하는 것이 좋습니다. 처음 1-2 포인트를 1-2 회 자입하는 정도가 무난합니다. 양측 승모근에 모두 긴장이 심하다면 양측에 가장 심한 부위에 한 포인트씩 자입하면 됩니다.
  이후에 환자가 적응이 되고 도침에 대한 선호도가 높다면 여러 포인트를 여러 번 자입해도 무방합니다.
- 자침 방향: 기흉을 피하기 위해 인체 후면에서 앞쪽으로 도침을 놓을 수도 있습니다. 깊이 조절에 익숙해지면 두텁고 긴장이 심한 승모근 외층근막을 타겟으로 하여 체표면에 직자하시면 됩니다.

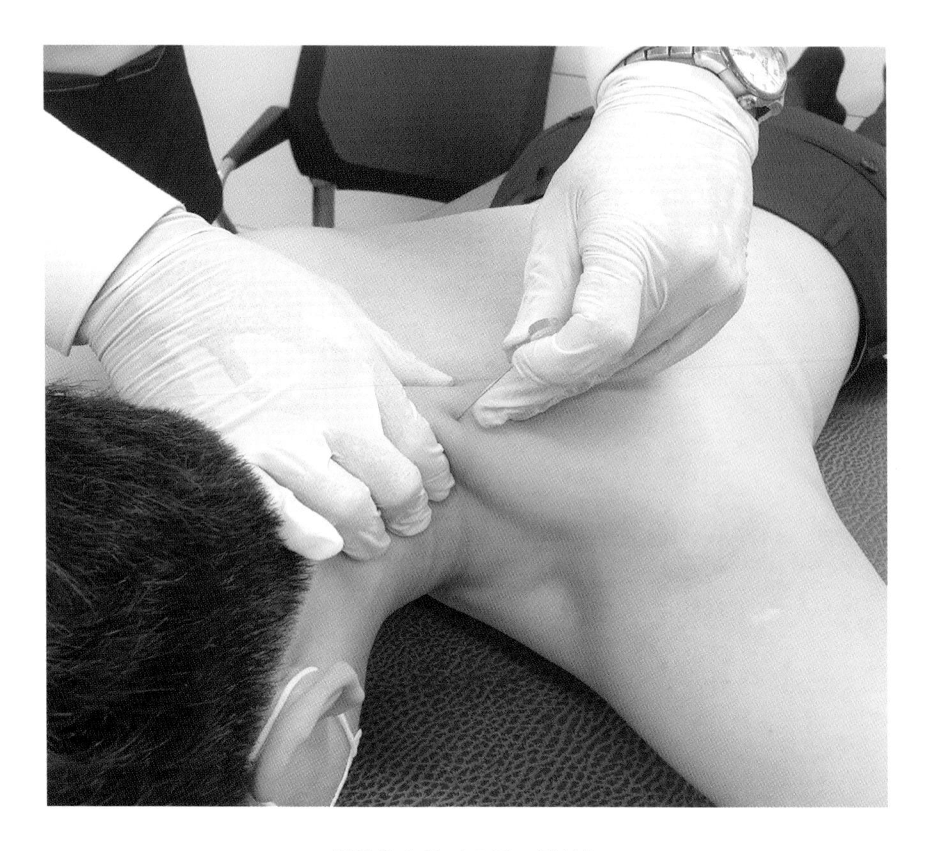

그림 2-1-3. 승모근 도침시술

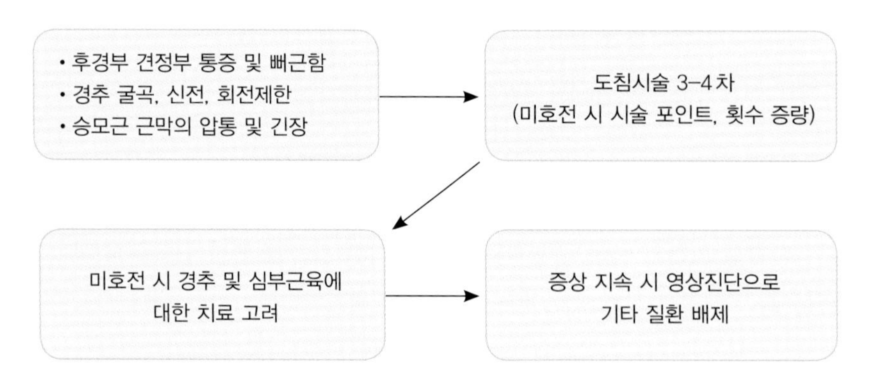

그림 2-1-4. Workflow

4. 스트레칭과 추나

승모근의 문제는 긴장과 피로의 누적으로 오는 경우가 많아 일상 생활에서 스트레칭을 병행해주면 더욱 좋습니다. 또한 승모근을 치료할 때 추나시술을 병행하면 더욱 좋은 효과를 기대할 수 있습니다. 총론에서 설명드렸던 단단히 포장된 포장지를 풀어주는 의미를 생각해보세요. 도침으로 촘촘한 섬유조직에 빈 틈을 만들고, 추나로 이완시킨다고 이해하시면 됩니다. 그런 의미에서 승모근이 뻣뻣해지고 심하게 긴장이 되어있을수록 기존의 치료법을 사용할 때보다 도침을 병행할 때 빠른 효과가 나타나는 것을 느낄 수 있을 것입니다.

2 경추 후면

특징

- 뒷목과 후두부 인근의 긴장과 압통

히스토리

- 핸드폰, 컴퓨터, 장기간의 긴장, 스트레스, 외상 및 경추의 편타 손상

증상

- 후경부의 긴장과 뻐근함, 후두부와 등으로 이어지는 통증

PE

- 후경부의 압통점, 굴곡 신전 및 회전 제한

영상진단

- X-ray 상 경추의 일자목 변형, 부정렬 관찰
- 후경부 근육의 석회화
- 경추추간판탈출증 등을 확인하기 위해 MRI, CT 등을 활용할 수 있음

1. 개요

➡ 경항부 근육 손상과 통증은 만성 지속적 손상의 누적된 결과: 따라서 도침의 적극적인 사용을 고려해야 합니다.

목 통증이 있다면 일단 앞서 배운 승모근에 대한 치료가 우선입니다. 하지만 경추도 복잡한 근육과 관절디스크로 이루어진 조직인만큼 승모근 치료 후에도 문제가 지속된다면 자세한 분석을 통해서 경추 통증의 주된 원인을 찾아 치료해주는 것이 좋습니다.

일상적으로 고개를 숙이고 구부리는 동작을 하는 경우 경추통이 많이 발생합니다.

경항부의 근육이 손상을 받게 되면 역학의 불균형이 발생, 주변의 근육 손상을 유발하고, 이 때 적절한 치료를 받지 못하면

- ➡ 일차적으로 손상된 근육의 회복과 이차적 근육의 손상이 반복, 누적되며
- ➡ 조직의 변성 및 병리과정이 진행
- ➡ 후두부와 경부의 동통, 시큰거림, 뻣뻣함, 활동의 어려움 같은 증상이 나타납니다.

이러한 병리과정을 겪은 경항부 근육의 만성 손상은 일반 침 치료만으로 호전이 어려운 경우가 많으며 도침치료로 빠른 호전을 보입니다.

2. 목 통증의 진행 단계와 치료 목표

공식적인 분류는 아니지만 치료 계획을 구체화하기 위해서 예를 들어 목 통증의 진행단계를 설명해보겠습니다.

1단계	외상 혹은 지속된 긴장과 운동부족(주로 승모근에서 시작)
2단계	심부 근육의 경직, 손상(경추 심부 근육 손상), 경추의 부정렬
3단계	혈액공급 저하로 인한 근육과 관절의 퇴행
4단계	경추추간판탈출증과 협착증의 진행

위와 같은 원리를 이해한다면 현재 환자의 상태가 위에서 어느 위치인지 체크해줘야 합니다. 대부분 해당 grade 이하의 문제들을 모두 포함하고 있겠지요. 예를 들면 3번의 근육과 관절의 퇴행 상태라면 그에 맞는 적절한 예후의 제시와 함께 경추의 심부 근육과 천층의 승모근 근막에 대한 치료가 적절히 병행이 되어야 하겠습니다. 환자는 그에 맞는 생활환경 개선과 운동, 한약치료가 병행되어야 하겠지요. 만약 1번과 2번 정도까지 진행되었다면 도침과 가벼운 경근이완 추나를 병행하고 4번까지 진행되었다면 심부 경추의 부정렬까지 잡아주는 특수 추나를 병행해줘야 하겠습니다.

이렇게 만성적으로 진행되고 증상이 심한 환자라면 환자의 상태에 대한 정확한 평가와 설명이 우선적으로 필요하다는 것을 다시 강조드립니다.

3. 경추 후면의 근육(그림 2-1-5)

천층근육	상부승모근
심부근육	두판상근 / 두반극근 / 후두하근막

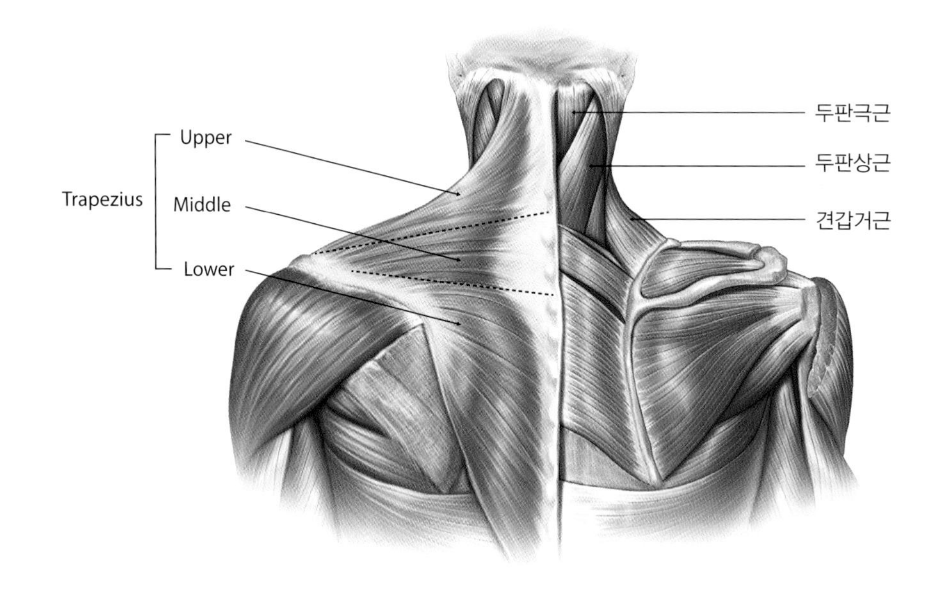

그림 2-1-5. 경추 후면의 근육

4. 경추 후면의 도침치료

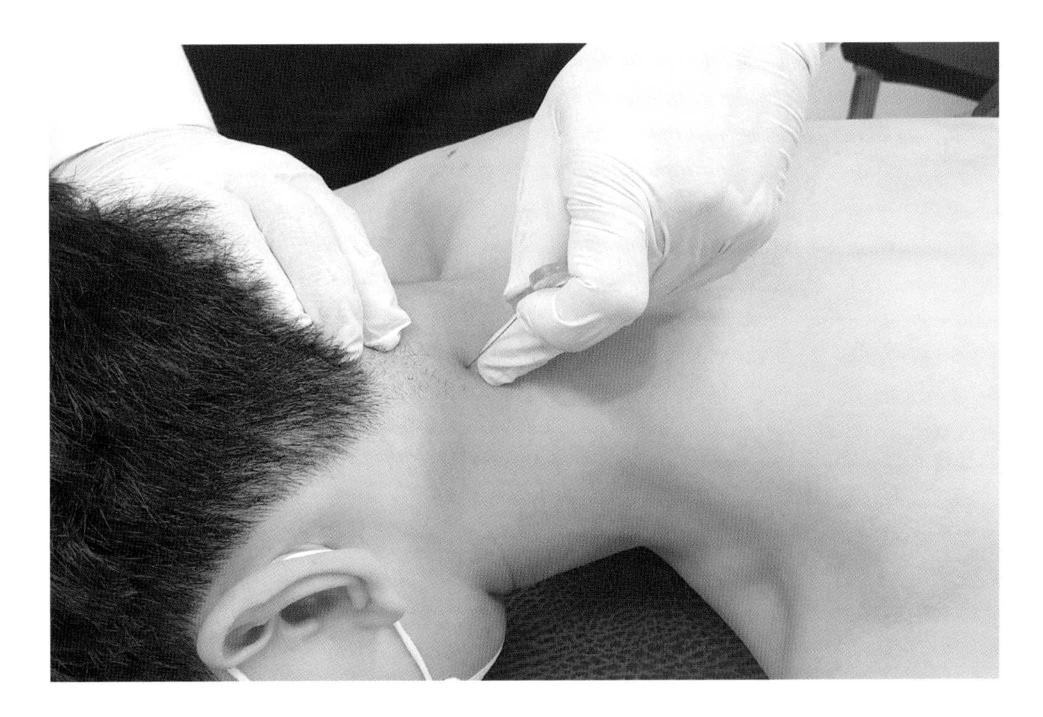

그림 2-1-6. 경추 후면의 도침치료

체위

환자는 앉거나 엎드립니다. 훈침 예방을 위해 가능하면 엎드리고 양 팔은 위 쪽으로 올려서 최대한 긴장을 낮춘 상태에서 시술합니다(그림 2-1-6).

시술 포인트

후경부를 마사지하듯이 엄지와 검지를 이용해서 넓게 만져보세요. 이후 긴장이 심한 부위를 엄지로 꾹꾹 눌러봅니다. 엄지로 꾹 눌러서 긴장이 심하면서 환자분이 압통을 호소하는 부위를 좌우측 각각 2-4 포인트 선정합니다.

자침 깊이 / 자입 포인트 / 자입 횟수

0.5-1.5 cm/ 2-4 포인트/ 2-3 회

침날 방향

근육의 결을 따라 침날 방향을 정합니다. **그림 2-1-7** 경추의 단면도를 참고한다면 체표면에 수직으로 어떻게 방향을 잡을지 알 수 있습니다.

자침 팁

경추 후면의 근육치료점(주로 두터워진 근막)을 치료할 때는 손바닥의 주요 포인트를 치료하는 것처럼 아주 정교한 치료 포인트의 감별이 필요하지는 않습니다. 넓고 크게 환자의 상태를 전반적으로 살펴서 근육의 긴장도가 심하고 환자가 통증 및 압통을 호소하는 근막을 위주로 2-3회의 종행 박리를 통해서 높아진 근막의 긴장도를 낮춰주는 것을 목표로 합니다.

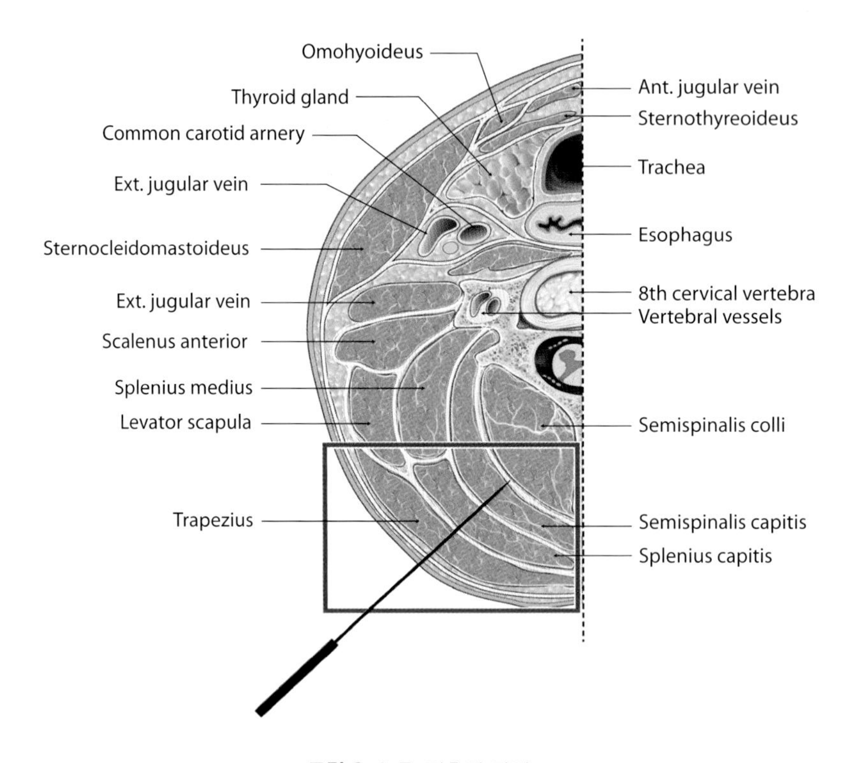

그림 2-1-7. 경추의 단면도

[주의사항]
뒷 목의 치료 시 극돌기 레벨을 넘어서 lamina 혹은 횡돌기 레벨까지 도침을 심자하는 것을 피해주세요. **대부분의 치료를 위 그림의 박스 이내에서 마무리하시기 바랍니다.** 박스 이내에서만 치료하신다면 충분히 경추 중층에 있는 근육의 근막까지 치료가 가능함을 확인하실 수 있을 것입니다.

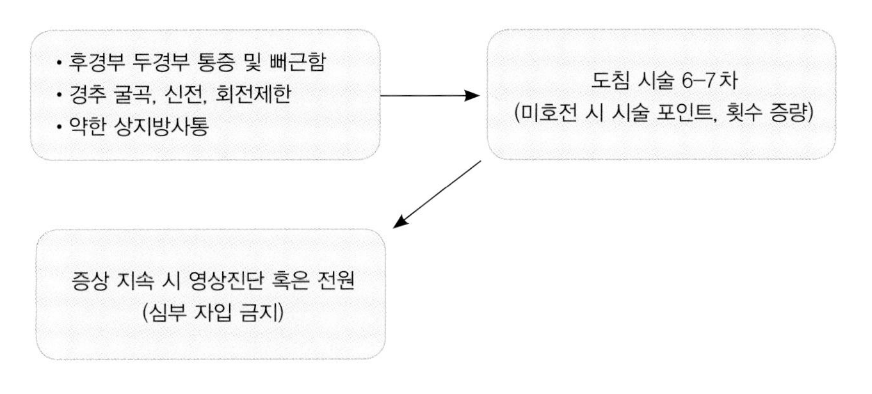

그림 2-1-8. Workflow

TIP

경추 추간판 장애 치료 팁

경추 심부에 문제가 있어 상지방사통이 일어나면 어떻게 해야 할까요? 일반적으로 수면에 지장을 줄 정도로 심각한 상지방사통이 아닌 이상, 경추 후면과 측면의 문제점을 찾아내 도침치료 후 가벼운 추나를 통해 경추의 부정렬을 교정해줍니다. 이와 같은 치료만으로 2-3주 내에 증상이 경감하는 경우가 많습니다. 만약 3주간 치료 후에도 증상이 경감되지 않는다면 영상진단을 통해 정확한 진단을 진행하고 문제가 심하다면 이를 전문적으로 치료할 수 있는 한의원/병원으로 진원조치하는 것을 권유드립니다.
중국의 침도치료 등을 보면 추간판 장애 치료를 위해 경추 골면까지 도침을 자입하는 경우가 있습니다. 심각한 방사통이나 경추 추간판 장애라 하더라도 일반 한의원에서 경추 심부 도침 자입은 신 중해야 합니다.

3 경추 측면

1. 흉쇄유돌근

➲ 경추 후측부의 긴장과 굴곡 회전 시 불편함, mastoid process 부위의 통증 및 측두부로 이어지는 통증은 흉쇄유돌근의 문제인 경우가 많습니다.

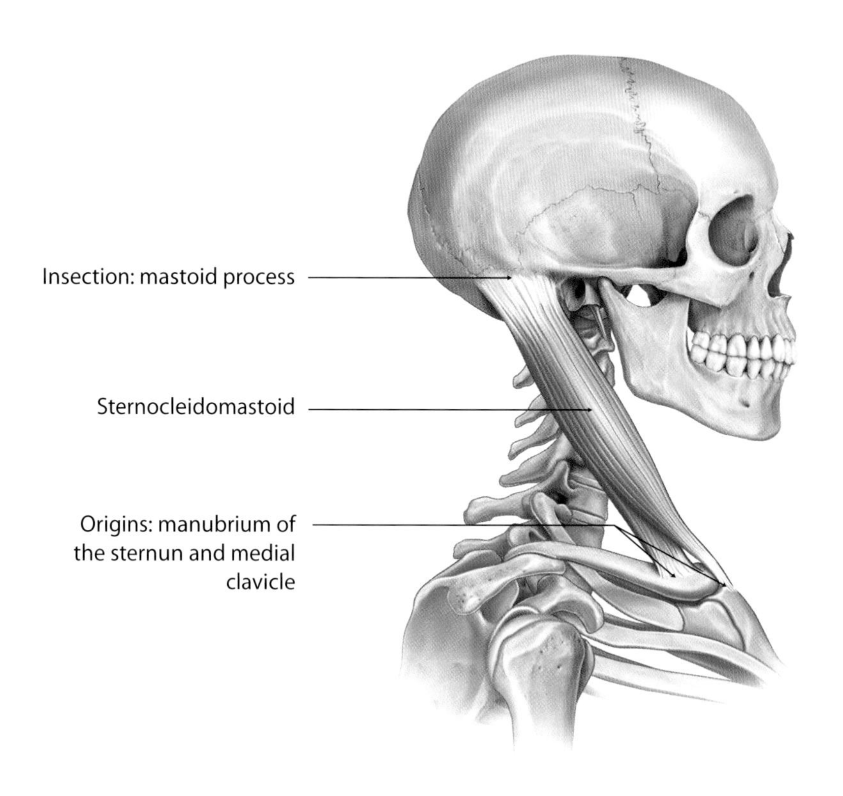

그림 2-1-9. 흉쇄유돌근의 해부도

시술 포인트

- Insertion

  엄지 혹은 검지를 이용해 mastoid process 주변에 insertion한 흉쇄유돌근을 촉지합니다(그림 2-1-10). 이 때 강한 긴장감 혹은 압통이 있다면 치료 포인트로 정해서 시술합니다. 흉쇄유돌근은 주로 90% 이상이 insertion 포인트에 문제가 옵니다.

- Origin

  드물게 흉골지와 쇄골지 부위에 문제가 오는 경우도 있습니다. **이 경우는 강하게 편타손상 혹은 경추의 염좌가 발생했을 때이며,** 환자는 쇄골 인근의 뻣뻣한 느낌을 호소합니다(그림 2-1-13).

체위

측와위 혹은 복와위로 시술합니다(그림 2-1-11, 2-1-12).

자침 깊이 / 포인트 / 횟수

- Insertion point

  0.5-1 cm 정도로 바깥 층의 근막을 목표로 하여 시술하면 됩니다. 굳이 깊이 자침할 필요가 없습니다. 시술 횟수는 2-4 포인트를 기준으로 합니다.

- Origin point

  0.2-0.5 cm 정도로 아주 얕게 시술한다는 느낌으로 1-2 포인트만 자침해줍니다. 근육이 확인되지 않으면 손으로 잡아서 확인해봅니다.

침날 방향

흉쇄유돌근의 주행 방향인 인체 종축으로 자입하여 시술 시 손상을 최소화합니다.

자침 팁

복와위 혹은 측와위로 시술하되 최대한 근육을 신전시킨 상태에서 시술 포인트를 찾아서 치료하면 치료가 더 수월합니다.

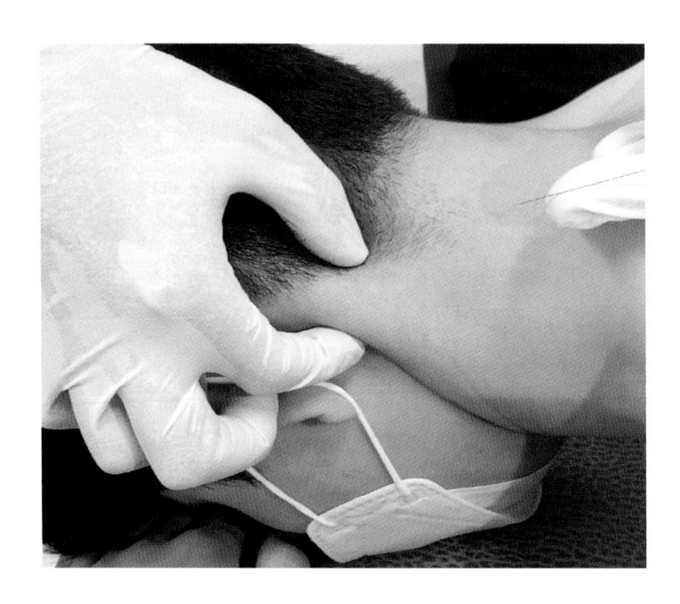

그림 2-1-10. 흉쇄유돌근의 확인: mastoid process의 insertion을 확인

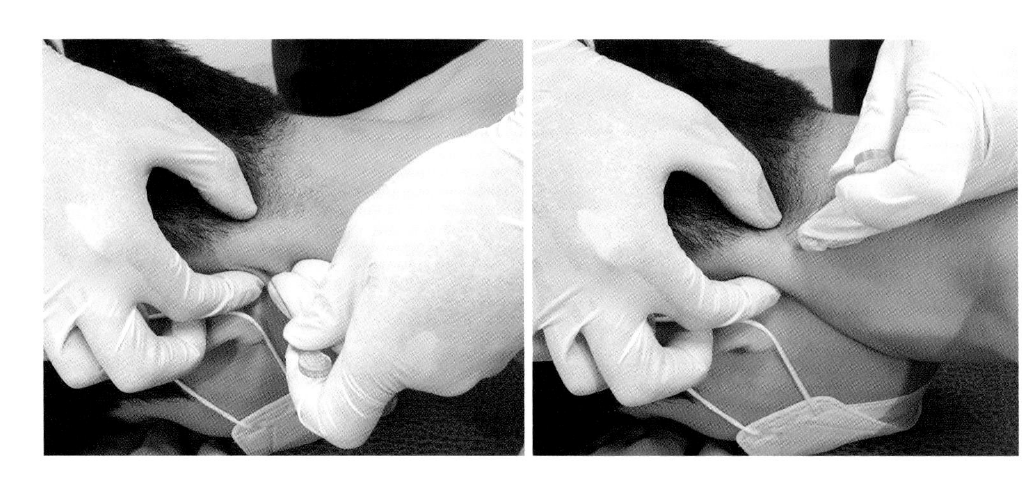

그림 2-1-11. 흉쇄유돌근 복와위 자침 1

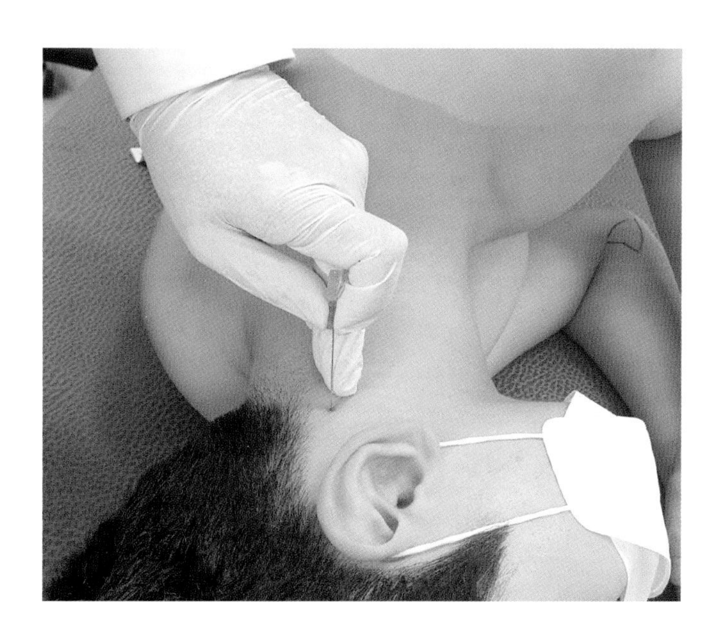

그림 2-1-12. 흉쇄유돌근 측와위 자침

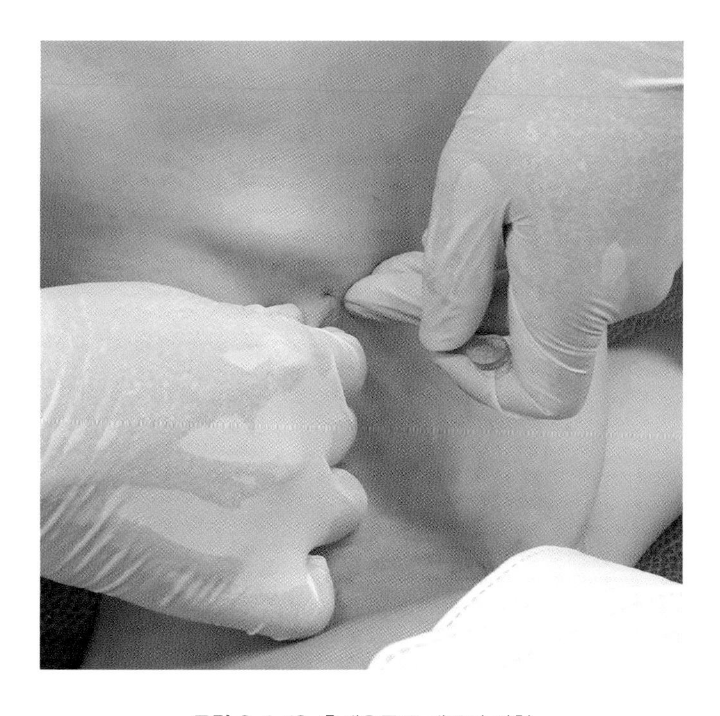

그림 2-1-13. 흉쇄유돌근 쇄골지 자침

2. 사각근

후경부와 흉쇄유돌근 치료 후 환자의 증상이 많이 호전되었는데도 불구하고, 환자가 경추의 불편한 증상이 마무리 되지 않는다고 호소하거나, 상지의 방사통이 호전되지 않았다면 사각근을 확인해보시기 바랍니다. 경추측면에서 흉쇄유돌근의 후면으로 삼각형 부위에 단단한 긴장과 압통을 발견하셨다면 사각근을 치료해 주어야 합니다.

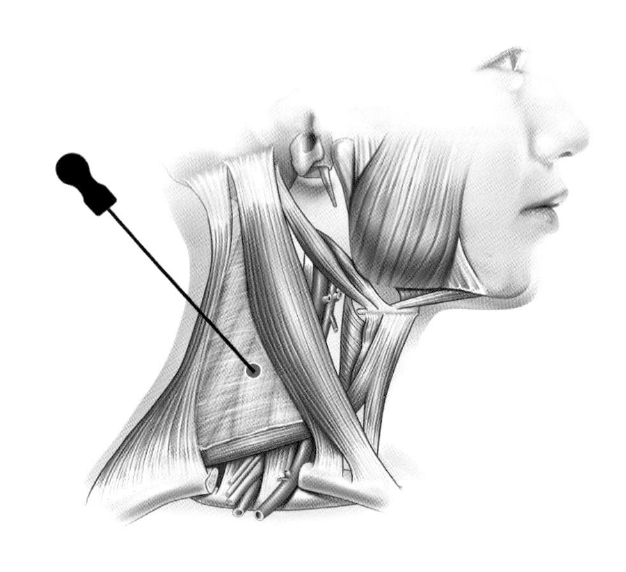

그림 2-1-14. 사각근의 자침포인트

체위

측와위

시술 포인트

C4 레벨의 사각근 바깥층의 investing layer

근육이 발달된 사람은 육안으로 흉쇄유돌근을 확인하여 그 후면의 삼각형 공간에서 사각근을 찾을 수 있습니다. 그렇지 않다면 쇄골 혹은 흉쇄유돌근의 insertion 포인트에서 흉쇄유돌근을 잡고 내려와 경추측면의 중점(**C4레벨)에서 치료 포인트를 잡아주세요.** 해당 부위를 누르면 경추뼈의 transverse process를 촉지할 수 있습니다.

어디를 타게팅해야 할까요?

사각근이 아닌 사각근을 싸고 있는 근막, 따라서 아주 얕게 자침합니다.

이 경우 정확하게는 **사각근의 겉에 있는 경추측면 investing layer를 목표**로 도침을 사용하여 긴장된 경추측면의 근막을 미세절개, 긴장을 낮춰주는 것을 목표로 합니다.

자침 깊이 / 포인트 / 횟수

0.5–1 cm / 1–2 포인트 / 1–2 회

침날 방향

인체의 종축과 평행

[주의사항]

1. 사각근에서 너무 하단 부위로 심자 시 Brachial plexus를 자극할 수 있습니다. 되도록 경추의 중간(C4) 레벨에서 자입하시기 바랍니다.
2. 사각근의 하단에서 칼날 방향이 아래로 향한다면 얕은 자입으로도 기흉이 유발될 수 있습니다. 따라서 여러모로 사각근의 하단이 아닌 사각극의 중단에서 그 바깥의 근막(investing layer)을 목표로 자입하는 것이 좋습니다.
3. 도침 자입 시 external jugular vein을 자극할 수 있습니다. 이 경우 해당 부위가 부풀어 오르게 됩니다. 시술 후 해당 부위를 잘 살피시고 혈관이 부어 오른다면 30초 정도 지긋이 압박해서 마무리 해주도록 합니다.

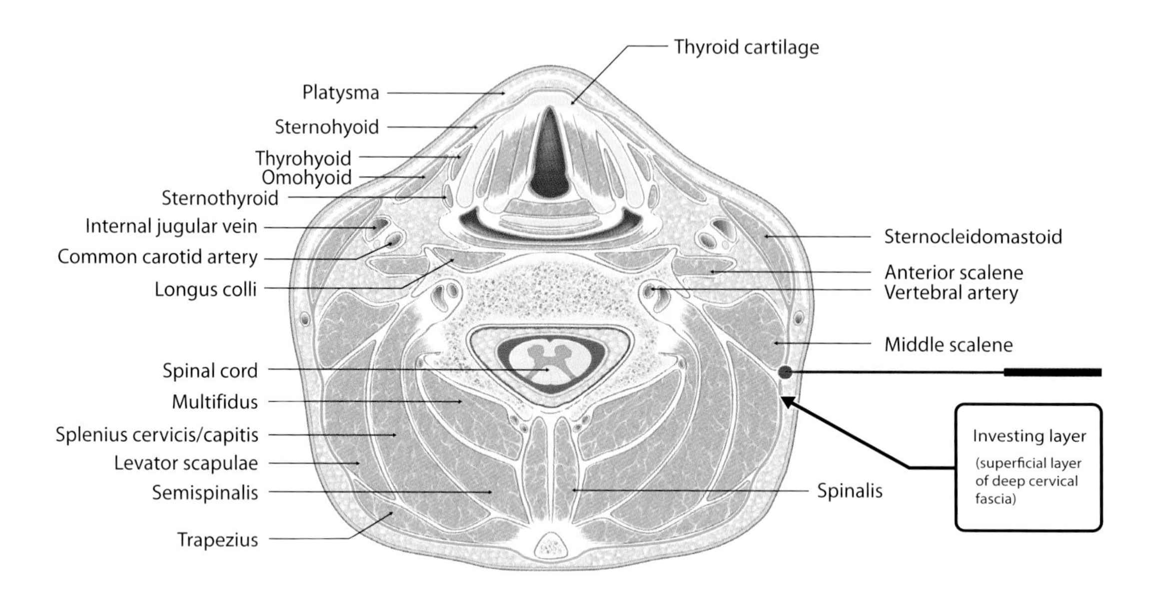

그림 2-1-15. 사각근 치료 포인트의 단면

4 경추 심부 치료 시 발생할 수 있는 부작용

1. 신경 손상

신경 손상이 발생한 경우 신경자극으로 방사통이 유발될 수 있습니다. 가벼운 경우 1주일 내에 회복되는데 증상의 빠른 경감을 위해 IV(혈관내) 혹은 IM(근육)의 스테로이드주사를 통해서 신경의 염증을 경감하는 방법을 고려할 수 있습니다. 시술 후 방사통이 심하고 일상생활과 수면에 지장을 줄 정도면 신경 손상의 정도가 심한 경우이니 이경우 정확한 검사를 통해 수술 여부 등을 고려해야 합니다.

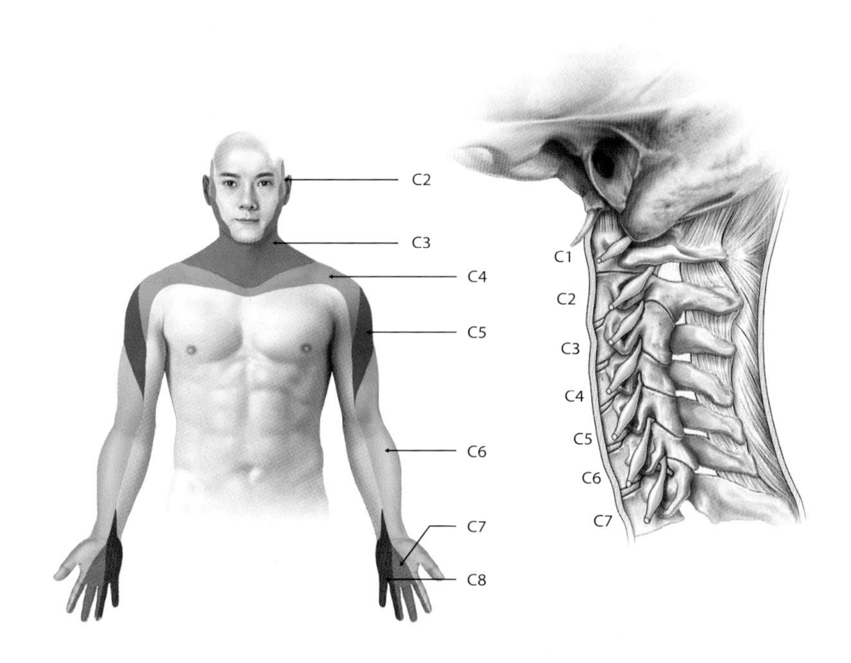

그림 2-1-16. 신경 손상 예시: 신경지배 분절에 따른 영향을 묘사하는 그림

2. 뇌척수액 누출

후관절 심부자입 시 도침의 날 방향이 척수를 향하여 자입된 경우 뇌척수액을 싸고 있는 주머니에 구멍이 나 뇌척수액이 누출될 수 있습니다. 이 경우 환자는 시술 후 혹은 다음 날 전에 없던 두통을 호소하며 일반적으로 이 증상은 앉거나 서면 심해지고 누우면 소실됩니다. 경추 심부로 도침 자입하여 척추레벨에서 도침을 휘젓거나 골면이 아닌 부위에서 여러번 작탁을 하면 심각하게 증상이 나타날 수 있으나, 이렇게 심각하게 진행되는 경우는 드뭅니다. 대부분 가벼운 누출로 경미한 두통이 유발될 수 있으며 며칠간 와상휴식하면 호전됩니다. 1주일이 지나도 증상이 호전되지 않으면 blood patch를 통해 뇌척수액 누출 부위를 막아줄 수 있으며 이 시술로 95% 이상의 호전을 기대할 수 있습니다.

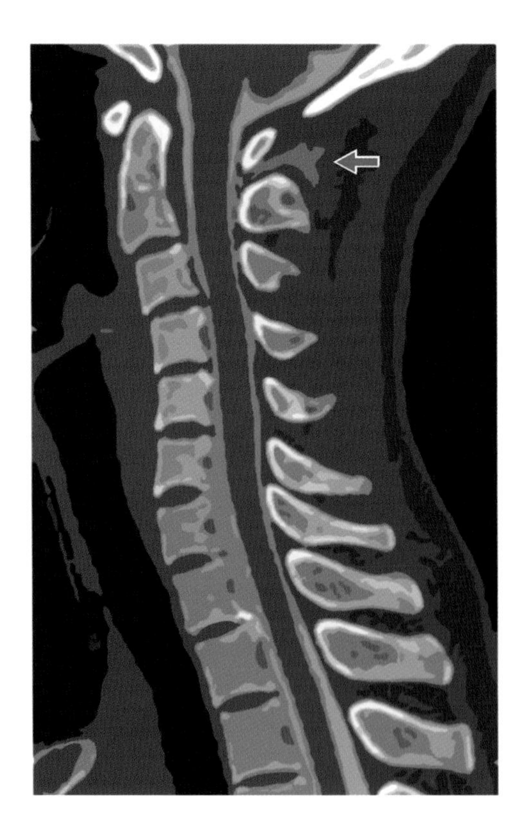

그림 2-1-17. 뇌척수액 누출 예시

3. 기흉

기흉이 유발되면 시술 후 호흡곤란과 피로감 청색증, 졸도 등이 발생할 수 있습니다. 경추 하단, 사각근, 흉쇄유돌근 기시점, 그리고 승모근 시술 시 폐까지 깊이에 유의하여 자입심도를 조절하시기 바랍니다.

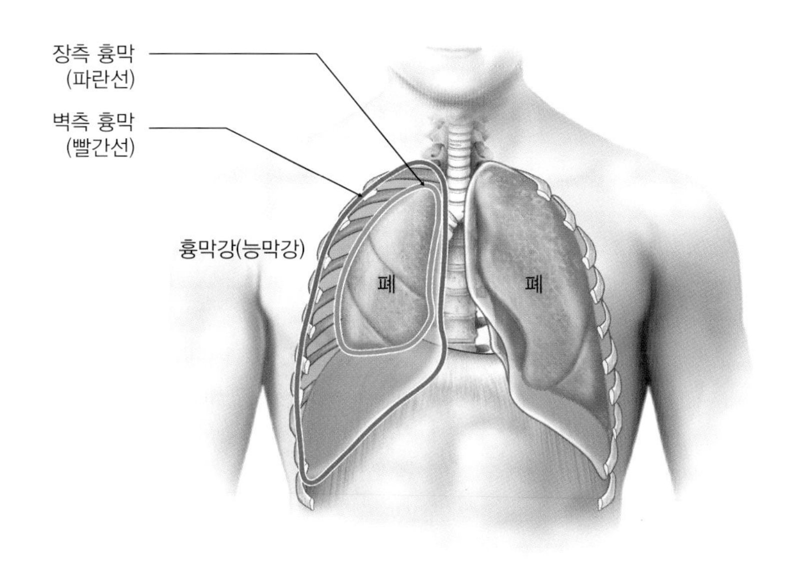

그림 2-1-18. 흉곽에서 폐의 위치

5 긴장성 두통과 후두신경통

두통은 편두통과 긴장성 두통이 많습니다(migraine and tension type headache).

편두통: 적극적인 도침치료의 적응증이 아니고 내과적 접근이 우선

두통이 맥박이 뛰는 듯한 양상, 구역과 구토 등의 소화기질환을 동반. 환자는 빛과 소리에 민감해 환한 빛이나 큰 소리를 피함. 특징적으로 뇌내 분비물인 세로토닌이 감소.

긴장성 두통: 적극적인 도침치료의 대상

'머리가 무겁고 머리를 조이거나 띠를 두른 듯한 압박감' 호소.

동일한 자세를 장시간 유지하며 일을 하거나 정신적, 육체적 스트레스를 심하게 받은 경우에 쉽게 발병. 두부나 후경부에서 압통점이나 경결점 발견.

긴장성 두통의 연구 트렌드

최근에는 긴장성 두통에서 주로 어느 부위에 압통점이 형성되는지 경추의 정렬과는 어떤 관계가 있는지에 대한 연구도 진행되면서 주변구조물과의 관계에 대한 정립이 조금씩 이루어짐.
2019년 국제 두통 장애 분류 3판(ICHD-3)에 의하면 만성 긴장성 두통에는 Central pain mechanism 이 주로 관여, 그 이외의 삽화적인 두통에는 Peripheral pain mechanism이 관여 두개골주변의 압통도 긴장성 두통의 전형적인 증상으로 보고 있으며 이 압통에 대한 생리병리적인 의미에도 주목.

1. 긴장성 두통의 치료 포인트

긴장성 두통과 관련한 압통점을 참고해 긴장된 근막을 부드럽게 해주고 긴장을 이완상태로 만들어줍니다. 긴장성 두통과 관련된 논문에서 언급된 부위를 살펴보면, trapezius, neck, coronoid process, masseter, temoral muscle 등, 전체적으로 머리와 목을 감싸는 부위인데, 여기서는 앞에서 서술한 부위 외에 후두하와 측두부의 치료 포인트를 정리해 보겠습니다.

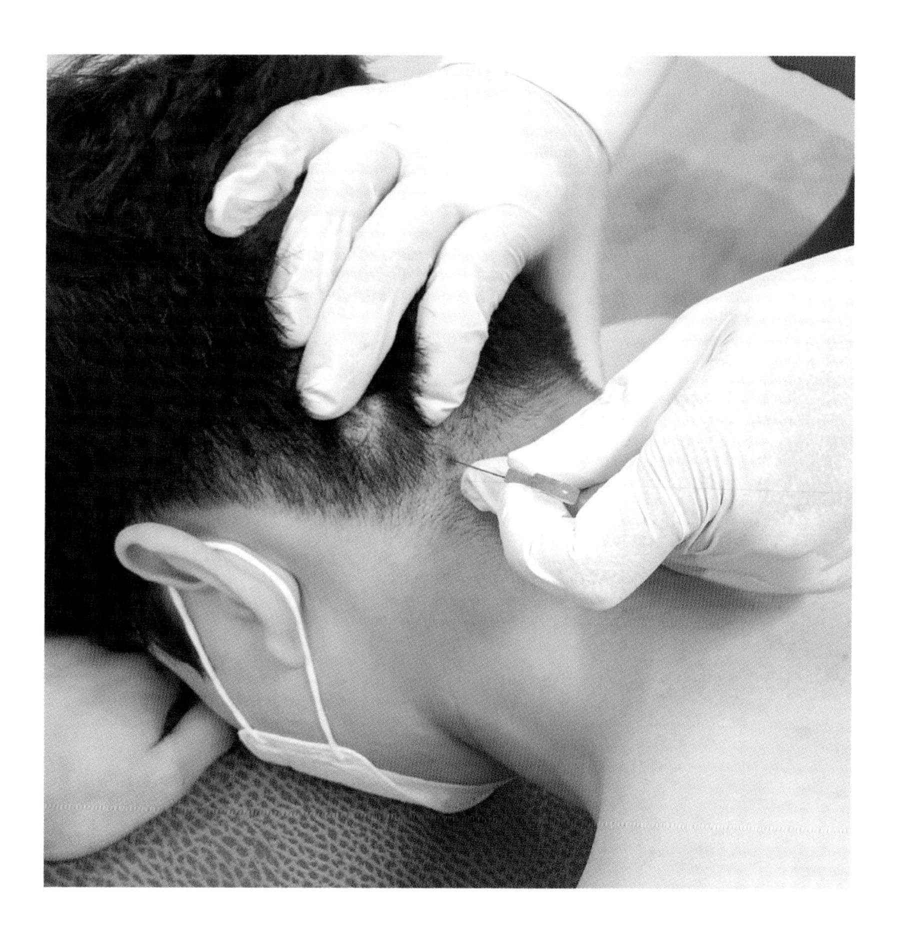

그림 2-1-19. 후두하 치료 포인트

후두하의 치료 포인트

후두하에도 다양한 근육이 있지만 여기서 문제도 대부분 근육을 감싸고 있는 외층의 근막이 뻣뻣하고 긴장되어 발생하는 것으로 후두하 삼각의 심부 근육이 아닌 바깥쪽을 감싸고 있는 후두하의 근막을 목표로 하여 도침시술합니다(그림 2-1-20).

체위

복와위

시술 포인트

환자의 후두하 근막부위를 눌러보고 압통, 이상감각 혹은 시원하다고 표현하는 부위를 시술 포인트로 정합니다. 근막의 부착점을 확인하고 체표면에 수직으로, 후두골을 향해 약간 상사자합니다.

시술 깊이/횟수

0.5–1 cm 이내 3–4 포인트, 3회 자입

침날 방향

인체의 종축, 후두골을 향해 상사자

[주의사항]
1 cm 이상의 깊이로 자입하는 것은 자제합니다.

2. 측두부의 치료 포인트(그림 2-1-20)

환자분이 만성적인 두통을 앓고 주로 측두부에 두통이 있다고 호소하면 측두부의 근막을 잘 풀어주는 것도 좋은 방법입니다. 부채꼴 모양으로 측두부에 분포하는 측두근의 근막부위 압통점을 엄지로 꾹꾹 눌러가면서 찾아봅니다. 환자분이 압통을 호소하는 부위를 가볍게 절개하는 것만으로도 빠른 회복을 기대할 수 있습니다.

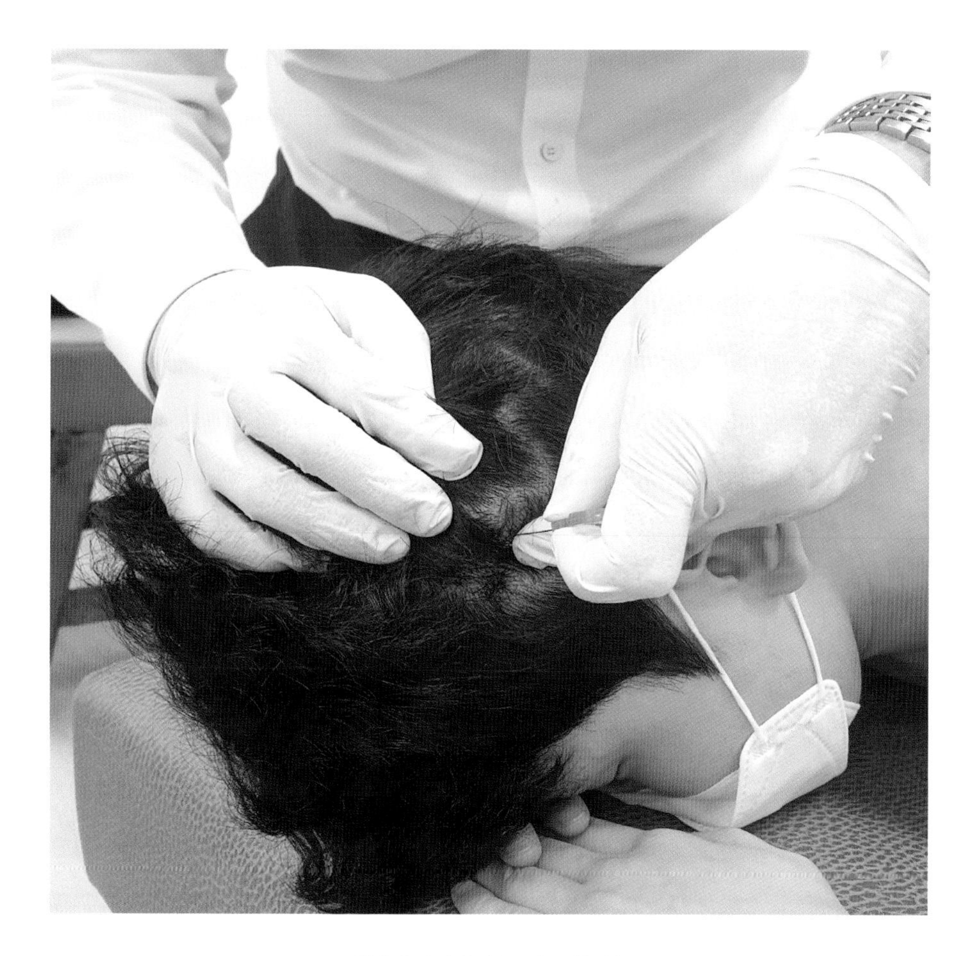

그림 2-1-20. 측두의 도침시술

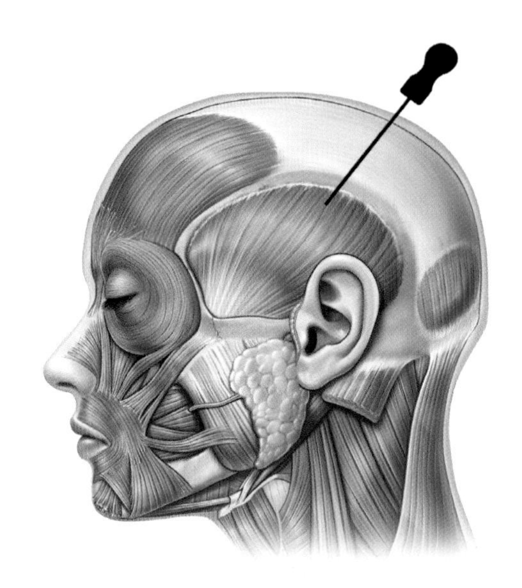

그림 2-1-21. 측두의 근육

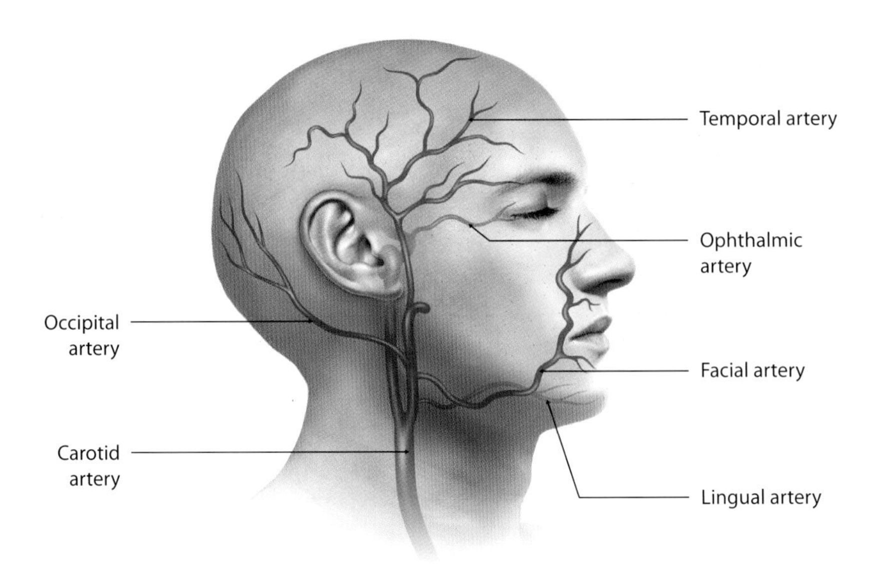

그림 2-1-22. 측두의 혈관 분포

체위

측와위

시술 포인트

측두부 압통점 근막

시술 깊이 / 횟수

0.5 cm, 2-3포인트, 한 포인트당 1-2회

침날 방향

부채꼴 모양의 각도를 고려한 인체의 종축

[주의사항]
Temporal Artery는 측두부 천층에 분포하여 도침 시 출혈이 일어날 수 있습니다. 자입 후 출혈 여부 혹은 가볍게 부어오르는 경우가 있는지 확인하여 거즈로 압박 지혈 혹은 부종 부위를 압박 해주어 출혈이 있거나 부종이 있는 치료 부위에 대한 마무리를 해주시기 바랍니다. 그냥 보내면 이틀 정도 지끈거리는 통증이 있을 수 있습니다.

3. 후두신경통

후두신경통의 치료 포인트

지금까지가 근육과 근막의 긴장이 직접적인 원인이라고 하면, 후두신경통은 긴장된 근육과 근막, 힘줄이 신경을 압박하여 신경주행을 따라서 이상반응을 나타내는 신경포착질환(nerve entrapment syndrome)입니다. 이 질환을 치료하기 위해서는 정확한 압박 포인트를 찾아서, 신경을 찌르는 것이 아닌 신경을 압박하는 구조물을 미세절개하여 주변의 압력을 낮춰주고 신경의 미세혈액 순환을 회복시키는 것이 치료의 목표입니다.

정확한 치료 포인트 찾는 법

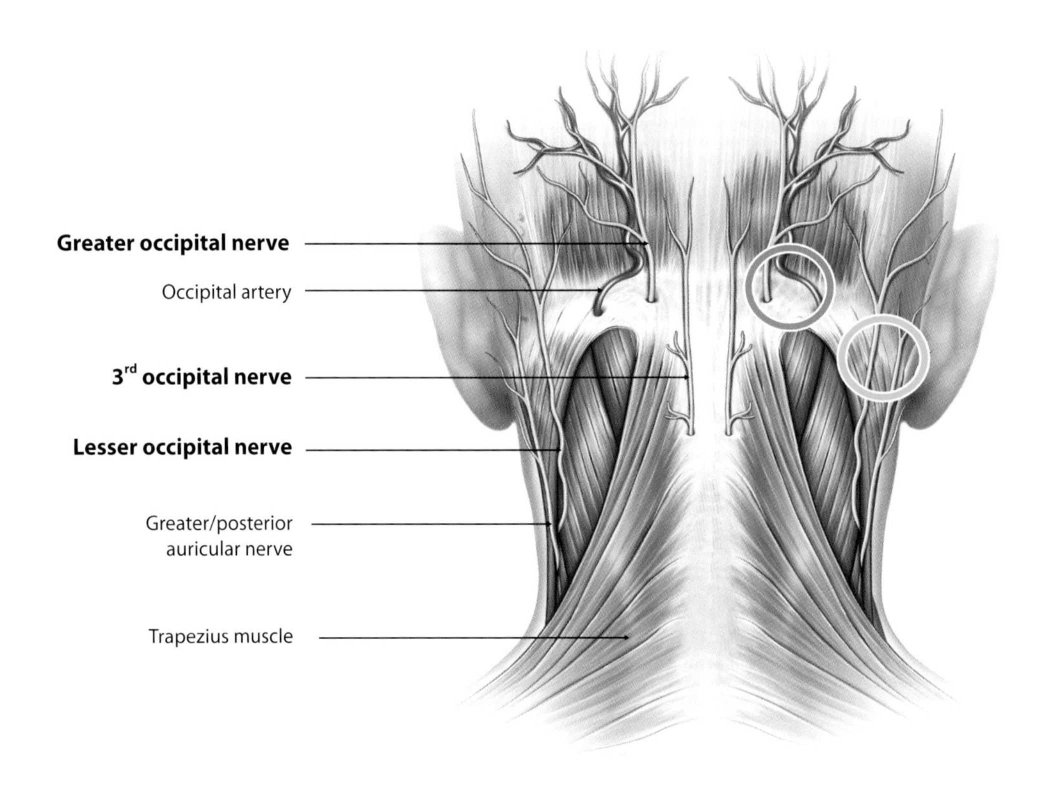

그림 2-1-23. 후두신경통 치료 포인트 해부도: 파란색 원 대후두신경, 노란색 원 소후두신경

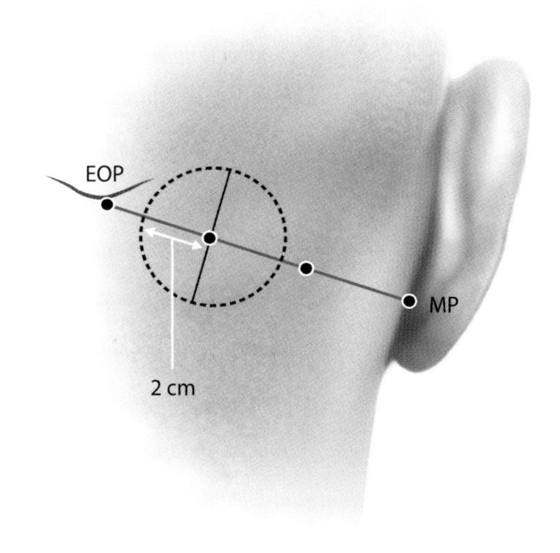

그림 2-1-24. 대후두신경 포인트 찾기

• 대후두신경

EOP (external occipital protuberance)와 MP (mastoid process)의 선을 삼분하는 점의 EOP쪽 점(**그림 2-1-24**)이 대후두신경의 포인트입니다. 팁을 드리자면 이 점에서 살짝 아래쪽, 골면에서 살짝 아래쪽이면서 말랑말랑한 부위가 정확한 자입점입니다. 따라서 그림의 동그라미 주변에서 압통점을 찾되 살짝 아래쪽에서 압통이 많이 형성됩니다. 대후두신경은 깔대기 모양의 근막의 구멍을 뚫고 올라오기 때문에 신경이 위로 올라오는 포인트의 근막을 절개해주는 것이 핵심입니다. 따라서 정확한 한 점을 찾을 수 있도록 노력해야 합니다.

• 소후두신경

소후두신경은 대후두신경과는 달리 정확한 한 점에서 분출되기보다는 SCM이 insertion되는 mastoid process 주변부터 측두부까지 형성되는 압통점이 치료 포인트가 됩니다. 따라서 대후두신경과는 달리 넓게 포인트가 분산되어 있는 이 압통점들을 섬세하게 잘 찾아서 치료해주는 것이 중요합니다.

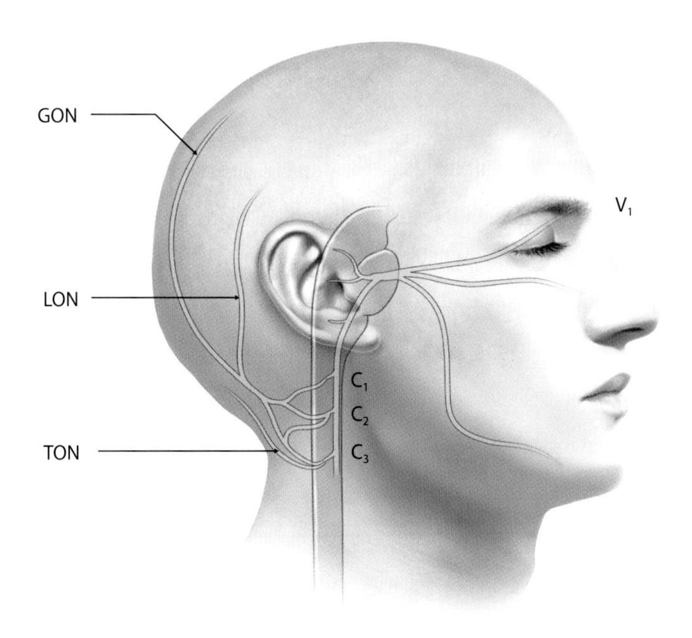

그림 2-1-25. 소후두신경(LON) 지배 부위 : 귀 뒤를 감싸고 있다.

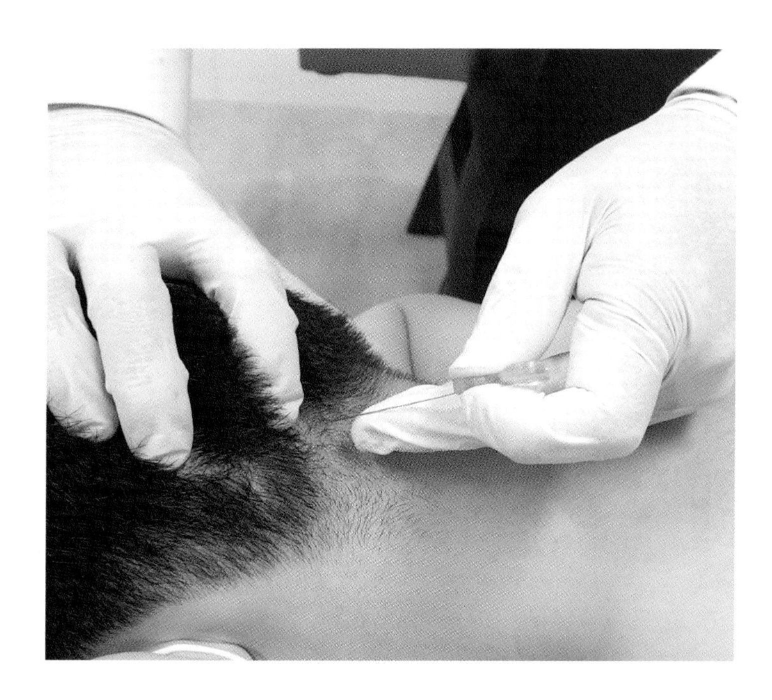

그림 2-1-26. 대후두신경 치료점 찾기

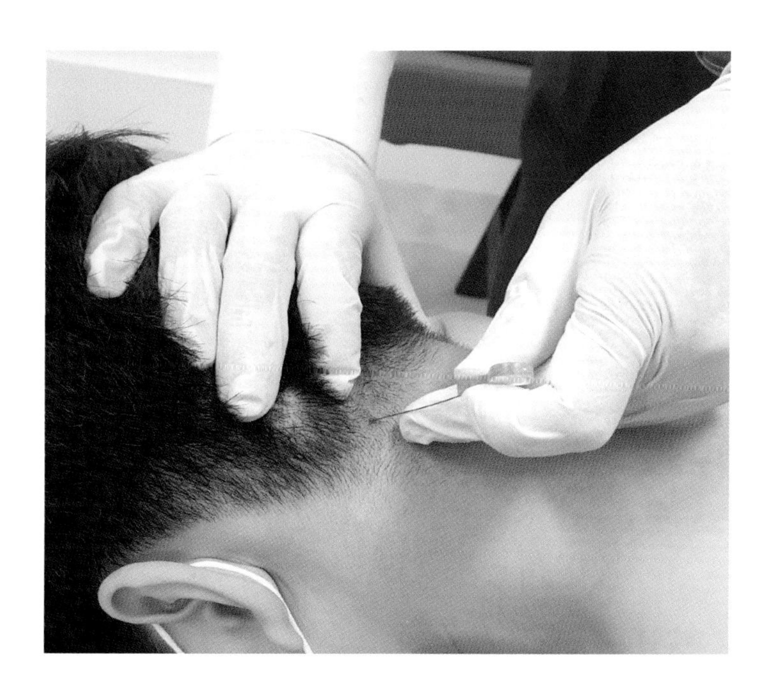

그림 2-1-27. 대후두신경 압박포인트 도침

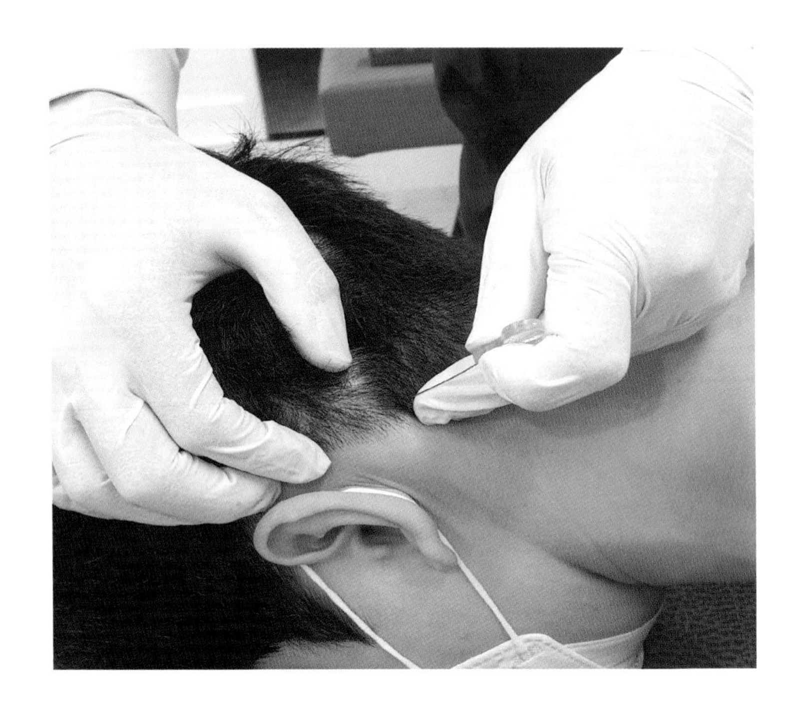

그림 2-1-28. 소후두신경통 도침치료

체위

- **대후두신경통**: 복와위, 턱을 당겨서 후두하 근육을 신전시킨다.
- **소후두신경통**: 측와위, 흉쇄유돌근을 신전시킨다.

시술 포인트

- **대후두신경통**: EOP-MP의 1/3 지점 압통점
- **소후두신경통**: mastoid process 부근, 측두부 압통점

시술 깊이 / 횟수

0.5 cm, 대후두신경통은 2 포인트 이내, 소후두신경통은 3-4 포인트, 각 포인트당 2-3회 자입

침날 방향

신경 주행 방향인 인체의 종축

[주의사항]
대후두신경통의 시술 포인트는 신경과 혈관이 꼬여서 분출되는 부위입니다. 정확하게 시술했다면 후두동맥의 가벼운 출혈이 유발되어 피가 흘러내리게 됩니다. 이 부분을 잊지 말고 멸균 거즈로 30초에서 1분 정도 압박 지혈해주면 자연스럽게 지혈이 됩니다. 시술 후에는 지혈 여부를 반드시 확인해야 하며 그렇지 않으면 시술 후 환자분이 일어서면서 피가 목이나 옷으로 흘러내리는 경우가 있을 수 있습니다.
소후두신경통의 시술 후에도 과도한 자극으로 인해 시술 부위가 붓지는 않았는지 잘 체크해서 시술 부위가 부어있다면 압박해주고 시술을 마무리해주어야 합니다.

02 흉추

1 등 통증(흉추 능형근)

흉추레벨의 등 통증은 일반적으로 승모근의 외층근막 치료로 호전되는 경우가 많습니다. 하지만 드물게 승모근 안쪽의 근육 치료가 필요한 경우도 있습니다. 따라서 이 경우 처음에 승모근 치료 후 호전이 되지 않을 때 특히 등 깊은 부위에서 통증이 있다고 하면 승모근 안쪽의 능형근 등에 대한 치료를 고려해봅니다.

능형근은 승모근의 하부 섬유 안쪽에 위치한 근육으로 승모근의 두께에 따라서 깊이가 달라지지만 일반적으로 여성의 경우 0.5-1 cm 이내 남성의 경우 1-1.5 cm 깊이의 자입이 필요합니다.

다만 사람에 따라 근육의 두께가 다르고 깊이 조절을 섬세하게 하지 못한다면 시술로 인해 도리어 기흉이 유발될 수 있기 때문에 본인의 실력을 참고하여 시술을 고려하시기 바랍니다.

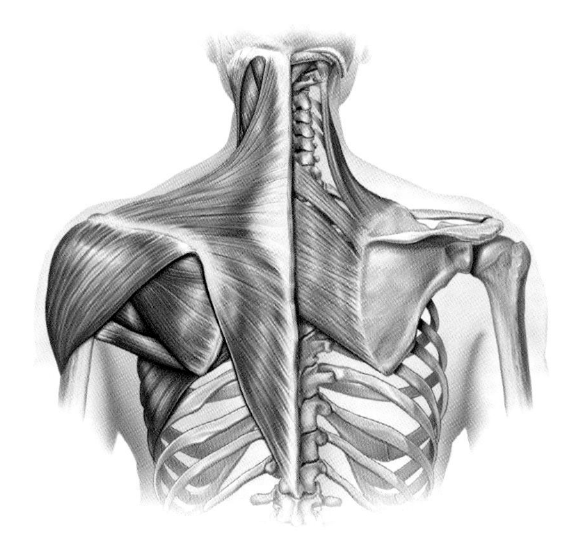

그림 2-2-1. 등근육의 해부

흉추의 도침시술

난이도 ★ 위험도 ★★★

체위

측와위 혹은 복와위

측와위로 견갑골을 최대한 protraction시켜 근긴장 부위를 파악하고 시술하는 것도 좋은 방법입니다.

시술 포인트

승모근의 외층근막 치료를 수차례 진행해도 효과가 없으면서 견갑 내측 심부에 일정한 통증 부위가 있고 압진 시 단단한 경결과 압통점이 있을 때, 치료를 고려합니다. 견갑내측에서 압통점을 2포인트 정도 지정합니다. 시술 시 도침의 저항감이나 두두둑하는 소리로 근육의 어떤 층에 있는지 서서히 감별하면서 시술이 필요합니다.

시술 깊이 / 횟수

0.5-1.5 cm까지 근육발달 정도에 따라 다름 / 2포인트 / 2-3회 자입

침날 방향

능형근의 방향을 따라 흉추에서 견갑골 방향으로 날방향을 정함

[주의사항]
기흉이 유발될 수 있으니 심자 시 주의

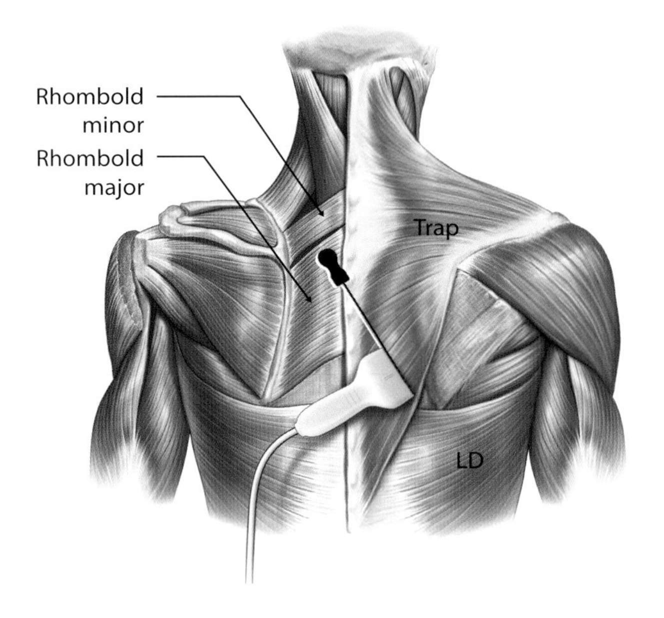

그림 2-2-2. 능형근 시술개요도

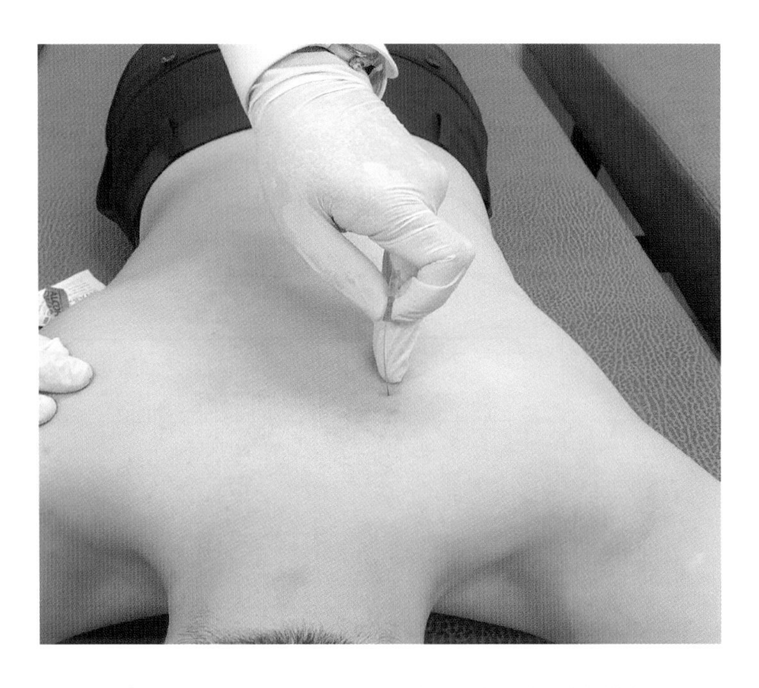

그림 2-2-3. 능형근의 도침 자입 : 깊이조절에 신중해야 합니다.

03 어깨

1 삼각근하활액낭염(어깨가 쑤시고 아플 때)

특징

- 삼각근 부위의 휴식 시 통증(야간통)

히스토리

- 어깨의 과사용

증상

- 삼각근 부위의 통증 및 쑤심

PE

- 삼각근의 압통

영상진단

- 힘줄의 손상, 감염 등을 배재하기 위해 고려할 수 있음

어깨를 많이 사용하고 휴식 시 혹은 야간의 통증을 호소하는 경우가 있습니다. 휴식 시 통증은 근건의 파열 혹은 주변의 염증으로 인해 활액낭이 부어올라 나타날 수 있습니다. 특징적으로 과사용 후 관절이 아프다고 하면 일단 활액낭의 문제를 치료해주는 것이 빠른 효과를 기대할 수 있습니다.

일반적으로 팔부위(삼각근)의 휴식 시 통증은 삼각근하활액낭의 부종 등으로 발생할 수 있습니다. 삼각근의 아래에 있는만큼 도침 자입은 삼각근을 지나서 상완골 위쪽까지 자입이 되어야 합니다. 이후 멸균 부항으로 음압을 주어 활액이 배출될 수 있도록 도와줍니다(**그림 2-3-1**).

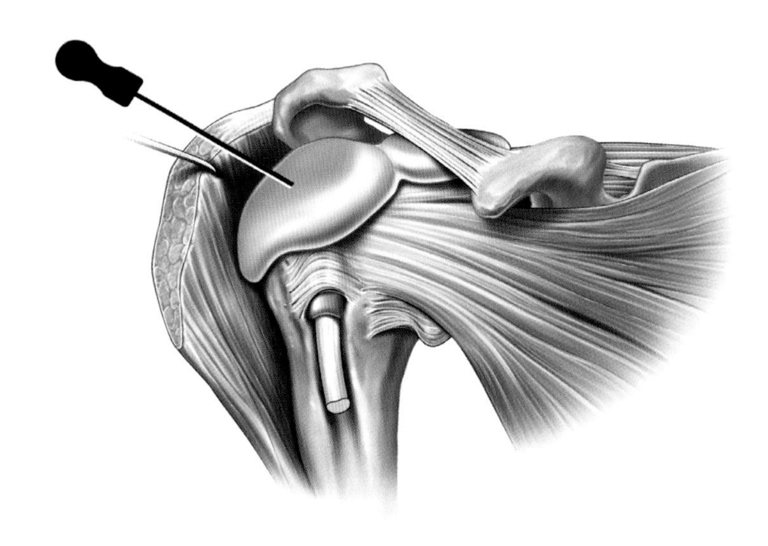

그림 2-3-1. 삼각근하 활액낭염 도침시술

치료 부위가 부항치료 후 부풀어 올랐다면 멸균 거즈를 사용하여 압박해주어 완전히 가라앉은 후 치료를 종료합니다.

체위

측와위 혹은 복와위

시술 포인트

삼각근의 중점 인근에서 압통점을 확인하여 삼각근을 뚫고 하단으로 자입합니다. 침첨의 위치는 근막을 뚫고 침첨이 지나는 감각으로 파악합니다.

시술 깊이 / 횟수

1-1.5 cm / 1포인트 /3-4회 자입

침날 방향

삼각근 섬유 방향, 인체의 종축

[주의사항]
인체심부 자입 시 활액낭의 감염 등을 예방하기 위해 요오드 소독 후 장갑 착용하여 시술하는 등 멸균에 유의하여 시술하여야 합니다.

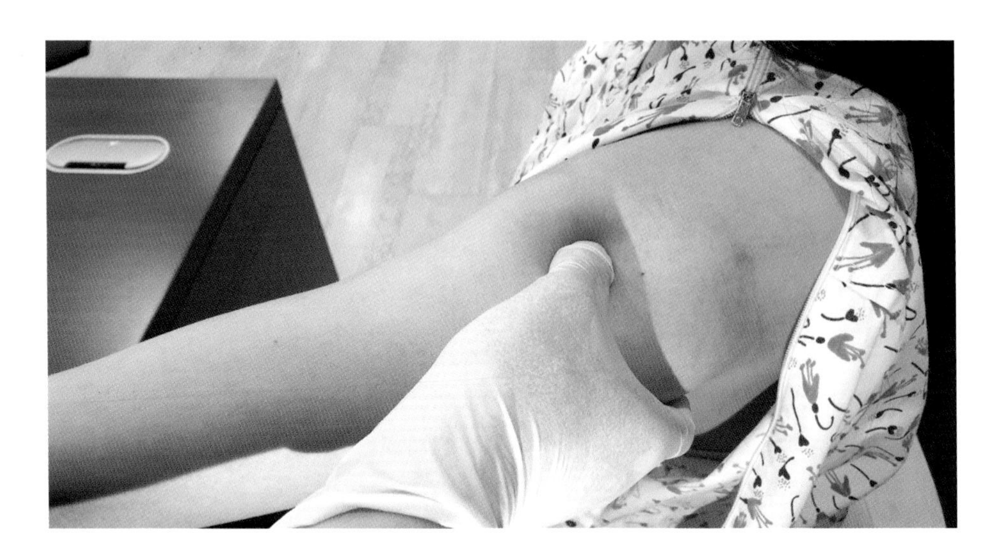

그림 2-3-2. 삼각근의 압통점 확인

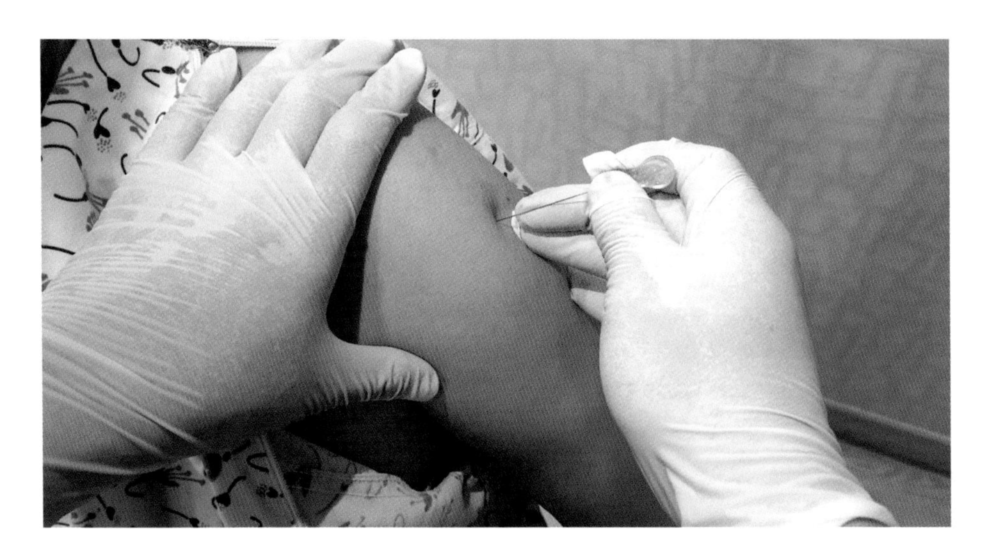

그림 2-3-3. 삼각근하 활액낭의 도침 자입: 삼각근의 심부로 도침을 자입한다.

2 극상건 손상(견봉하 활액낭염)

개요

- 어깨가 90도 이상 올라가지 않는 등 거상이 곤란할 때는 견갑하의 공간에서 문제를 해결할 수 있습니다. 어깨를 거상하는 극상건의 손상 후 유착, 견봉하 활액낭의 부종 등으로 인하여 어깨가 올라가지 않는 경우 도침치료 후 빠른 증상 개선을 기대할 수 있는만큼 어깨 치료 시 도침을 적극적으로 고려하시기 바랍니다.

특징

- 어깨의 거상제한, 거상 시 통증

히스토리

- 어깨의 과사용, 외상, 수술 등

증상

- 상완골두, 견봉 부위의 통증 및 어깨거상 제한

PE

- 극상건 부착부 압통, 거상 시 ROM 제한

영상진단

- 힘줄의 손상정도, 감염 등의 여부를 파악하기 위해 초음파, MRI 등을 진행할 수 있습니다.

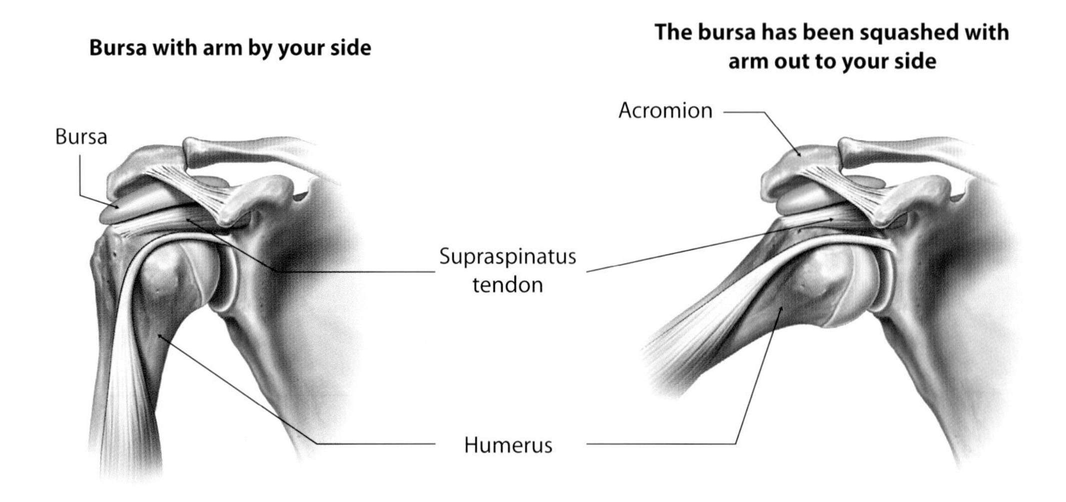

그림 2-3-4. 견봉하 공간의 해부학. 좌측 휴식 시, 우측 거상 시

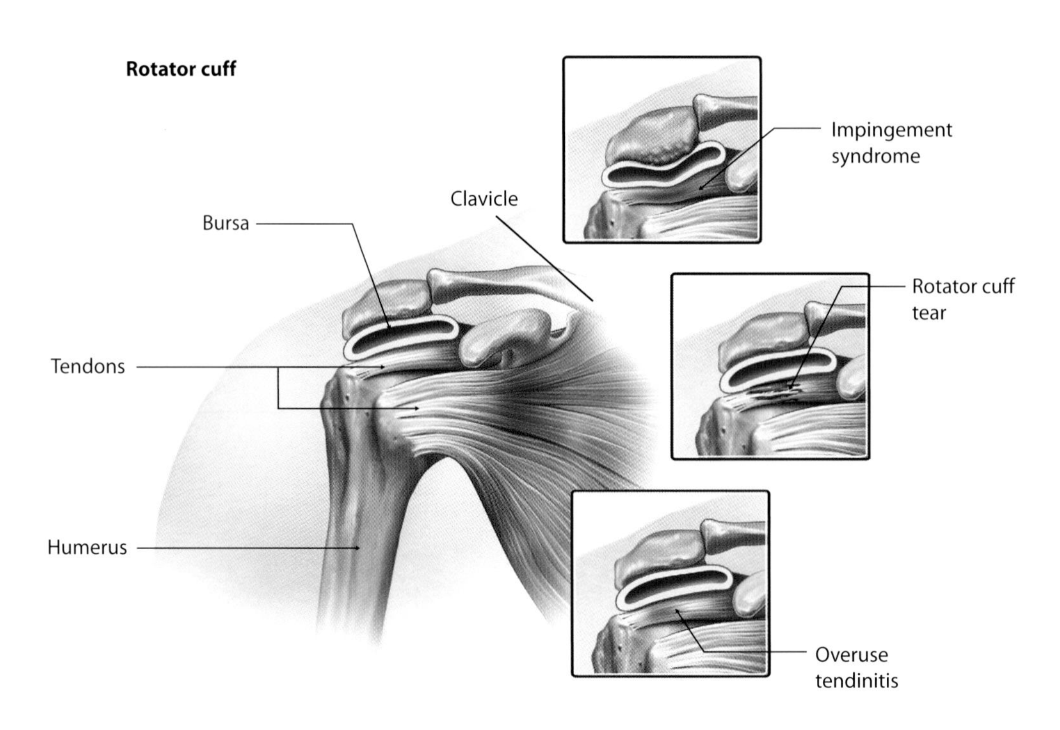

그림 2-3-5. 극상건의 손상과 활액낭염

1. 견봉하의 해부학

그림 2-3-4를 보시면 견봉 아래로 극상건과 상완골이 이동하고 견봉하 활액낭이 윤활역할을 해 줍니다. 이 부위의 손상은 어깨 통증에 중요한 역할을 하며 환자가 어깨 거상이 안될 때 우선적으로 고려해야 하는 치료 포인트입니다.

2. 도침치료를 위한 이학적 검사

극상건 부착부의 압통점 확인(그림 2-3-6)

극상건의 humerus insertion site를 압박해보고 해당 부위의 극상건 손상이 없는지 확인해보시기 바랍니다.

어깨 거상 테스트(그림 2-3-7)

극상건이 제대로 작동하는지 견봉하 공간으로 원활하게 상완부위가 오가는지 확인하기 위해서는 어깨 거상 시 상완골이 돌아가지 않도록 extension한 상태에서 고정하고 거상을 시켜보는 것 이 좋습니다. 거상 시 상완골이 돌아가면서 극상건의 역할을 다른 근건이 보상하기 때문입니다.

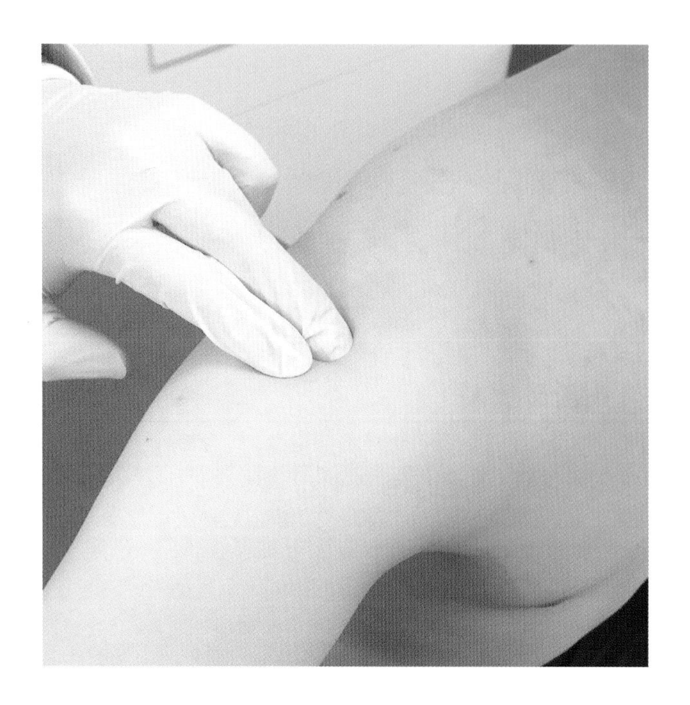

그림 2-3-6. 극상건 압통점의 확인

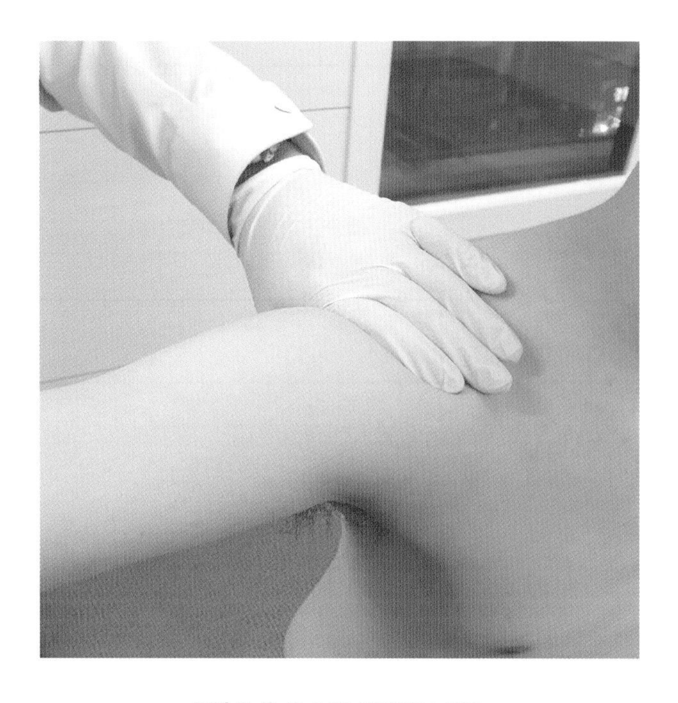

그림 2-3-7. 어깨 거상여부 진단

3. 견봉하 도침치료

난이도 ★★ 위험도 ★★

이 때 도침이 들어가야 할 공간은 acromion의 하단, 상완골두 거상 시 극상건이 드나드는 공간입니다. 이 공간으로 가볍에 도침이 들어갔다가 나오면서 견봉하 공간이 확보가 되고 활액낭의 부종이 해소되면서 어깨가 부드럽게 거상됩니다.

체위

좌위, 어깨 거상 후 더 이상 올라가지 않는 각도에서 고정 후 시술

시술 포인트

삼각근 섬유 상단에서 극상건의 주행부위를 거슬러 견봉하로 자입

시술 깊이 / 포인트/ 자입 횟수(그림 2-3-8~12)

5 cm, 1포인트, 1회 끝까지 자입. 자입 시 골면에 닿아 도침이 끝까지 들어가지 않으면 침날 방향을 살짝 바꾸어 최대한 자입하되 2번 이상 방향을 바꾸거나 억지로 끝까지 넣지 않는다.

[주의사항]

1. 시술 시 자입이 끝까지 되지 않는다고 여러 번 억지로 밀어넣게 되면 극상건 등의 미세한 염좌가 발생하여 몇 일간 어깨의 통증과 불편함이 지속될 수 있습니다. 굳이 끝까지 도침이 들어가지 않아도 대부분 호전반응을 얻을 수 있으니 무리한 시술로 환자의 불편감을 유발할 필요가 없습니다.
2. 관절 부위에 심자하게 되므로 멸균 시술을 하지 않으면 활액낭의 감염 등이 유발될 수 있습니다. 요오드 소독과 장갑 착용으로 최대한 멸균 시술을 유지하도록 합니다.

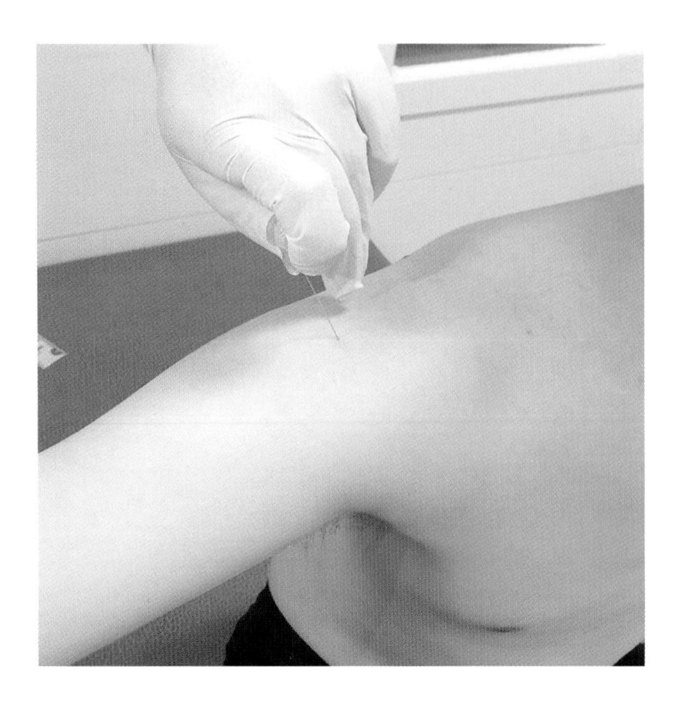

그림 2-3-8. 견봉하 자입을 위한 3단계 1 : 체표면에 직자

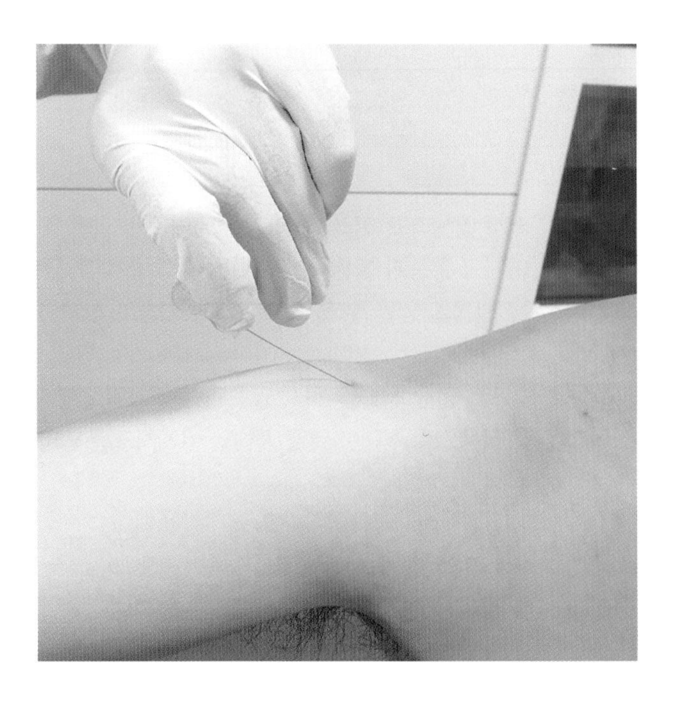

그림 2-3-9. 견봉하단으로 도침 방향을 틀어서 끝까지 자입합니다.

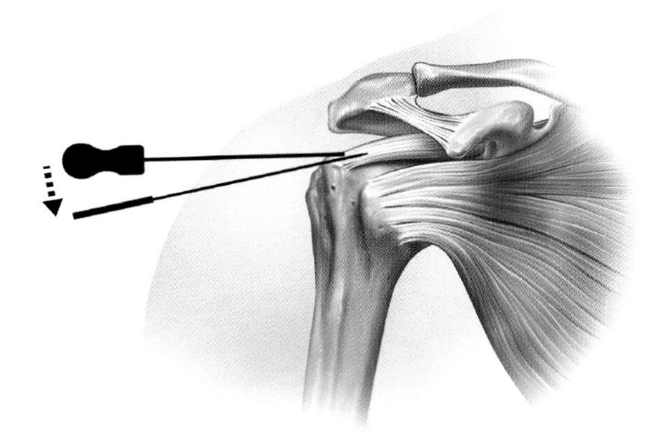

그림 2-3-10. 극상건의 자입 방향: 전면

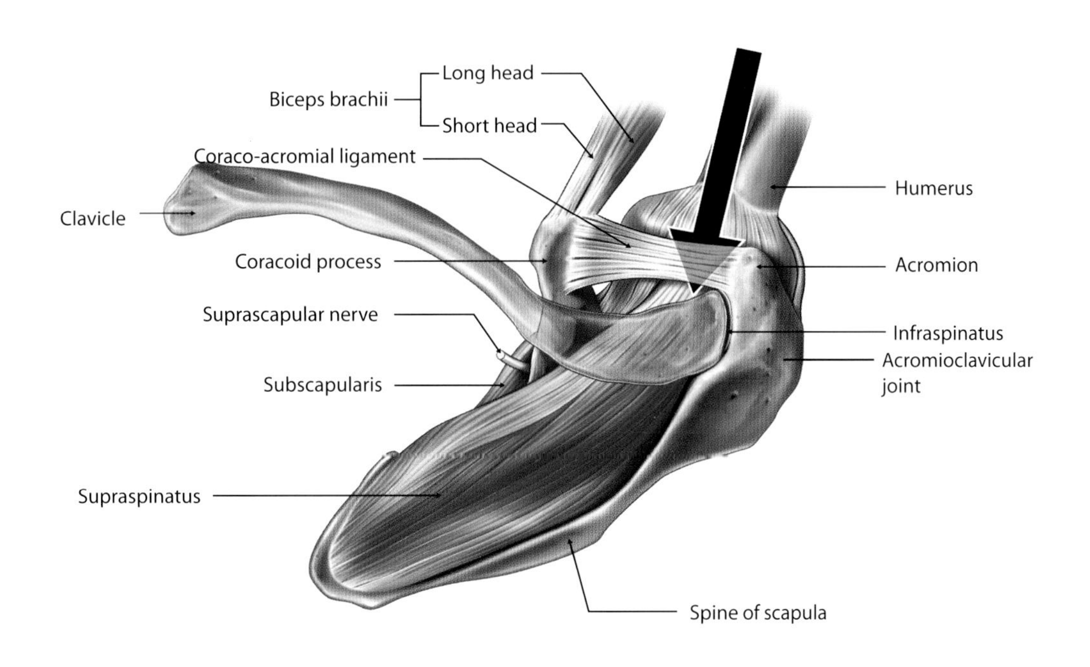

그림 2-3-11. 극상건의 자입 방향: 윗면(이해를 위해 도침을 크게 그렸습니다.)

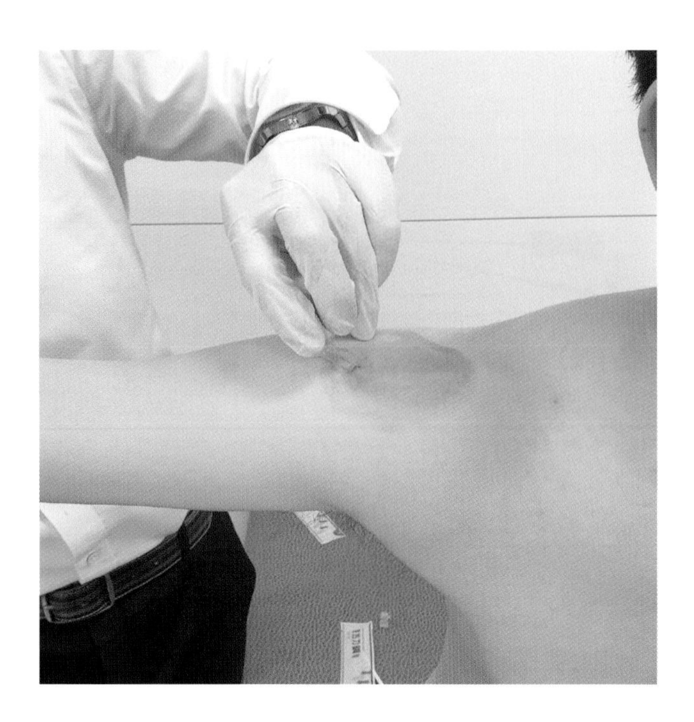

그림 2-3-12. 실제 자입사진: 소독 후 가능하면 5 cm 전체 자입을 시도합니다.

3 이두근 손상(이두근 장두)

특징

- 어깨 앞쪽의 통증

히스토리

- 어깨의 과사용, 외상 등

증상

- 어깨 앞쪽의 통증, 쑤심, 팔을 뒤로 돌리기 어려움

PE

- 어깨 외전 제한, 이두근건 장두 혹은 단두의 압통

영상진단

- 정확한 손상 부위와 범위를 파악하기 위해 초음파, MRI 등을 진행할 수 있음

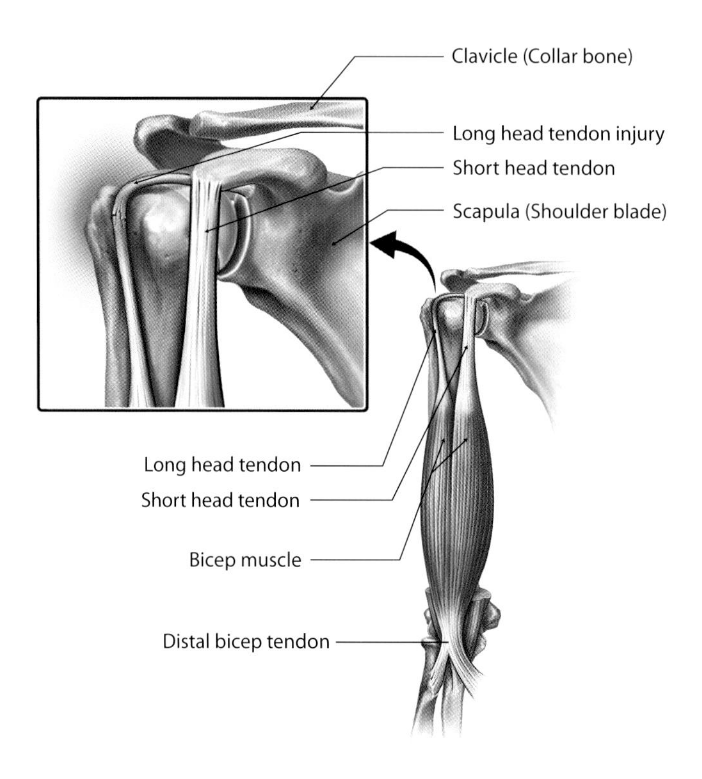

그림 2-3-13. 이두근 장두의 손상

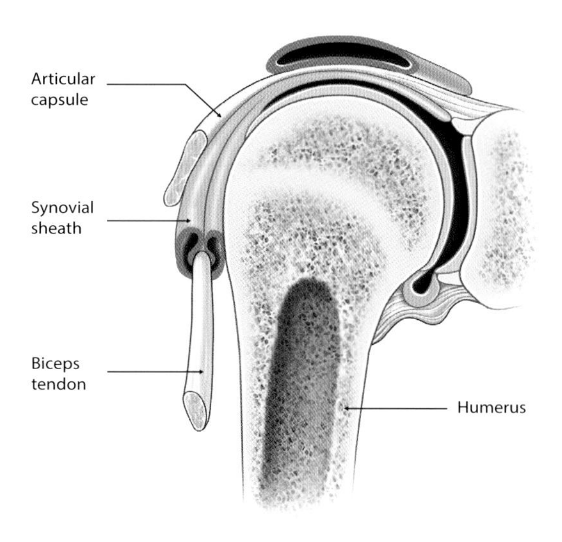

그림 2-3-14. Tendon sheath로 둘러싸인 이두근 장두

어깨 전면이 아프고, 견관절 앞쪽의 압통이 있는 경우

여러 원인이 있을 수 있지만, 일단 bicipital groove 부위의 이두근의 장두를 체크해보시기 바랍니다(그림 2-3-15).

일반적으로 휴식 시나 어깨를 움직일 때 어깨 앞부분이 아프고 팔을 뒤로 돌리거나 승용차 앞자리에서 뒤의 물건을 꺼내기 힘들다는 표현 등의 증상으로 해당 부위의 문제를 감별해 볼 수 있습니다. 이두근 장두의 문제라면 도침을 통해 수 회의 치료만으로 증상이 빠르게 경감될 수 있으니 진단겸 치료의 의미로 먼저 시도해 볼 수 있습니다.

해당 부위가 빠르게 회복될 수 있는 이유는 이두근 장두가 2형 tendon으로, 빈번한 움직임으로 인한 손상을 보호하기 위해 tendon이 tendon sheathe로 둘러싸여 있기 때문입니다. 과사용이나 손상으로 통증이 발생하고 과민해져 있는 경우 이 tendon sheathe가 염증으로 인해 부풀어오르고 통증과 압통이 발생하는데 tendon을 투자하여 치료하는 것이 아닌 tendon 주변의 sheathe를 가볍게 절개해주면 불편한 증상이 빠르게 경감하게 됩니다.

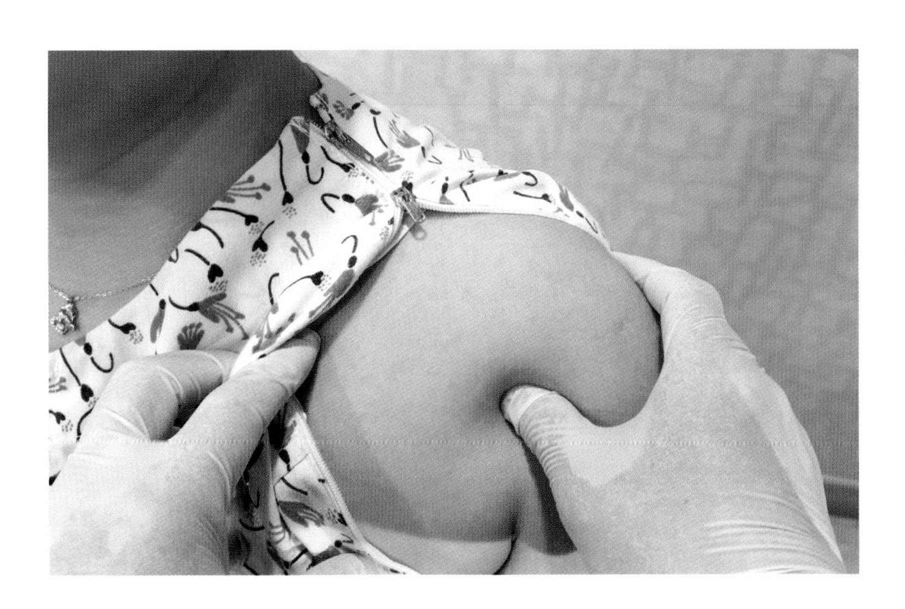

그림 2-3-15. 이두근 장두의 압통점 확인

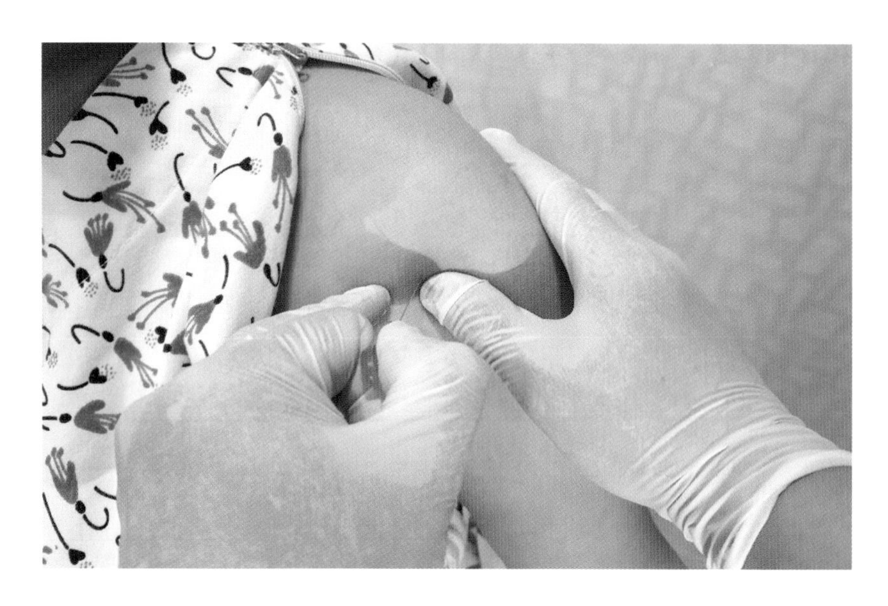

그림 2-3-16. 이두근 장두의 도침치료

이두근 장두의 도침치료(그림 2-3-16)

난이도 ★ 위험도 ★

체위

좌위, 팔을 내려 놓는다. 시술 부위 확인을 위해 열중쉬어 동작을 해볼 수 있다.

시술 포인트

상완골의 이두근 장두가 주행하는 bicipital groove 압통점

시술 깊이 / 횟수

0.5 cm /2포인트 / 1-2회

[주의사항]
과도한 자극 시 이두근건의 손상이 유발될 수 있으니 이두근건 주변으로 가볍게 자입하도록 합니다.

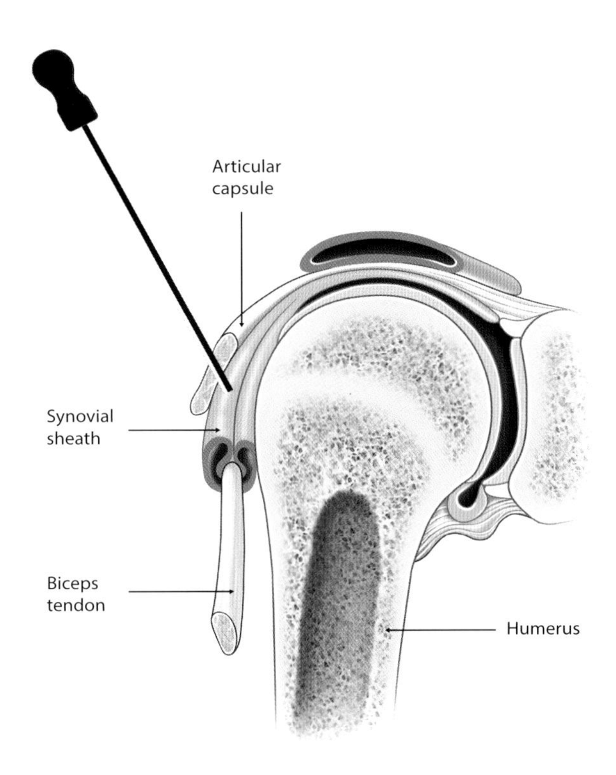

그림 2-3-17. Tendon sheath로 둘러싸인 이두근 장두에 도침 자입

4 극하근 손상(어깨 뒤쪽이 아프다)

특징

- 어깨 뒤쪽 견갑골 부위의 통증

히스토리

- 어깨의 과사용, 외상 등

증상

- 어깨 위쪽 견갑골의 통증, 쑤심, 팔을 앞뒤로 움직이거나 회전시 팔 뒤쪽의 통증 유발

PE

- 어깨 내전 및 회전제한, 극하근과 극하근건의 압통

영상진단

- 정확한 손상부위와 범위를 파악하기 위해 초음파, MRI 등을 진행할 수 있음

어깨 뒤쪽이 아픈 경우 여러 가지 원인이 있을 수 있지만 과사용 후에 통증이 나타난다면 견갑하근의 손상을 의심해볼 수 있습니다. 이 경우 부항이나 침 치료로도 잘 호전되지만 치료가 되지 않을 때에는 도침치료를 고려해야 합니다. 일반적인 치료가 잘 듣는 경우는 가벼운 근복의 피로로 오는 경우이고, 일반적인 치료로 반응이 없고 예후가 길다면 힘줄의 손상 혹은 과로나 외상으로 인해 근육과 근막의 퇴행이 심하게 진행된 경우일 것입니다. 이 때 도침을 사용하면 빠르고 좋은 회복 반응을 기대할 수 있습니다.

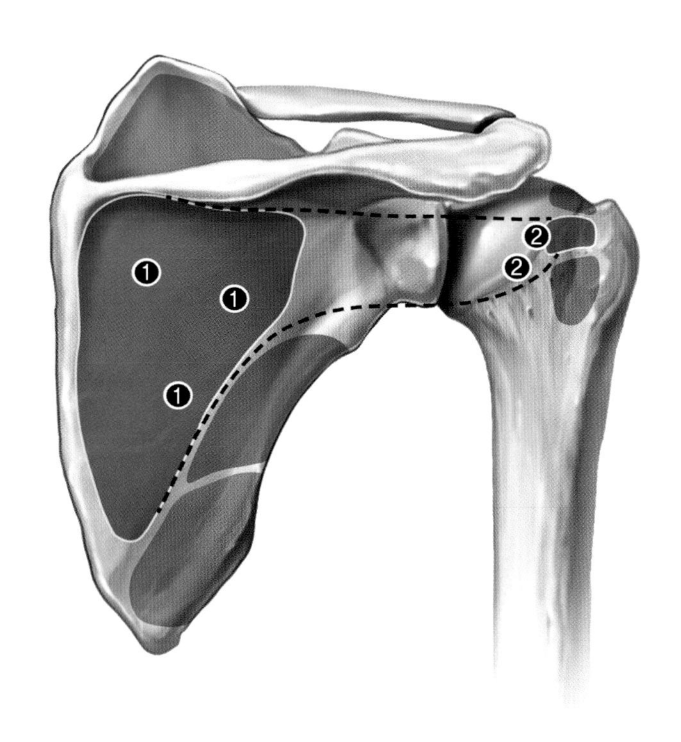

그림 2-3-18. 극하근 치료 포인트

체위

측와위, 견갑근을 protraction하여 견갑하근을 최대한 신전시켜줍니다.

시술 포인트(그림 2-3-18)

1. 근복 부위 견갑극의 하단 견갑하근의 외층근막 압통점
2. 근건 부위 견갑하근의 근복에서 상완골 insertion으로 이어지는 부위 압통점

시술 깊이 / 횟수

1 cm, 2 포인트, 2-3 회 자입

[주의사항]
근복이나 근건 치료 시 해당 구조물의 외층에 대한 가벼운 자극만으로 호전을 기대할 수 있습니다. 과도한 심자를 피하고 시술 후 부종이나 출혈이 유발되지 않는지 확인하고 혹시 부종이나 출혈이 있다면 강하게 압박하여 시술 후 마무리를 잘 해주시기 바랍니다. 그렇지 않고 그냥 가시면 며칠간 어깨 등 부위의 통증과 불편함이 남아서 일상생활에 지장이 있을 수 있습니다.

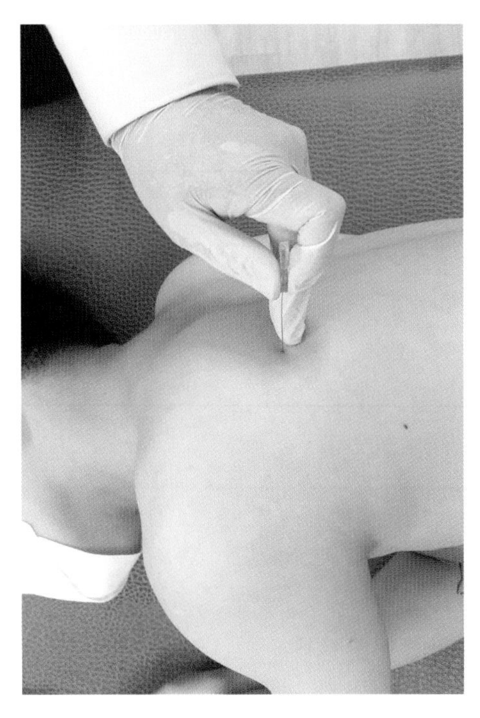

그림 2-3-19. 근복 부위의 도침시술

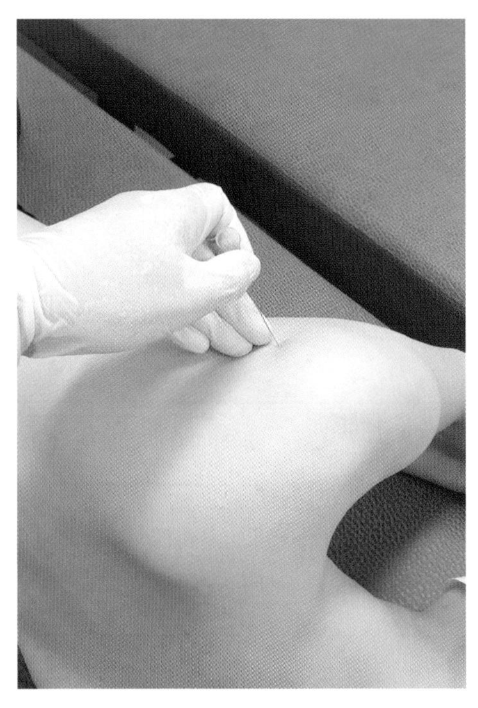

그림 2-3-20. 근건 부위 도침시술 : 근건을 최대한 스트레칭하여 압통점을 찾고 시술합니다.

5 견쇄관절의 염좌

특징

- 어깨 위쪽의 일점 통증, 움직일 때 아프다.

히스토리

- 어깨의 과사용, 외상, 과도한 웨이트(헬스) 등

증상

- 어깨 위쪽의 움직일 때 통증

PE

- AC joint의 압통, cross-body adduction test

영상진단

- 정확한 손상 정도를 파악하기 위해 초음파, MRI 등을 진행할 수 있음

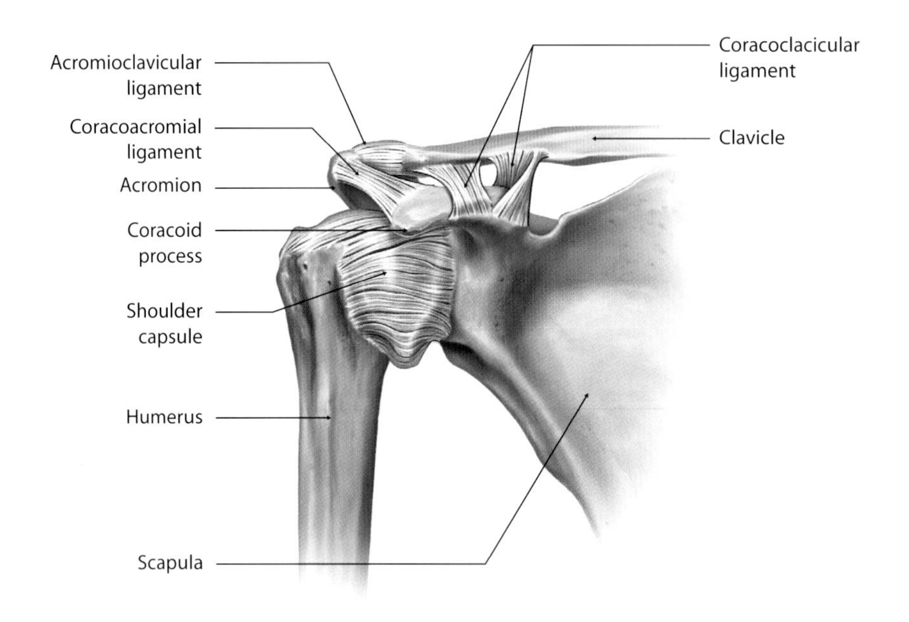

그림 2-3-21. 견쇄관절(AC join)의 해부도

견쇄관절을 이어주는 인대의 염좌와 긴장으로 어깨 통증이 유발될 수 있습니다. 넘어지거나 과도한 운동으로 인해 어깨관절을 움직일 때 견쇄관절 부위에 집중된 통증이 있다면 이 질환을 의심해 볼 수 있습니다. 견쇄관절의 염좌라면 견관절과 쇄골의 연결 부위에서 압통을 확인해보세요.

진단

어깨의 외상력, 견쇄관절의 압통

시술 포인트

견쇄관절. 포인트를 찾기 어렵다면 쇄골에서 뼈를 타고 위로 올라가다가 환자의 어깨 거상 시 관절의 움직임을 확인하고 압통점을 찾습니다.

시술 깊이 / 횟수

0.5 mm, 1포인트, 2회

[주의사항]
인대의 가벼운 자극 후 회복시키는 것이 치료의 목표입니다. 과도한 자극은 도리어 염좌 및 인대의 손상을 유발할 수 있습니다.

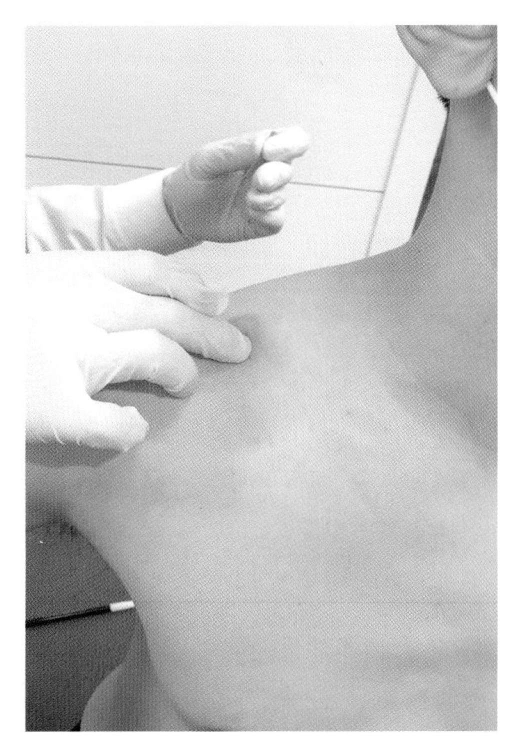

그림 2-3-22. 견쇄관절의 압통점 찾기

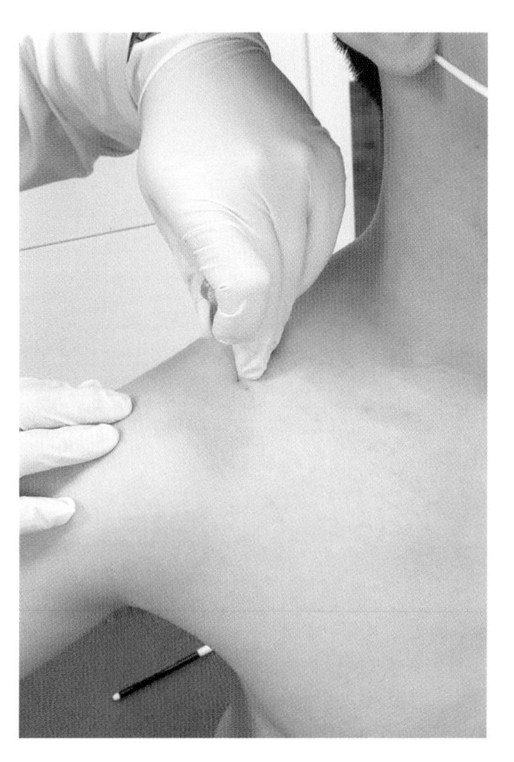

그림 2-3-23. 견쇄관절의 도침치료

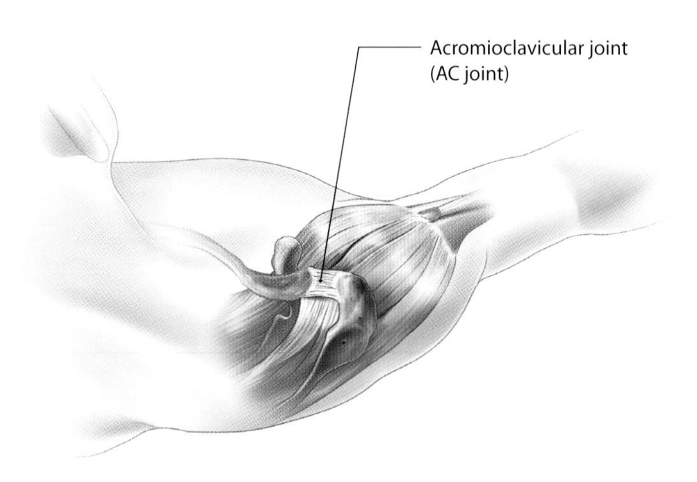

그림 2-3-24. 위에서 본 견쇄관절

6 오십견(유착성 활막염)

오십견은 유착성 관절낭염으로 인해 어깨 관절이 전반적으로 섬유화되면서 완전히 굳어지는 것을 특징으로 합니다. 오십견은 염증기와 섬유화기 해동기로 이루어지는데 치료 부위는 위에서 제시한 포인트와 방법을 적용하되, 각 시기에 따라 도침의 사용 목적이 달라집니다.

염증기

이 시기는 도침을 이용해 효과적으로 통증을 제어하는 것이 치료의 목적입니다. 따라서 시술은 비교적 가볍게 진행하되 도침과 다른 한의학적인 치료법을 병행하여 염증기의 통증을 빠르게 경감시켜주고 환자의 불편함을 해소하는데 주안점을 두도록 합니다.

섬유화기

섬유화기에는 적극적으로 도침을 사용하여 유착된 부위를 비교적 적극적으로 이완시켜 줍니다. 이학적 검사를 통해 어깨의 가동 범위를 확인하고 적극적인 도침 시술 후에 추나를 병행하여 구축된 관절을 심층적으로 풀어줍니다. 이렇게 치료하면 섬유화기를 빠르게 넘어가면서 어깨 가동 범위의 회복이 빨라지게 됩니다.

해동기

이 시기가 되면 일상 생활의 불편함이 줄어들고 어깨 가동 범위가 회복되면서 환자가 치료에 소홀해지기 쉽습니다. 정확한 가동 범위의 평가를 통해 후유증이 남지 않고 회복할 수 있도록 환자를 지도하고, 특정 동작에서 문제가 남아 있다면 도침치료를 통해 완전한 가동 범위를 회복하도록 해줍니다.

도침치료 포인트

이 경우 Capsule에 대한 적극적인 개입보다는, 환자의 ROM 상태를 확인해가며 앞의 어깨치료(이두근,삼각근,극상근,극하근 등)에 해당하는 포인트 위주로 접근합니다. 이렇게 조금씩 치료해가면 치료기간이 짧아지면서 빠른 회복을 기대할 수 있습니다.

04 팔꿈치

팔꿈치 통증은 Elbow tendon의 지속적인 손상으로 유발된 건증입니다. 따라서 손상이 누적되어 변형된 tendon에 가벼운 상처를 내어 회복시키는 도침으로 좋은 효과를 기대할 수 있습니다.

완전한 치료를 위해서는 치료기간의 확보가 필요합니다 : 4–6주

테니스 엘보 혹은 골프 엘보는 근건의 퇴행으로 유발된 질병이기 때문에 근건이 회복되기까지 충분한 회복기간을 확보해야 합니다. 더불어 환자는 팔꿈치의 과사용을 자제하면서 치료해야 합니다. 만약 팔꿈치에 대한 과사용을 자제할 수 없다면 치료의 목표를 완치보다는 통증의 조절과 일상생활 만족도를 높이는 것으로 잡아야 합니다.

또한 스테로이드주사를 사용하여 상태가 악화되어 오는 경우가 많습니다. 이 경우 치료기간이 더 길어질 수 있고 팔꿈치의 힘줄이 많이 약해진 상태임을 설명드리고 완치까지 꾸준한 치료를 하시도록 해야 합니다.

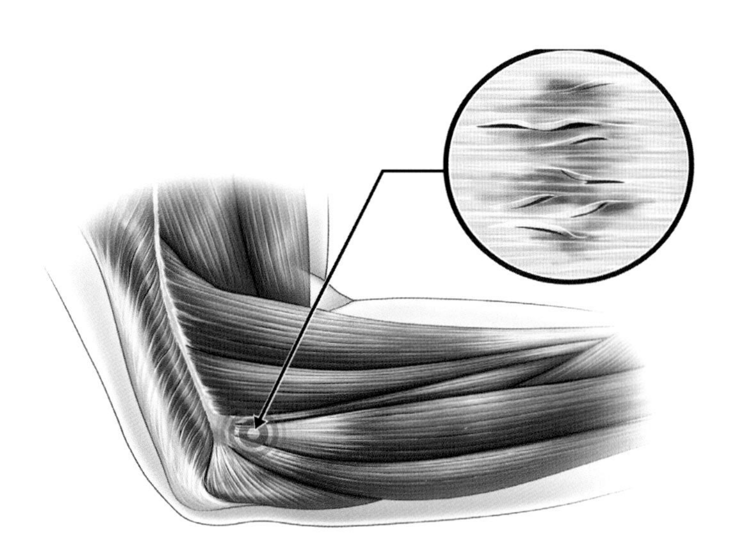

그림 2-4-1. 팔꿈치 힘줄의 손상: 과도한 사용과 반복된 스트레스는 힘줄과 근막의 손상을 유발한다.

1 외측상과염(테니스 엘보)

특징

- 팔꿈치 외측의 통증

히스토리

- 팔꿈치의 과사용, 과도한 웨이트 운동, 테니스, 외상 등

증상

- 팔꿈치 외측상과의 통증
  저항운동 시 통증(특히 중지 신전제한)
  ROM 정상(제한 시 관절병증으로 진단)

PE

- Cozen's test, Mill's test 등

영상진단

- 골관절병증의 진행 여부 및 정확한 손상 부위를 파악하기 위해 초음파, MRI 등을 진행할 수 있음

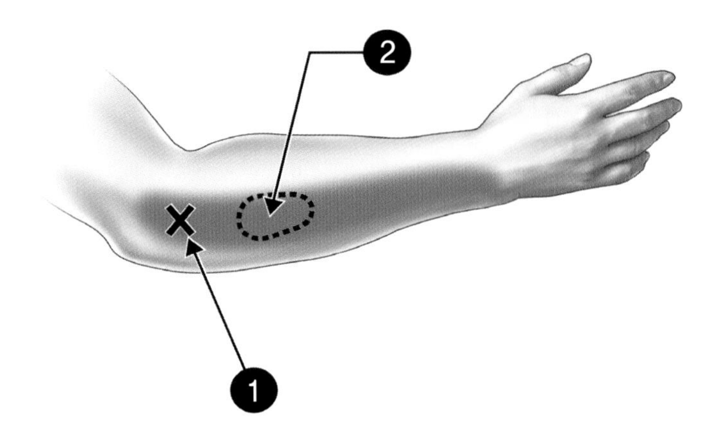

그림 2-4-2. 외측상과염 치료 포인트

시술 포인트

- 1번 포인트(외측상과): Humerus의 Lateral epicondyle과 Radius 의 접합점 골간 압통점(그림 2-4-2, 3, 5)
- 2번 포인트(수삼리혈 인근의 근막): Common Extensor 의 외층근막 압통점(그림 2-4-2, 4, 6)

일반적으로 2번 포인트에서부터 손상이 누적되어 1번 포인트로 넘어가면서 관절에 무리가 가게 됩니다. 따라서 1번과 2번 각 포인트를 잘 체크해서 문제가 있는 부위와 손상 범위를 확인, 치료 계획을 잘 세우시기 바랍니다.

시술 깊이 / 횟수

- 시술 포인트 1: 0.5 cm, 1포인트, 2회 자입
- 시술 포인트 2: 0.5 cm, 2포인트, 2-3회 자입

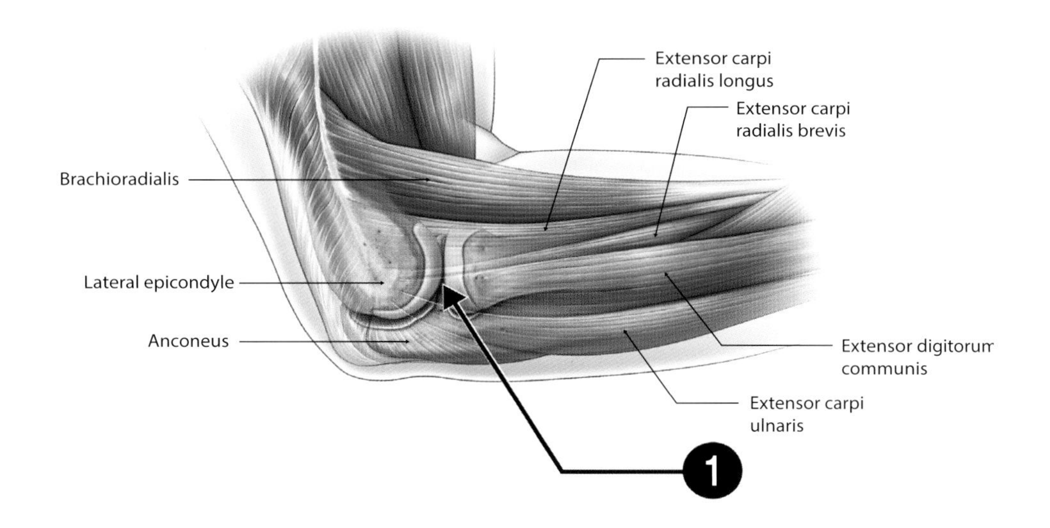

그림 2-4-3. 외측상과염 1번 치료 포인트

[주의사항]
테니스 엘보는 특히 근건의 퇴행이 많이 진행되어 오는 경우가 있습니다. 따라서 치료기간을 주 2회, 6주 정도 충분히 확보하면서 조금씩 자극하여 근건의 완전한 회복을 유발해줍니다.
시술 포인트 1번은 뼈와 뼈를 이어주는 인대와 건 부위로 과자극 시 팔꿈치의 염좌가 유발될 수 있습니다. 이 부위의 도침 과자극 시 팔꿈치를 굽혔다 펴기 힘들고 팔꿈치 통증이 더 심해질 수 있습니다. 1회 치료 시 최소한의 자극으로 시작해 며칠간 경과를 보면서 치료강도를 조절해줍니다.

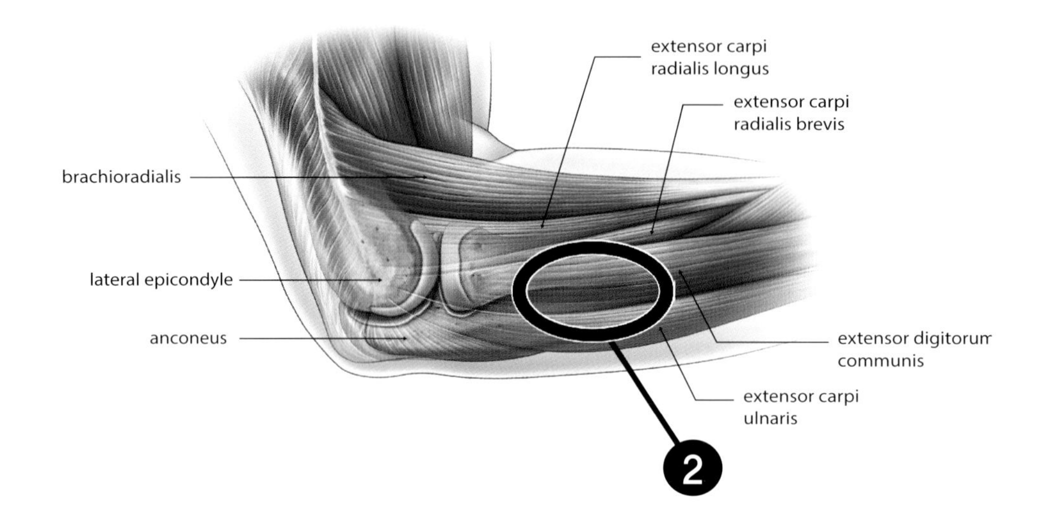

그림 2-4-4. 외측상과염 2번 치료 포인트 : 주로 아래팔 신전근육(Extensor)의 근건이행부에 압통점이 치료 포인트가 됩니다.

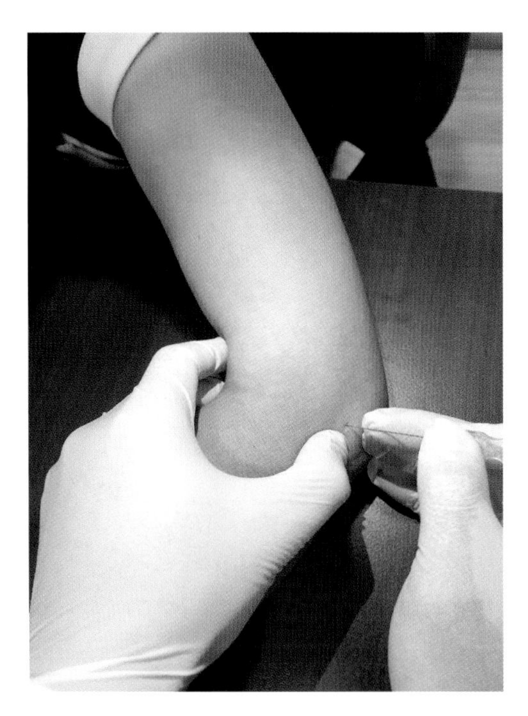

그림 2-4-5. 외측상과염 1번 치료 포인트

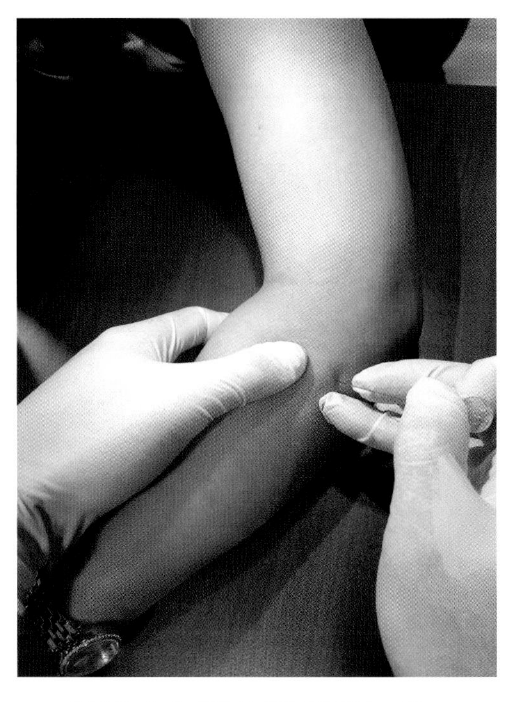

그림 2-4-6. 외측상과염 2번 치료 포인트

2 팔꿈치 내측상과염(골프 엘보)

특징

- 팔꿈치 내측의 통증

히스토리

- 팔꿈치의 과사용, 과도한 웨이트 운동, 골프, 테니스, 외상 등

증상

- 팔꿈치 내측 상과의 통증
  팔꿈치 신전 시 통증
  ROM 정상(제한 시 관절병증으로 진단)

PE

- 팔꿈치 내상과의 통증과 압통

영상진단

- 골관절병증의 진행 여부 및 정확한 손상 부위를 파악하기 위해 초음파, MRI 등을 진행할 수 있음

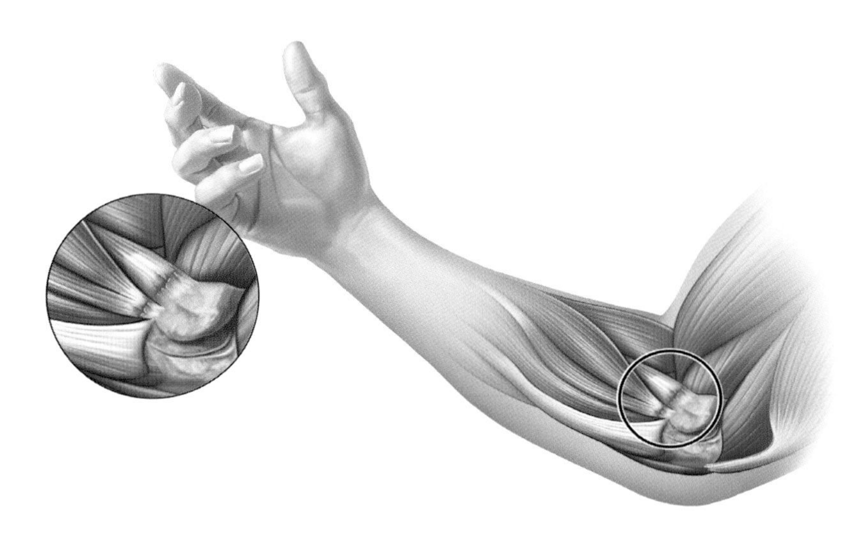

그림 2-4-7. 팔꿈치 내측상과의 손상

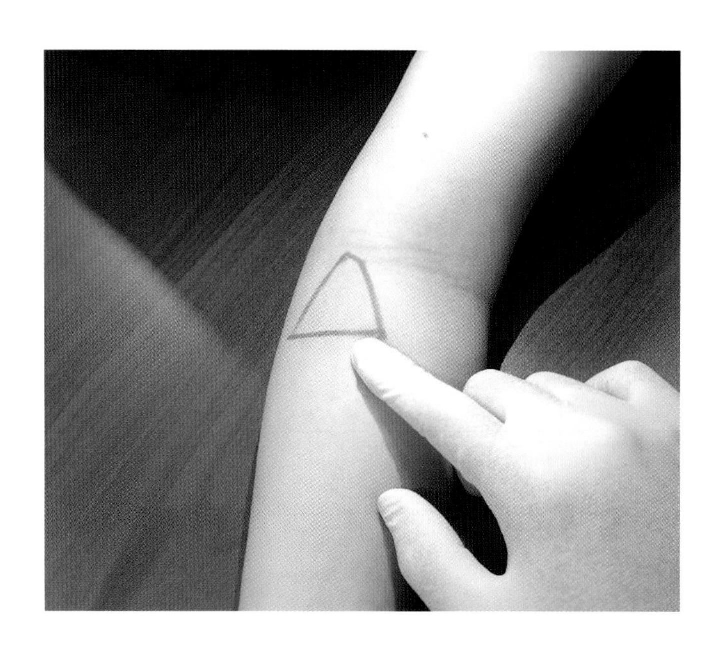

그림 2-4-8. 팔꿈치 내측의 주요 압통점 분포

골프 엘보는 팔꿈치 안쪽의 통증을 주로 호소하는데, 골퍼들이 맨땅에 강하게 클럽을 타격하거나, 연습장에서 무리한 스윙으로 common flexor와 관절부위에 손상이 누적되어 오게 됩니다. 그 외에도 무거운 물건을 반복적으로 들어올리거나 팔의 과사용을 통해서도 팔꿈치 내측의 통증이 올 수 있습니다.

진단

팔꿈치 내측의 통증 및 압통

시술 포인트

팔꿈치 내측의 common flexor muscle 압통점(**그림 2-4-9**). 이 부위는 상대적으로 넓게 분포된 하나의 구역이 포인트인데 이 곳에서 긴장과 압통이 형성된 곳을 찾아 치료점으로 삼습니다.

시술 깊이 / 횟수

2포인트, 0.5 cm, 2-3회 자입

[주의사항]
골프 엘보는 테니스 엘보에 비해 비교적 더 빠르게 낫는 경향이 있습니다. 그렇지만 증상이 심해지면 테니스 엘보의 경우처럼 뼈 쪽으로 손상 및 통증이 옮겨갑니다. 따라서 제시한 포인트보다 더 골면으로 접근하여 압통을 확인하여 치료 포인트를 잡아줍니다.

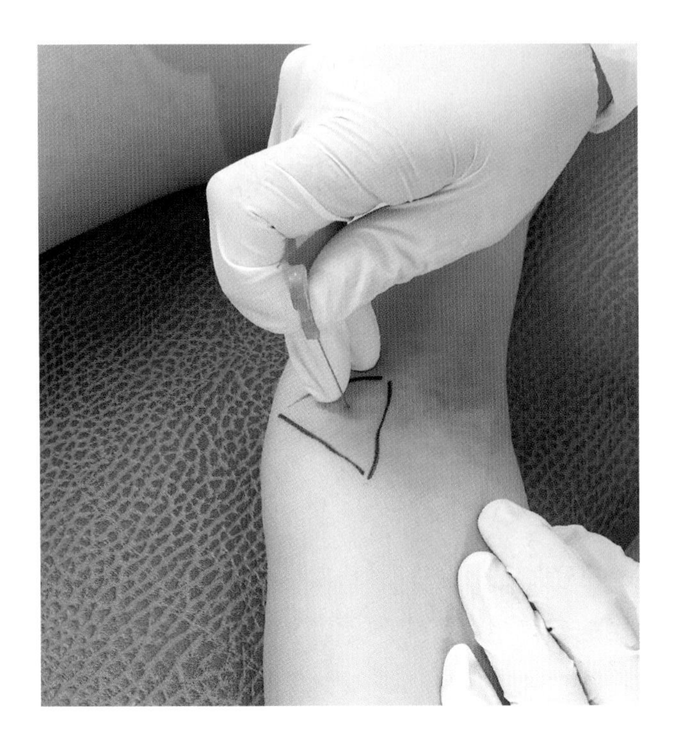

그림 2-4-9. 팔꿈치 내측의 도침시술

05 손목

손목 통증은 도침이 상당히 잘 듣는 부위 중의 하나입니다. 그 이유와 방법을 이해하기 위해서는 손목의 구조를 잘 알아야 합니다. 움직임이 많은 손목의 힘줄을 보호하기 위해 손목 인근의 힘줄은 건초(tendon sheath)로 둘러싸여 있습니다(**그림 2-5-1**). 손목의 힘줄이 움직일 때 건초가 윤활작용을 하며 힘줄에 손상이 가거나 무리가 가면 이 건초에 염증이 발생하면서 손목이 시큰거리고 아프기 마련입니다. 우리는 도침을 이용해 이 건초의 염증을 배출해주고 손목의 긴장을 해소해줌으로써 빠르게 통증을 줄여줄 수 있습니다.

건초와 관련된 손목의 통증 부위를 손목 요골측(양계혈 부위의 통증, 드퀘르뱅)과 손목 배측의 통증, 그리고 양지, 양곡혈 부위의 통증(TFCC) 이렇게 세 파트로 나누어 살펴보겠습니다.

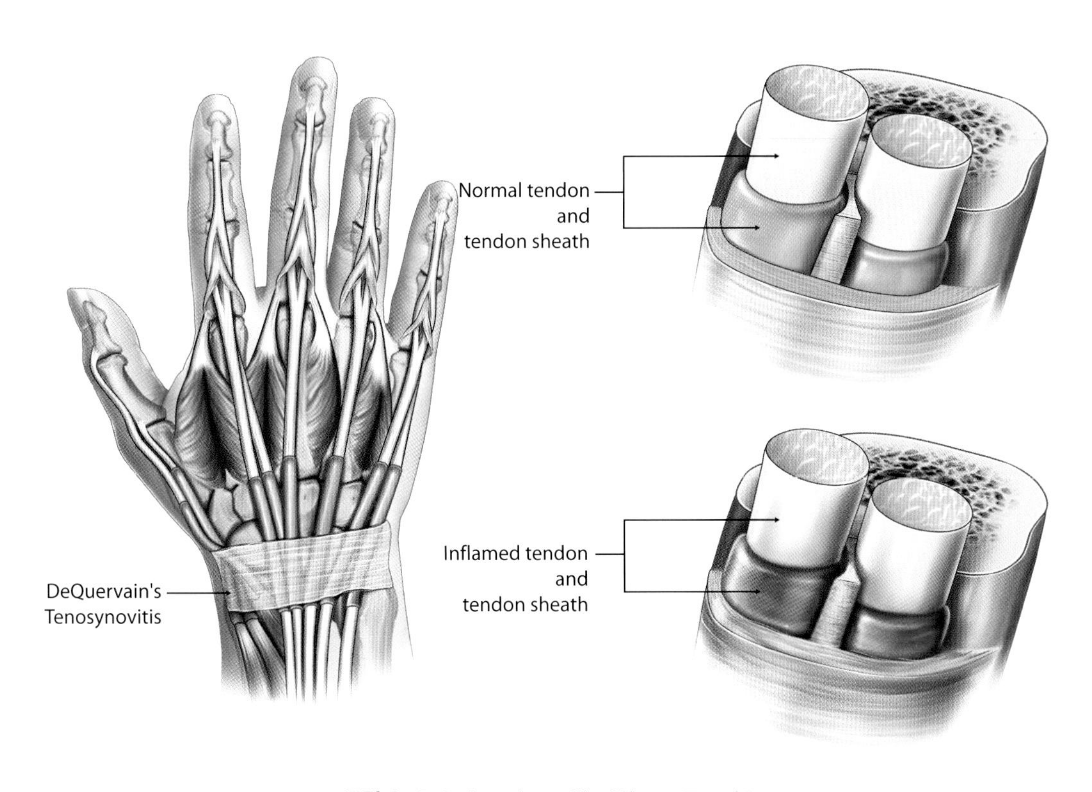

그림 2-5-1. 손목의 주목할 만한 구조물 : 건초

1 손목 요골측의 통증

1. 양계혈 부위의 통증

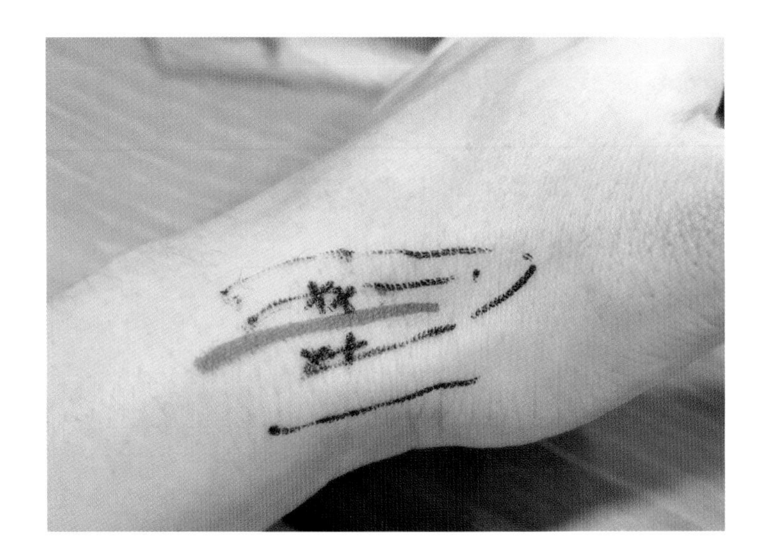

그림 2-5-2. 양계혈 부위의 치료 포인트
그림설명 X표 :주로 사용되는 치료점, **붉은 실선** : 요골동맥

환자분이 양계혈 부위의 손목 시큰거림과 통증, 압통을 호소하는 경우가 많습니다. 이 경우 특히 과사용으로 해당 증상이 유발되는 경우가 많고 산모가 아이를 낳고 갑자기 손목을 많이 사용하면서, 근력이 부족한 상태에서 손목힘만으로 아이를 들어올렸다 내리면서 해당 부위의 통증이 많이 발생합니다.

진단

손목 양계혈 인근의 시큰거림, 통증, 산모나 육아중인 사람, 물건을 많이 들어올리고 손목을 많이 쓰는 경우

시술 포인트

EPL(장무지신건) 하연 압통점, EPB(단무지신건) 상연 압통점

시술 깊이 / 횟수

2포인트, 5 mm, 1-2회 자입

[주의사항]
해당 부위의 정중앙에는 요골동맥이 지나니 침날 방향에 주의해 시술하고 동맥 손상에 유의한다. 이 부위는 1-3회 정도 치료면 잘 낫는 부위인데 호전이 잘 되지 않는다면 협착성 건초염 등의 문제가 아닌지 다시 진단해보도록 한다.

2. 드퀘르뱅 협착성 건초염

손목의 힘줄을 고정하기 위해 손목에 둘러진 retinaculum이라는 구조물이 있는데 건초를 둘러싼 retinaculum이 좁아지고 손목의 힘줄과 유착이 되어 오는 질환도 있습니다. 이것이 De Quervain's Tenosynovitis인데요. 이 경우에도 초기에는 앞에서 안내해드린 건초의 염증만 도침으로 잘 치료해줘도 낫습니다. 하지만 손목을 고정해주는 retinaculum과 손목 힘줄의 마찰로 해당부위의 염증이 심하고 때로는 염발음이 나며 더 나아가 구축과 퇴행이 진행되어 장기적인 치료기간을 요하는 경우가 있습니다. 따라서 손목의 상태가 현재 어떤 상태인지 잘 파악하는 것이 정확한 예후 판별과 치료의 결과에 많은 영향을 끼친다는 것을 유념하시기 바랍니다.

특징

- 손목 요골측의 통증과 압통

히스토리

- 손목의 과사용, 과도한 운동, 외상 등

증상

- 손목 요골 붓돌기 근처 통증 및 부종, 엄지손가락을 굽혔다 펴기 힘들다. 해당 부위의 염발음

PE

- Finkelstein test

영상진단

- 손목 힘줄의 구축 및 염증에 대한 정확한 정보를 파악하기 위해 초음파, MRI 등을 진행할 수 있다.

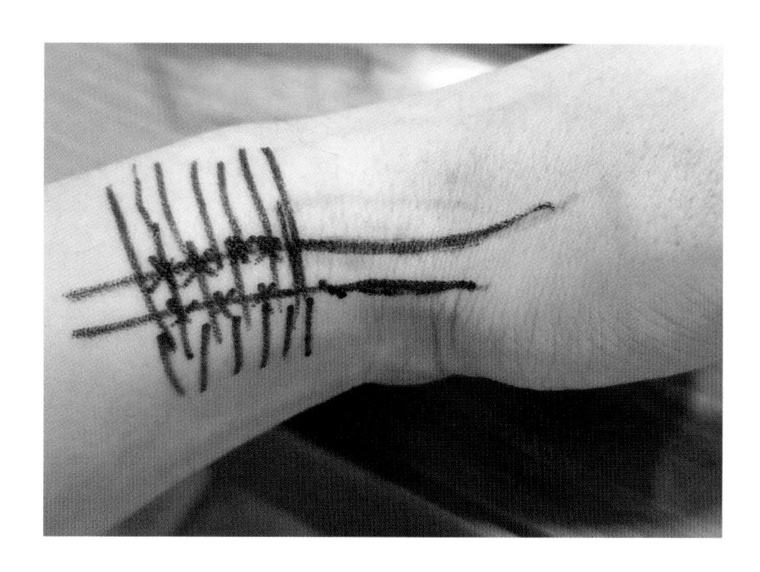

그림 2-5-3 Retinaculum에 압통점이 형성된 경우

진단

손목 요골측의 통증 및 부종 및 압통

시술 포인트

장무지신건과 단무지신건의 retinaculum 부위 압통점

시술 깊이 / 횟수

2포인트, 5 mm, 1–2회 자입

자침 팁

손목에 바로 도침을 대고 시술하면 힘줄을 찌를 수도 있습니다. 우리가 목표로 하는 해부구조물은 retinaculum입니다. 보조수로 표피를 볼록하게 들어올리고 시술하면 힘줄을 찌를 가능성이 줄어듭니다(그림 2–5–4).

손목 통증 Key Point

손목 건초의 문제인지 Retinaculum의 유착인지 파악합니다.
→ 이것은 압통과 정확한 통증 부위의 파악으로 분별이 가능합니다.

그림 2-5-4에서 묘사하는 부위의 압통과 통증이 아니라면 일반적으로 건초의 가벼운 치료로 해소됩니다. 요골측의 치료 포인트에 압통과 손목신전 시 통증이 있다면 (Finkelstein's test 양성) 해당 부위의 유착을 치료해야 하므로 경과가 수주에서 수개월로 회복이 오래 걸립니다.

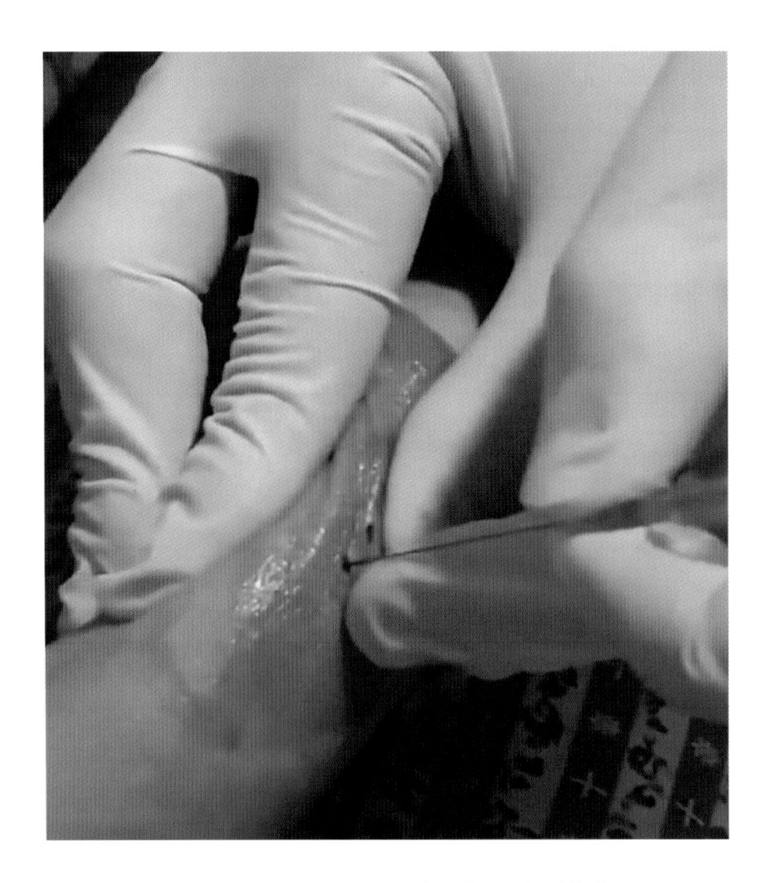

그림 2-5-4. Retinaculum 시술 시 보조수 사용법

2 손목의 염좌 후 통증: 손목 배측

특징

- 손목 배측의 통증과 압통

히스토리

- 외상, 손목의 과사용, 과도한 운동 등

증상

- 손목 배측의 통증, 시큰거림, 운동제한

PE

- 해당 힘줄 인근의 압통

영상진단

- 손목 힘줄의 손상 및 염증에 대한 정확한 정보를 파악하기 위해 초음파, MRI 등을 진행할 수 있음

앞에서 설명한 것처럼 손목의 통증은 대부분 힘줄(건)을 둘러싼 건초를 적절히 절개해주면 호전이 됩니다. 손목의 구조를 다시 보면서 파악해보도록 하지요.

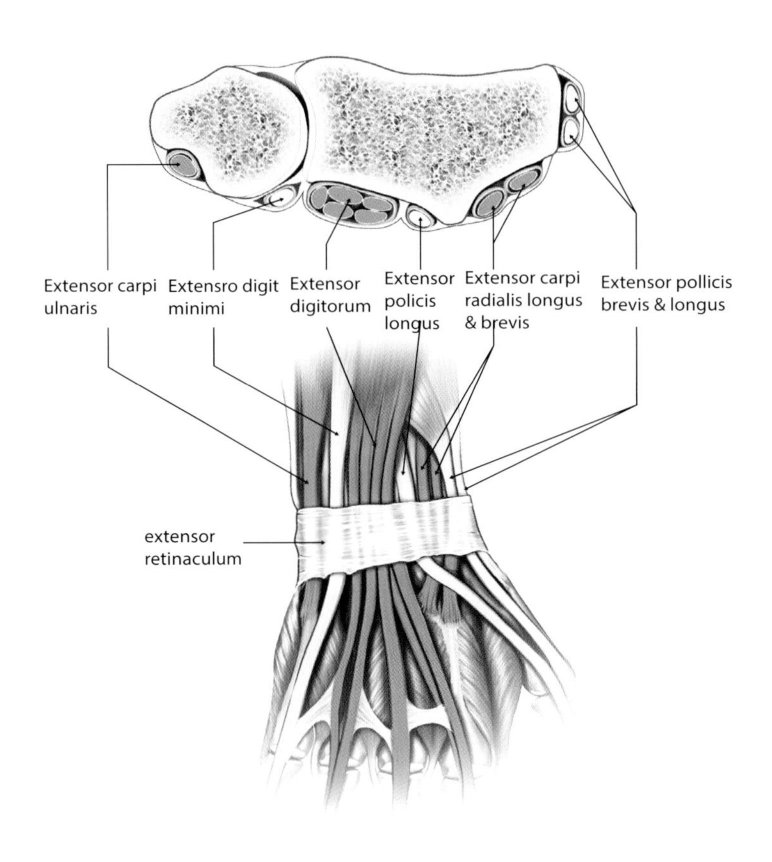

그림 2-5-5. 손목 배측의 구조

위와 같이 일반적으로 손목 배측에 힘줄이 지나가게 되고 손목에 무리가 가거나 염좌가 발생하면 손목을 둘러싼 건초에 염증이 누적되게 됩니다. 이 경우 아래와 같이 각각의 tendon sheath에 가볍게 도침을 해주면 빠른 호전을 기대할 수 있습니다.

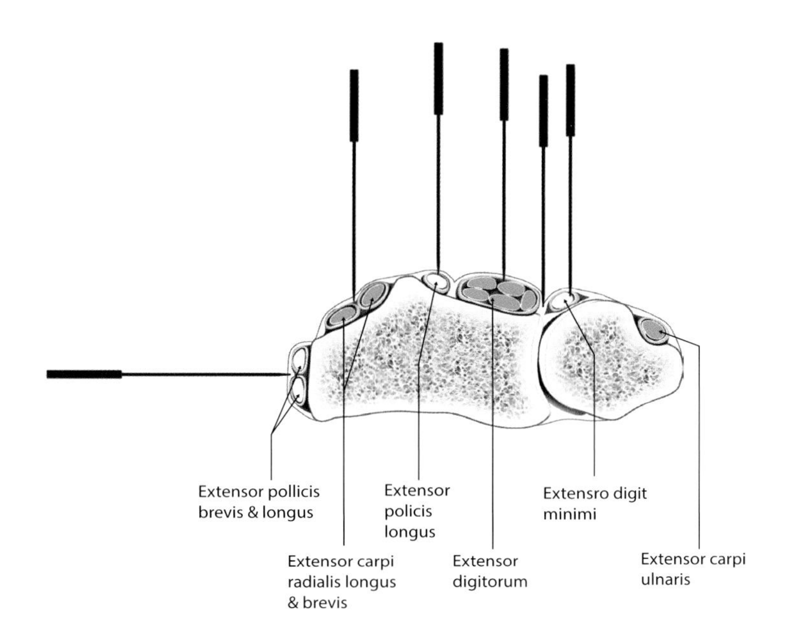

그림 2-5-6. 손목 배측의 시술 모식도

시술 포인트

손목 배측의 압통점, 힘줄을 둘러싼 건초

시술 깊이

2–4 mm

[주의사항]
그림 2–5–6처럼 전부 찌르는 것이 아니고 정확하게 시큰거리고 압통이 있는 한 포인트 혹은 두 포인트를 찾아서 가볍게 도침을 시술해줍니다. 해당 부위의 힘줄을 손상시키지 않도록 주의해 주세요.

06 손바닥

1 수근관증후군

특징

- 손바닥과 손가락의 저림 통증, 감각저하 이상감각 등의 신경이상 증상

히스토리

- 오랜 기간 동안 손의 사용, 운동, 목발사용 등

증상

- 손바닥의 저림, 야간에 손이 저려서 깸, 손가락의 마목감

PE

- Tinel's sign, Phalen's test

영상진단

- 일반적으로 임상증상으로 진단하며 초음파, MRI, 신경전도검사 등의 검사를 통해 신경 손상의 정도를 평가하거나 경추신경근 손상 여부 등을 배제할 수 있음

1. 개요

손목 내측에서의 정중신경 압박을 특징으로 하는 신경압박질환입니다. 전체 인구의 3.8%에서 발견할 수 있을 만큼 흔하며 신경포착질환의 90%를 차지하는 임상에서 매우 중요한 질환입니다. 1854년 저명한 영국의 의사 James Paget이 distal radius의 골절 후 발생한 CTS를 보고, 1951년 George S. Phalen이 질병 양상과 치료 방법을 정리하였습니다.

2. 해부학적 구조

주요 키워드 : #손목터널(carpal tunnel) #횡수근인대(transverse carpal ligament) #정중신경(median nerve)

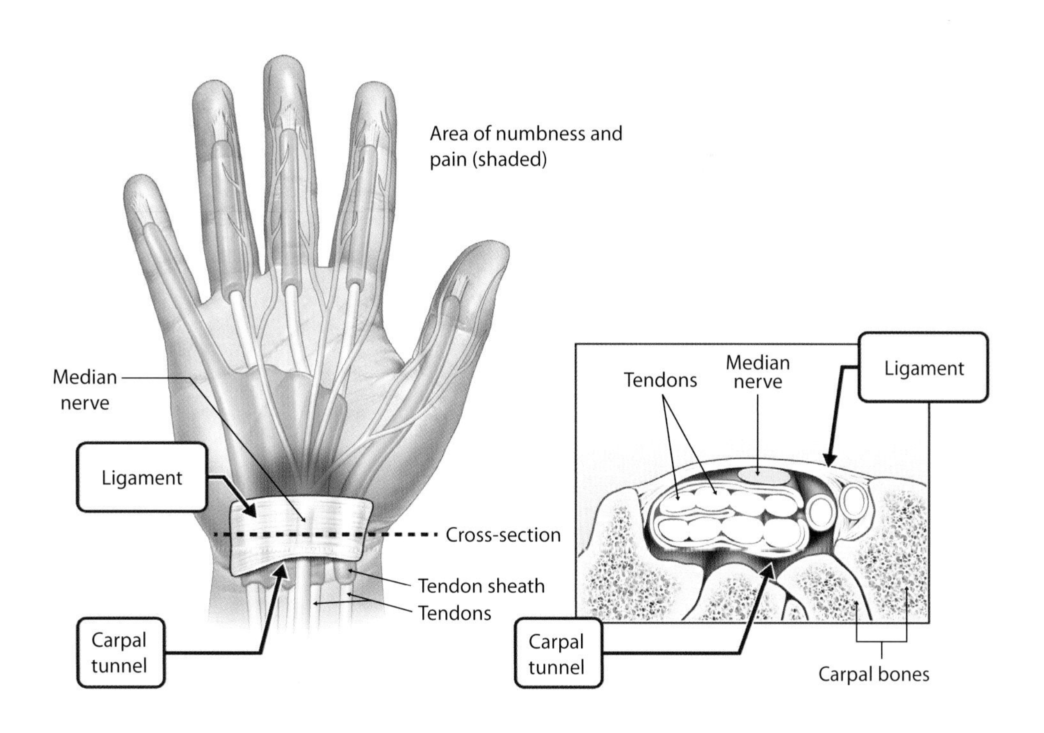

그림 2-6-1. 손목 배측의 시술 모식도

손목터널(Carpal tunnel)

손목 뼈와 retinaculum으로 이루어진 osteofibrous 터널. 이 안에 다양한 기능을 가진 구조물들이 통과하고 이 구조물을 통해 영양과 신경공급 및 운동이 가능합니다.

횡수근인대(Transverse carpal ligament)

굴근지대(flexor retinaculum)는 손목터널에서 뼈와 굴곡건을 둘러싼 섬유성 조직입니다. Transverse carpal ligament가 터널의 뚜껑 혹은 천장 역할을 하는데 이 안에 9개의 굴곡건과 건초 그리고 정중신경이 들어있습니다.

정중신경(Median nerve)

손목터널의 정중앙에서 정가운데 혹은 약간 median쪽으로 주행하며 첫째-셋째 손가락 전부와 넷째 손가락의 반쪽 피부를 지배합니다. 따라서 압박 시 지배 부위의 감각이상과 저림증상이 나타납니다.

3. 손목터널증후군의 병리(Pathophysiology of CTS)

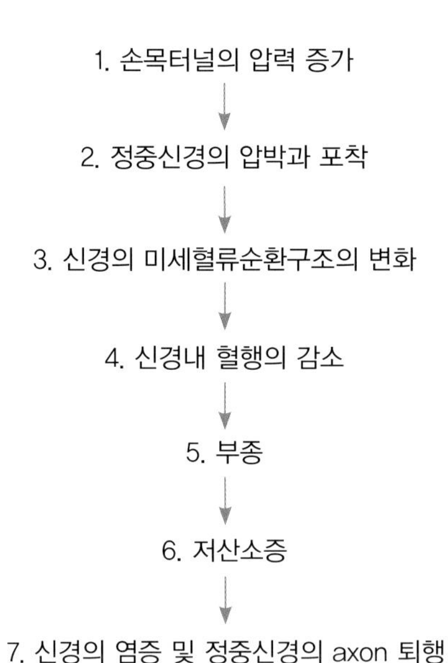

그림 2-6-2. 손목터널증후군의 병리

손목터널증후군의 병리를 이해하면 치료 방법을 알 수 있습니다. 여기서 도침시술의 핵심은 두터워진 횡수근인대로 인해 손목터널의 압력이 올라간 것을 해소하는 것입니다. 다만 모든 경우에서 손상된 신경이 살아나지는 않습니다. 이를 위해서는 현재 환자가 어떤 단계에 있는지 알아야 합니다.

손목터널증후군의 단계별 증상

Stage 1	밤에 자주 자다가 깬다. 환자는 손이 붓고 먹먹한 느낌이 들어 자다가 깬다. 팔에서 어깨로 통증이 방사되거나 먹먹한 느낌이 손가락과 팔에서 나타난다(brachialgia paraesthetica nocturna). 손을 털면 증상이 경감된다. 아침에 손이 뻣뻣한 증상이 있다.
Stage 2	낮에도 증상이 지속된다. 이 경향은 특히 한 자세로 오랫동안 있거나 반복된 손이나 팔 동작을 했을 때 심하다. 운동신경결손이 나타나면 손에 감각을 느끼지 못해 자주 물건을 떨어뜨린다.
Stage 3	손바닥 근육의 위축이 나타나는 단계로 이 경우는 수술을 해도 경과가 좋지 못하다. 이 단계에서는 감각이 소실되며 단무지외전근(abductor pollicis brevis)이나 무지대립근(opponence pollicis)의 위축과 약화도 나타난다.

그림 2-6-3. 손목터널증후군의 단계별 증상

각 단계에 따라 도침시술의 호전가능 여부와 기간을 판단할 수 있습니다.

Stage 1은 온셋이 오래되지 않고 신경 손상이 많이 진행되지 않았기 때문에 빠른 호전이 가능합니다. Stage 2는 신경 손상이 어느 정도 진행되있기 때문에 수주-수개월에 걸쳐 호전이 됩니다. Stage 3는 수술을 해도 호전을 장담할 수 없습니다. 따라서 예후가 불량함을 미리 환자분에게 고지해드리거나 수술을 안내해드리는 것도 방법입니다.

4. 도침 시술 포인트 : Transverse Carpal ligament

좌우측 그림에서 횡수근인대를 확인해보세요. 3, 4지간과 대릉혈을 이은 선, 혹은 손바닥 정중앙선에서 시술 포인트를 잡아 도침시술을 하면 요측으로 치우친 정중신경을 피해서 시술이 가능합니다. 다만 횡수근인대를 넘어서 장심 쪽으로 너무 올라가서 시술 포인트를 잡으면 치료 목표인 횡수근인대가 없는 곳이기 때문에 아무 의미가 없습니다.

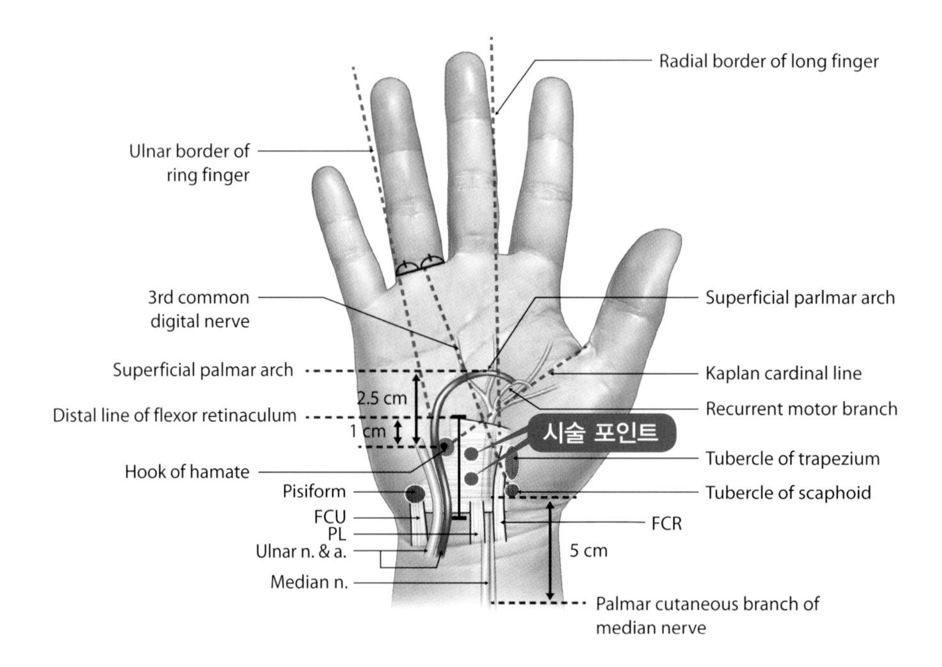

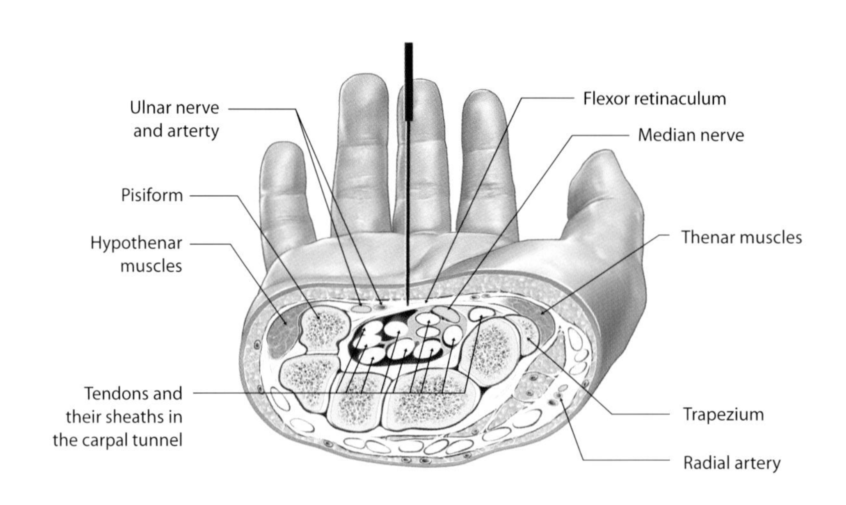

그림 2-6-4. 손목 배측의 시술 모식도

시술 깊이 / 횟수

압통점 위주로 1-2 포인트를, 0.5-1 cm 깊이로, 1-2회 자입

시술기간

증상의 완전한 소실 시까지 1주 혹은 2주에 1회 시술

[주의사항]

- 정중신경은 Radial 쪽으로 빗겨지나가므로 손목터널의 정중앙에서 혹은 척측으로 1 mm 정도 빗겨서 자입포인트를 잡을 수 있다.
- **칼날 방향은 신경 주행 방향으로 한다(신경의 절단 예방).**
- 표피를 뚫고 나서는 천천히 자입한다.
- 횡수근인대 절개 시 인대 특유의 저항감과 지격거리는 소리가 끝나면서 낙공감(텅 빈 느낌)이 든다. 이 때는 손목터널에 진입한 것으로 더 자입할 필요가 없다.

정중신경을 손상시키면?

- 가벼운 손상 시 손의 찌릿거리는 불편함이 단기간 지속될 수 있다(7일 이내).
- 중등도의 손상 시 손의 이상감각이나 불편함이 장기간 지속될 수 있다(수개월).
  : 이상의 경도나 중등도의 손상 시 스테로이드주사 등으로 염증을 가라앉히면 조금 더 수월하게 지나갈 수 있다.
- 정중신경의 절단 시 손의 근력저하 및 근위축이 나타날 수 있다(신경접합술 요함).

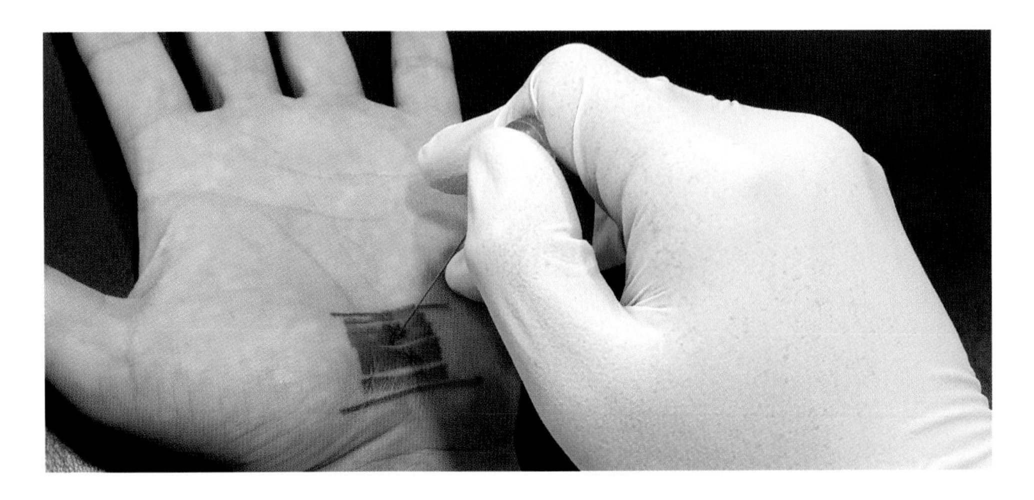

그림 2-6-5. 손목터널의 치료 포인트 1

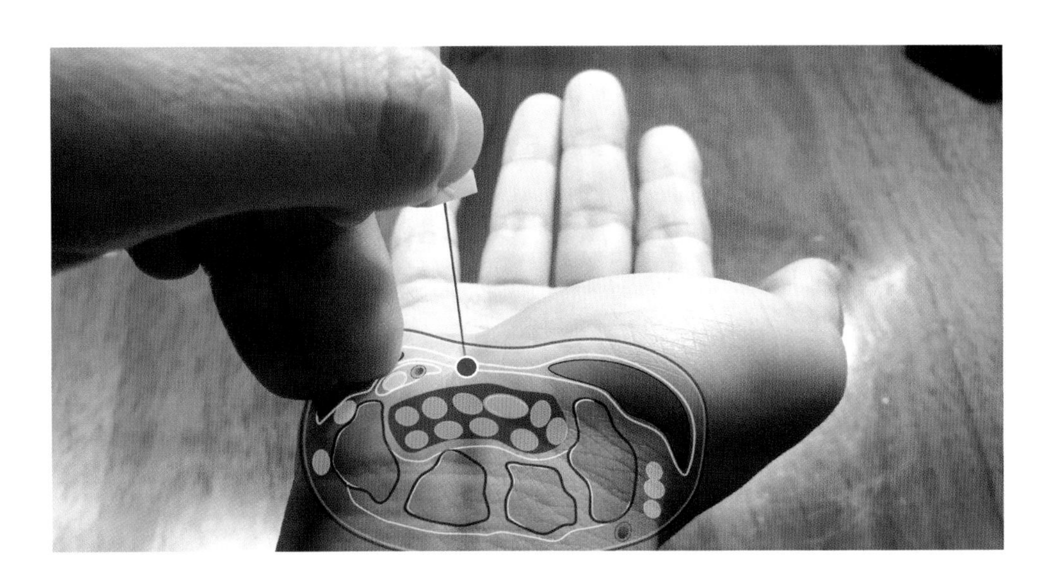

그림 2-6-6. 손목터널의 치료 포인트 2

07 손가락

1 방아쇠수지

특징

- 손가락의 걸림과 신전 제한

히스토리

- 손의 과도한 사용, 외상, 운동

증상

- 손가락의 굴곡 후 신전 제한, 손가락 통증
  심한 경우 손가락 굴곡 후 능동신전이 안 된다.

PE

- 엄지손가락의 MCP joint나 3,4번째 손가락의 A1 pulley에 압통이 나타나고 촉진 시 결절이 만져짐

영상진단

- 초음파를 이용하여 병변 부위의 확인 가능

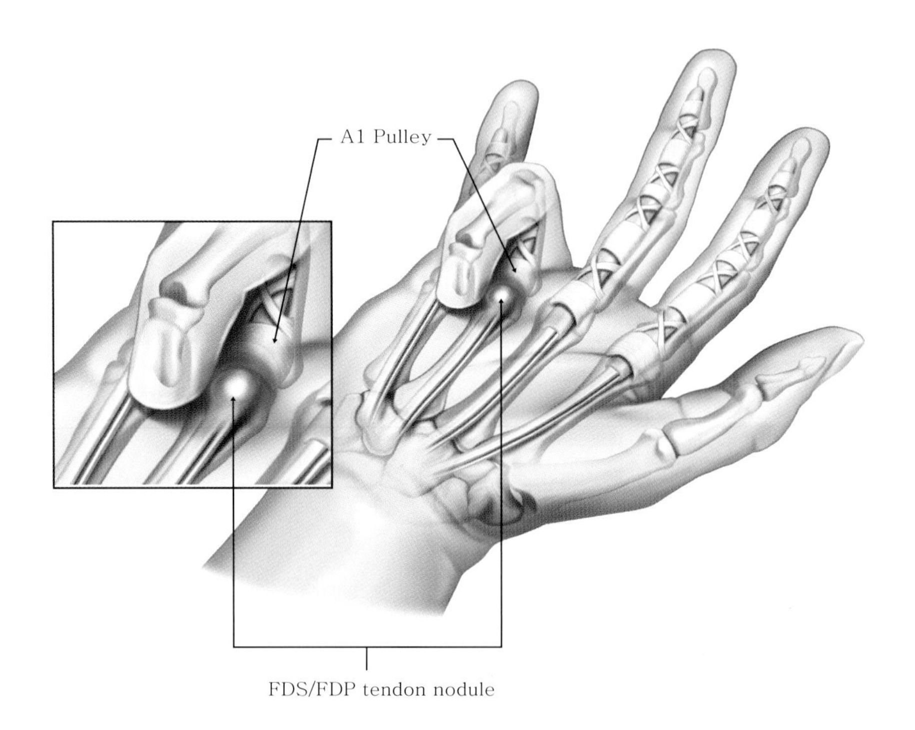

그림 2-7-1. 방아쇠수지의 구조와 역학

1. 개요

- 방아쇠수지는 힘줄의 gliding movement가 A1 pulley의 osteofibrous canal에 막혀서 온다.
- 방아쇠 효과는 tendon을 둘러싼 활막의 부종 혹은 tendon이 드나드는 건초가 두터워져 발생
- 주로 성인에 발병
- 주동수의 엄지손가락과 약지에 다발
- 손가락의 가벼운 불편함부터 통증, 굴곡 후 신전불가까지 다양한 증상을 포괄
- 류마티스,통풍, 손목터널증후군, De Quervain's disease, 당뇨 등의 질환과 유관
- 1958년 Lorthioir가 섬세한 건절제술(tenotomy)을 보고한 이후 A1 pulley의 release를 통한 치료법은 대체로 양호한 경과를 보이고 있다.

2. 해부학

손가락의 tendon은 pulley라는 구조물에 의해서 고정됩니다. Pulley의 뜻은 도르래입니다. A1에서 A5까지의 Flexor tendon pulley는 힘줄과 손가락 뼈의 긴밀한 접촉을 유지하는 역할을 합니다. 낚싯대를 비유로 들어볼까요? 손가락의 도르래와 같이 낚싯대의 작은 구멍(eyelets)은 낚시줄이 휘어질 때 낚시줄을 낚시대에 최대한 가깝게 유지해줍니다. 손가락의 Pulley는 근육의 수축길이 대비 손가락 굴곡을 최대화하여 손가락에 효율적인 역학을 만드는 역할을 합니다. Pulley가 없으면, 힘줄은 관절이 굴곡되는 동안 관절의 회전축에서 멀어지고 효율성이 떨어집니다.

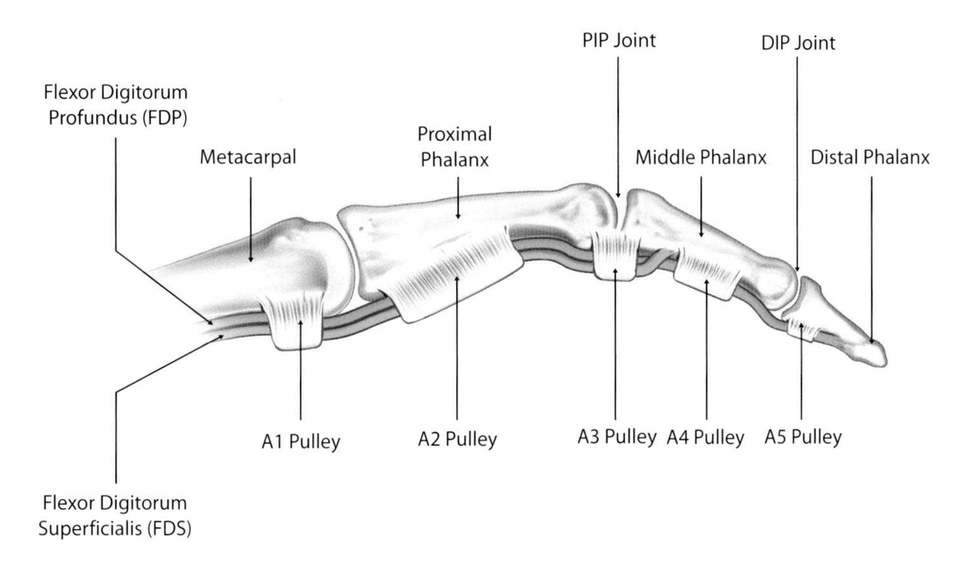

그림 2-7-2. 손가락의 pulley

3. 증상

주요 증상은 통증, 부종, 움직임의 제한입니다. 환자가 왔을 때 어떤 단계인지 체크해두고 상태를 설명해주는 것이 필요합니다. 아래의 표를 보면 단계에 따른 증상을 확인할 수 있습니다. 통증이 나타나면 2단계로 볼 수 있고, 3단계부터는 운동의 제한, 4단계에서는 걸려서 잘 펴지지 않고, 마지막 5단계의 경우는 다른 손으로 펴주어야만 손가락의 신전이 가능해집니다.

Quinnell grading system

Grade	Clinical findings
Ⅰ	움직임 정상, 통증 없음
Ⅱ	움직임 정상, 가끔씩 통증 있음
Ⅲ	움직임이 원활하지 않음
Ⅳ	이따금 손가락 잠김, 스스로 펼 수 있음
Ⅴ	손가락이 잠겨서 다른 손으로 펴줘야만 펼 수 있음

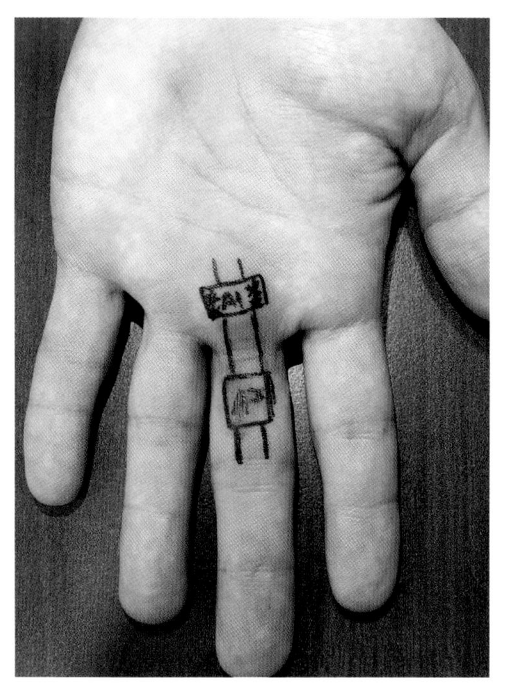

그림 2-7-3. 중지에서 A1 pulley 가늠하기 : 손가락 첫째마디 길이만큼 아래로 옮긴다.

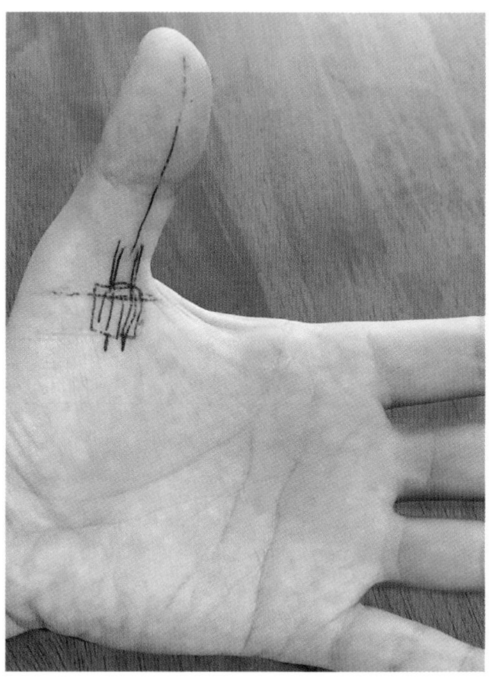

그림 2-7-4. 엄지손가락의 시술 포인트 : 중요한 점은 표시한 힘줄라인에서 시술 포인트를 잡아야 한다는 것!

4. 도침 시술 포인트 : A1 pulley

2–4지의 경우 손가락 첫째마디 길이만큼 아래로 옮겨보면(**그림 2-7-3** 참조) A1 pulley의 밑선을 확인할 수 있습니다. 그 지점 위쪽으로 손가락을 굴곡신전시 딸각거리는 부위 혹은 압통점을 시술 포인트로 잡으시면 됩니다.

엄지손가락은 손가락 뿌리의 횡문선상에서 힘줄이 딸각거리면서 걸리는 부위를 찾아서 시술해야 합니다. 자칫하면 너무 요골측으로 치우쳐 치료점을 잡을 수 있는데 힘줄 위에서 시술해야 효과가 난다는 것을 이해하고 시술 포인트를 잘 잡아서 시술하기 바랍니다. 일반적으로 엄지의 정중앙을 이은 선상에서 엄지손가락 뿌리 횡문과 직각이 되는 포인트를 사용합니다.

시술 깊이 / 횟수

압통점 확인하여 1–2포인트를, 0.5 cm 깊이로, 1–2회 자입

시술기간

증상의 완전한 소실 시까지 1–2주에 1회 시술, 3회 정도 시도 후에도 전혀 호전되지 않으면 증상 개선만을 목표로 보존적 치료로 방향을 설정합니다(장기간 과도한 자극으로 힘줄의 손상 방지).

[주의사항]
탄발지는 A1 pulley의 두터워짐, 힘줄 nodule의 두터워짐 등 복합적인 변형으로 발생하기 때문에 장기적인 치료기간을 요하거나, 혹은 치료 후에도 호전이 잘 되지 않는 경우가 있습니다. 이 부분을 이해하고 과도한 힘줄 자극과 손상은 피하도록 합니다.

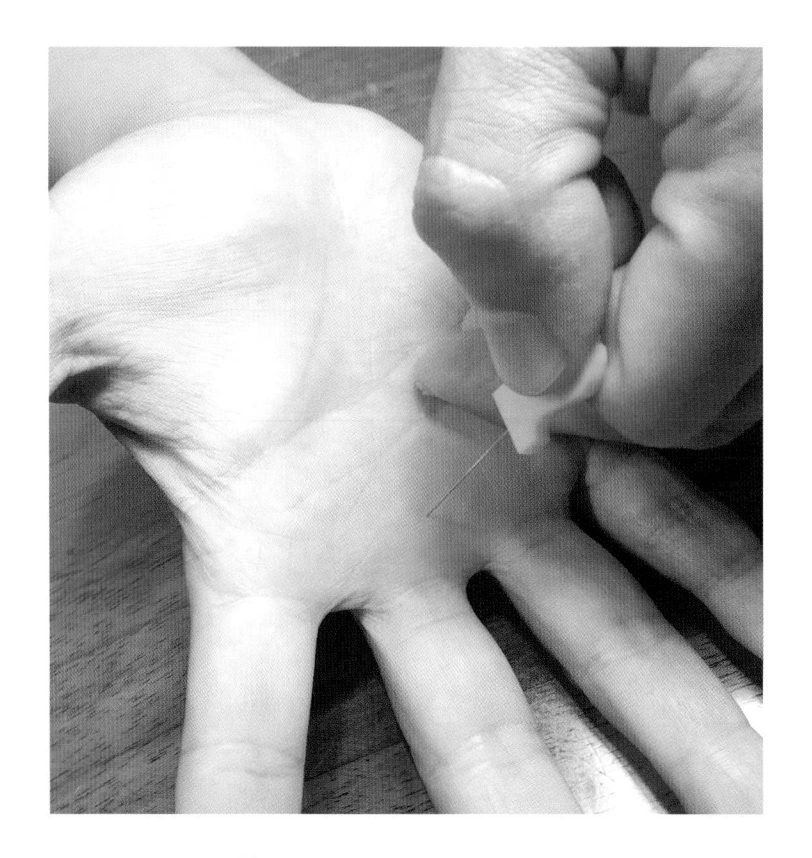

그림 2-7-5. 중지 방아쇠수지의 도침시술

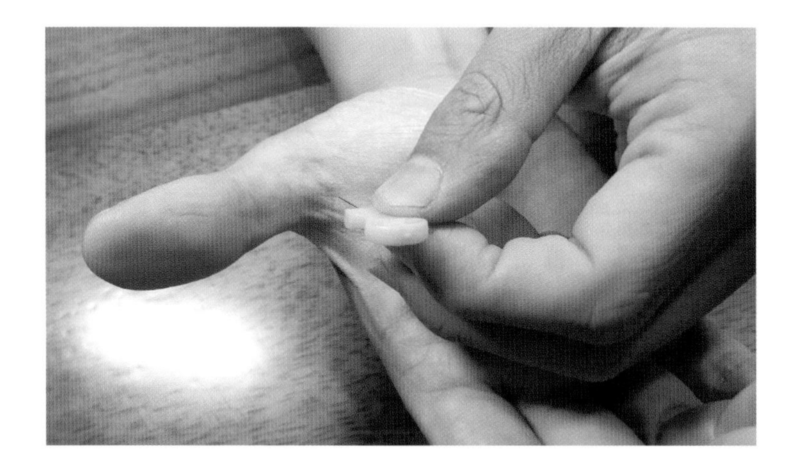

그림 2-7-6. 엄지 방아쇠수지의 도침시술

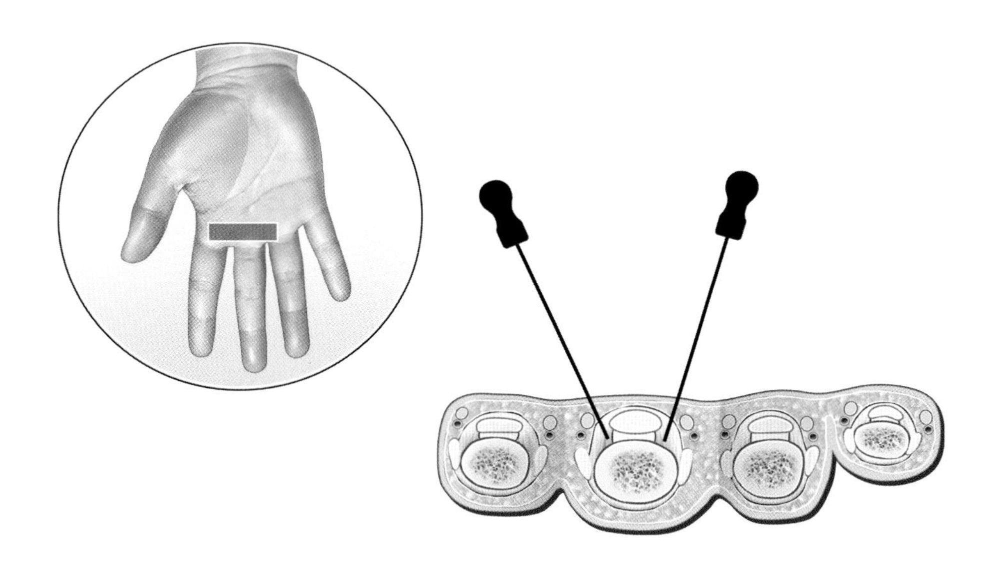

그림 2-7-7. 방아쇠수지 도침의 시술모식도

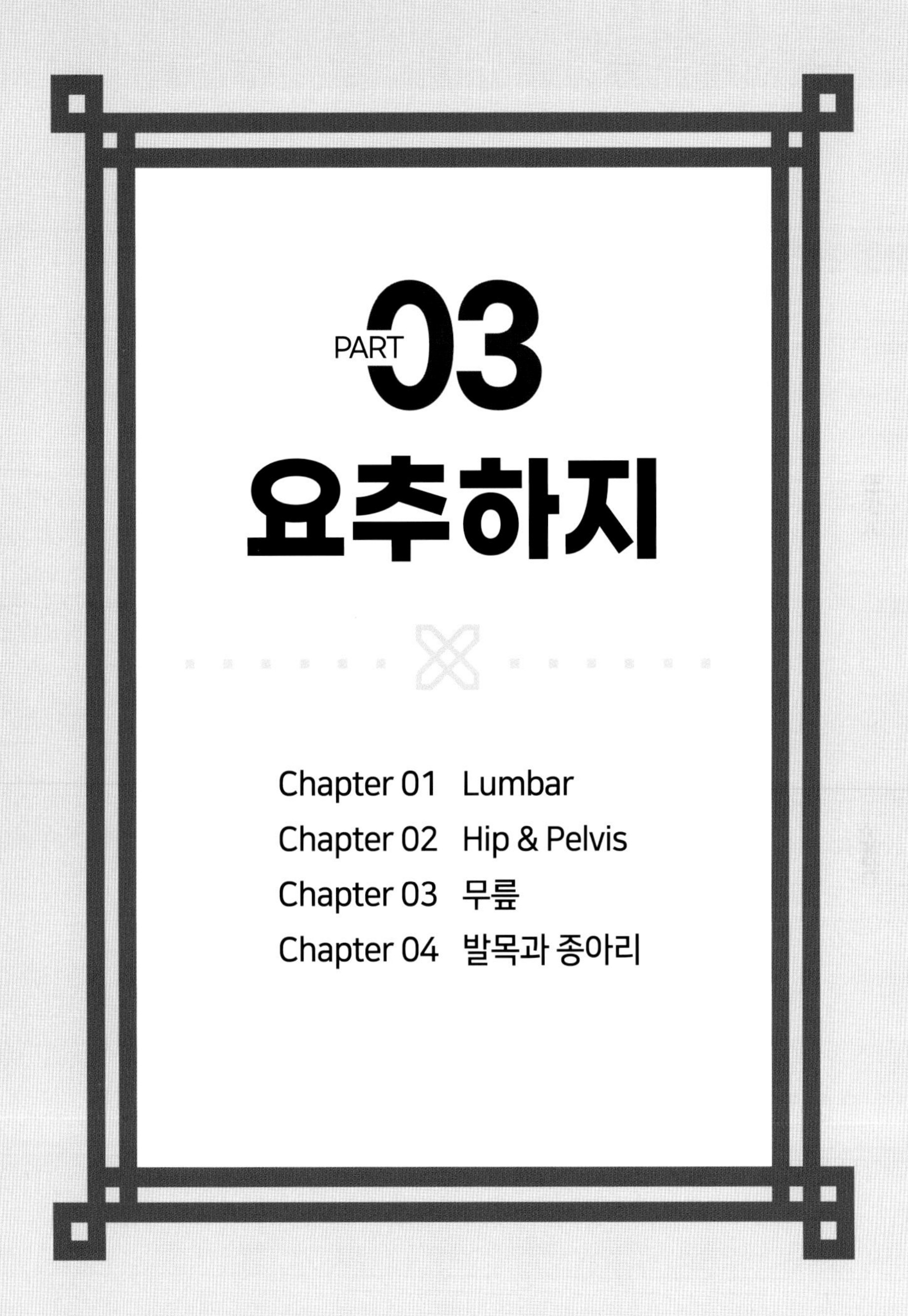

PART 03
요추하지

01 Lumbar

1 요통의 진단

"의사의 가장 큰 진단 목표는
비특이적 요통과 심각한 척추병변
혹은 신경근성 통증을 구별해내는 것이다."

*Rubinstein, Sidney M., and Maurits van Tulder.
"A best-evidence review of diagnostic procedures for neck and low-back pain."
Best Practice & Research Clinical Rheumatology 2008;22:471-82.

요통 환자가 내원했을 때 우리는 다음의 세 가지 상태를 먼저 감별해야 합니다.

- **비특이적 요통**(Nonspecific Low Back Pain)
- **요추신경근병증 혹은 척추관협착증**(Lumbar radiculopathy or spinal stenosis)
- **특이적 상태**(Red Flags)

그중에서 특이적 상태를 먼저 감별해서 마미증후군, 척추 감염, 종양 등의 심각한 상태를 해결할 수 있도록 해줍니다.

이들 질환은 소변을 볼 수 없다든지(마미증후군), 휴식 시 통증이 심하다든지(척추 감염, 종양 등), 점차 요추나 경추 가동 범위가 줄어든다든지(강직성 척추염), 외상의 기왕력과 한 점의 지속적인 통증(압박골절) 등의 독특한 증상들이 있습니다. 이들은 조금만 신경써서 알아두면 감별할 수 있으니 따로 잘 연구해두시기 바랍니다.

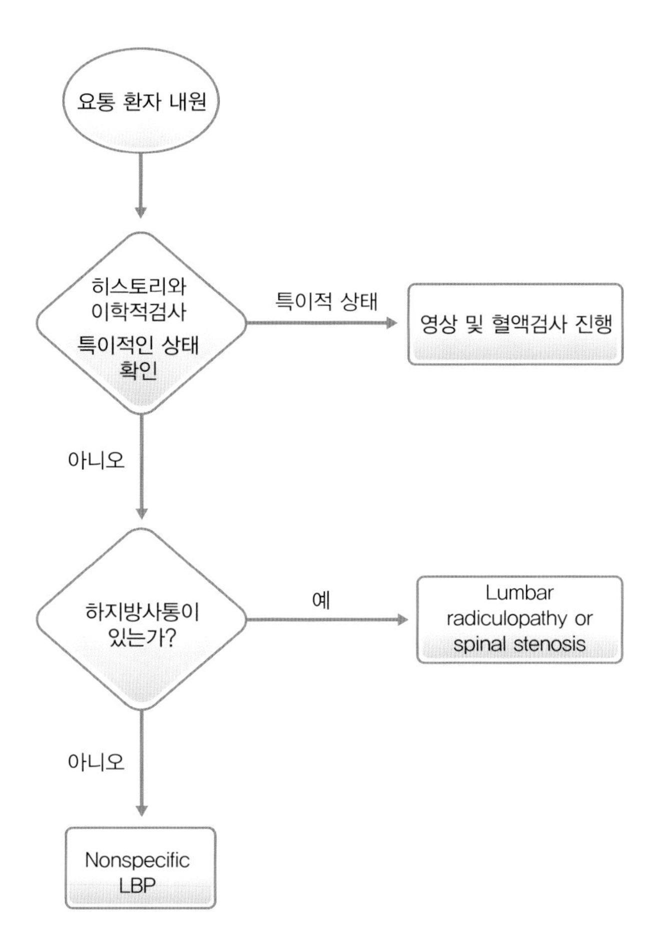

그림 3-1-1. 요통진단의 workflow

그 다음으로 환자가 하지 방사통을 동반한다면 신경근성 통증 및 척추관협착증의 여부를 감별해야 하고 질병이 진행된 상황에 따라 예후를 판단한 후 치료 방법을 결정해야 합니다. 대부분은 단순하게 요추와 주변 조직에 문제가 발생한 비특이적 요통인 경우가 대부분입니다.

병명	증상	유병률
Cauda equina syndrome	하지의 마비, 말안장 형태의 감각저하, 요폐증상(90% 민감도)	0.0004%
척추감염	발열, 혈관주사 기왕력, 최근의 감염: 경험상 치료에 반응이 없는 지속적인 증상 발현이 있음	0.01%
종양	암의 기왕력, 50세 이상, 급작스러운 체중 저하, 치료에 무반응	0.7%
강직성척추염	조조강직, 운동 후 개선, 보상적인 골반통	0.3%
압박골절	골다공증 기왕력, 스테로이드제 사용 이력, 고령	4%

표 3-1-1. 비특이적 요통의 종류와 증상, 유병률

요추 신경근 증상

신경자극 증상이 나타나면 환자들은 신경지배 영역을 따라 '예리한 통증, 둔감, 쑤심, 작열감, 욱씬거림' 등으로 불편함을 호소합니다.

허리에서 하지로 내려오는 방사통을 일반적으로 sciatica라는 증상명으로 표현합니다. 이들 sciatca의 85%가 nerve disc disorder에 기인합니다.

이들 증상이 더마톰을 따라서 나타난다면 해당 지역을 지배하는 신경에 영향이 있음을 예측할 수 있습니다. 대부분의 방사통은 추간판과 그 주변 구조물에 의해 발생됩니다. 하지만 누웠을 때도 증상이 더 심해진다거나 1개월간 치료에 대한 반응이 없다면 염증 혹은 신생물에 의한 손상도 배제할 수 없습니다. 이런 경우는 영상검사를 통해 정확한 진단을 합니다.

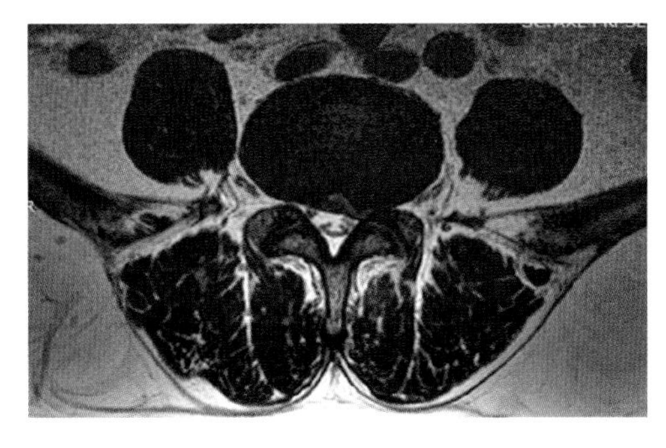

그림 3-1-2. 요추추간판탈출증의 영상

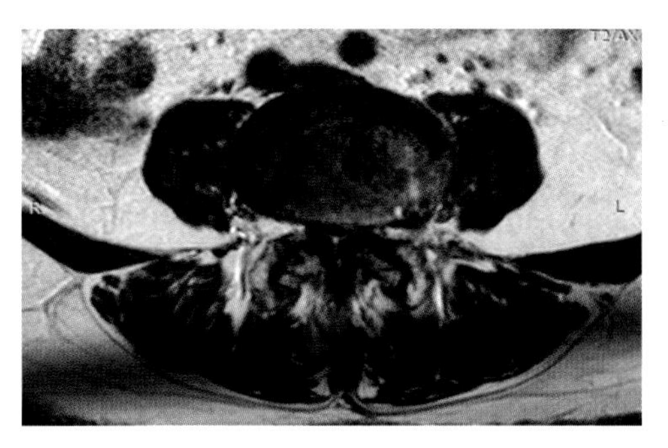

그림 3-1-3. 요추 협착증의 영상

부위	주요 증상 및 진단 포인트
요추추간판탈출증	신경분절을 따라 나타나는 하지방사통, 휴식 시에도 통증이 있을 수 있으며 특정 자세에 의해 유발되기도 한다. SLR test 등의 이학적 검사를 통해 신경근의 압박 여부를 체크한다.
요추 협착증	보행 시 하지방사통으로 휴식을 해야 하는 파행증상이 주 증상이다. 심한 경우 5분 이내의 파행을 호소하기도 하며 신경변성이 하지의 마목감 발바닥의 이상감각 수면시 발저림 등을 호소하기도 한다. 이상의 확인은 MRI, CT로 한다.

표 3-1-2. 추간판탈출증과 협착증의 진단

2 비특이적인 요통

방사통이 없는 일반적인 요통은 어느 부분이 문제라고 정확하게 구분해 내기 어렵습니다. 이렇게 명확하게 분류하기 어려운 비특이적인 요통은 요통의 85% 정도를 차지합니다. 급성은 물론 만성의 요통 환자가 모두 이 분류에 속할 수 있고 facet joints, muscle, ligaments, fascia 등의 다양한 병변이 포함되며 이들의 복합적인 요인도 고려해야 합니다(그림 3-1-4).

결국 환자가 오면 어느 부위의 문제인지 최대한 섬세하게 살피고 각 요소들의 특징을 명확하게 살펴서 하나씩 구분해 내는 수밖에 없습니다(표 3-1-3). 연구할 때는 하나하나 파트별로 배우되, 환자는 보통 한 군데의 문제만 가지고 오는 경우가 드물다는 것을 인지해야 합니다.

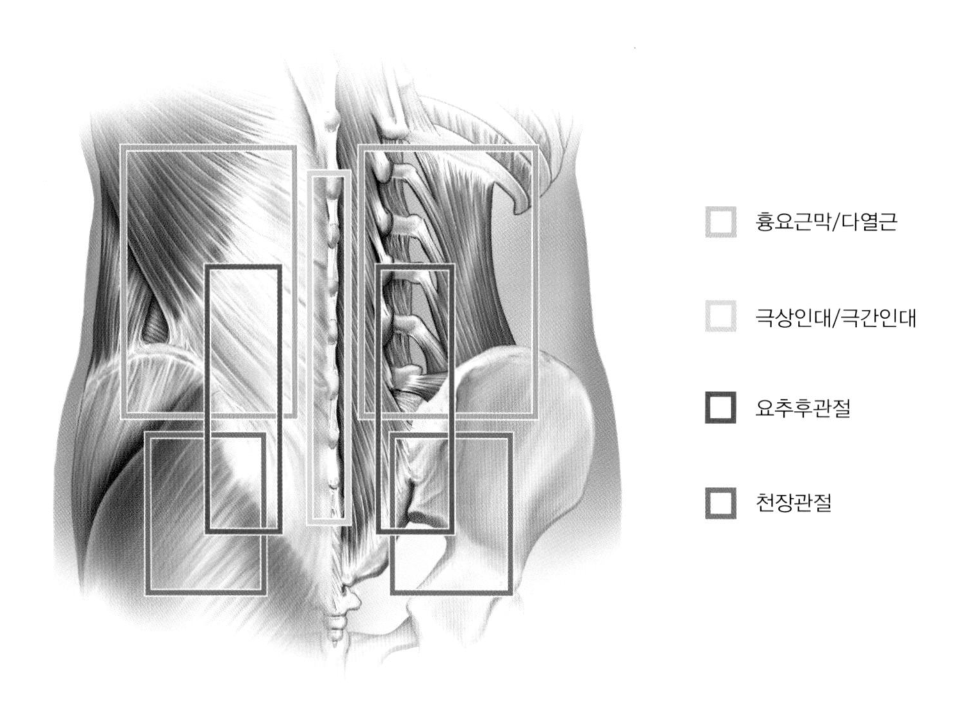

그림 3-1-4. 비특이적 요통의 압통점과 진단

부위	주요 증상 및 진단 포인트
흉요근막염좌 (Thoracolumbar strain)	요추부위 손상으로 허리의 과도한 굴곡 등 외상사(trauma), 육체노동이나 과도한 가사노동 등 과로
다열근 손상 및 지방변성 (Multifiuds)	• 만성적인 허리통증, 허리를 오래 펴고 있지 못한다. • 아침에 허리가 아프다, 움직이면 조금 낫다. • MRI상 다열근의 지방변성
극상인대 극간인대 손상 (Supraspinos/Interspnous ligament sprain)	• 극상인대 손상 - 허리 가운데 한 점의 시큰거림 혹은 베이는 듯한 통증 • 극간인대 손상 - 허리 신전/굴곡/회전 시 정중선의 통증
후관절통증 (Facet joint pain)	골반 및 대퇴로 방사되는 통증
천장관절통 (Sacroilliac joint pain)	후상장골극 인근, 천골과 장골면의 통증 및 뻐근함

표 3-1-3. 비특이적 요통의 주요 증상과 진단

3 흉요근막의 손상: 요추염좌의 단골손님(Thoracolumbar fascia injury)

키워드: #요통(Acute/chronic low back pain) #흉요근막(Thoracolumbar fascia,TLF)

특징

- 급성/만성 요통

히스토리

- 과도한 노동이나 갑작스러운 염좌
  반복되는 요통 및 염좌

증상

- 요추 굴곡

PE

- 요추기립근 천부의 긴장 및 압통
  요추굴곡의 저하

영상진단

- MRI상에서 파열 및 후유 상태 관찰가능
  초음파에서 두터워진 근막

1. 흉요근막의 해부학

흉요근막은 척추기립근을 싸고 있는 결체조직으로, 근육에 비해 혈액공급이 원활하지 않아 손상이 일어나면 회복이 더디며 반복된 손상과 과사용으로 인해 두터워지는 변형이 일어납니다.

흉요근막이 두터워지면 탄력이 떨어지고 허리의 뻣뻣한 감각과 굴곡과 신전 회전 등 운동에 불편함을 호소하게 됩니다.

그림 3-1-5를 보시면 등에서 방패 모양으로 흉추와 천골 부위에 이르기까지 넓게 근막을 형성하고 있으며 옆구리로는 광배근과 이어져 있고 위쪽으로는 흉추기립근에 이어져 있습니다. **그림 3-1-6**을 보시면 척추기립근을 천층과 심층에서 감싸고 있으며 앞쪽으로는 요방형근까지 포함하고 있습니다.

일반적으로 천층의 흉요추근막은 표피와 지방층을 뚫고 1 cm 내외로 접근이 가능합니다.

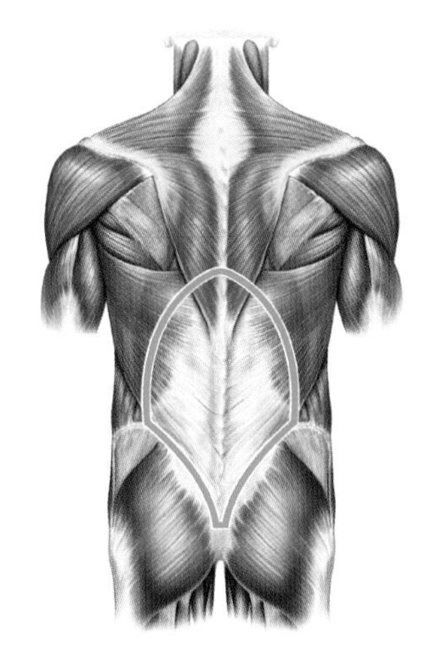

그림 3-1-5. 흉요근막의 분포:
하늘색 표시 부분

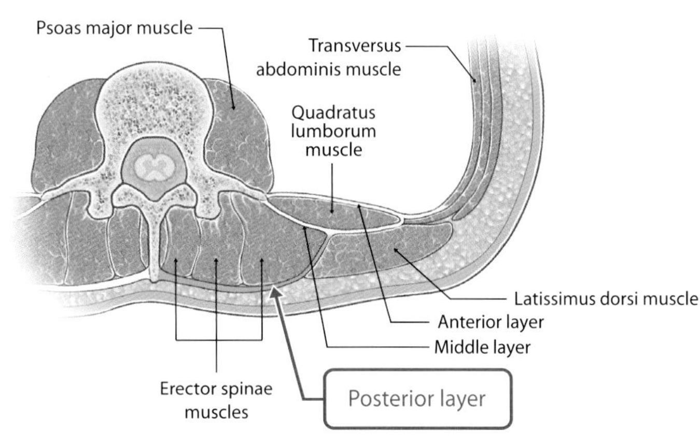

그림 3-1-6. 흉요근믹의 심부구조:
Posterior layer가 타겟입니다.

2. 흉요근막의 도침치료(그림 3-1-7, 8)

난이도 ★ 위험도 ★

체위

환자는 엎드립니다.

시술 포인트

환자가 통증을 호소하는 부위를 중심으로 넓고 얇게 압진을 합니다. 환자는 상태에 따라 강한 압통을 호소하는 점핑사인을 나타내거나, 압통 혹은 뻐근한 감각을 호소합니다. 의사는 압통 외에도 조직의 긴장감을 확인할 수 있습니다.

흉요추의 이행 부위(thoracolumbar junction)도 가볍게 보아서는 안 됩니다. 위로는 위수혈에서 삼초, 신수혈을 따라 천골 부위까지 옆으로는 방광경 2선의 지실혈 바깥 부위까지 꼼꼼하게 손상 부위 및 압통점을 찾아보도록 합니다. 초음파나 MRI상 손상이 확인이 된다면 해당 부위를 참고하여 압통점을 찾습니다.

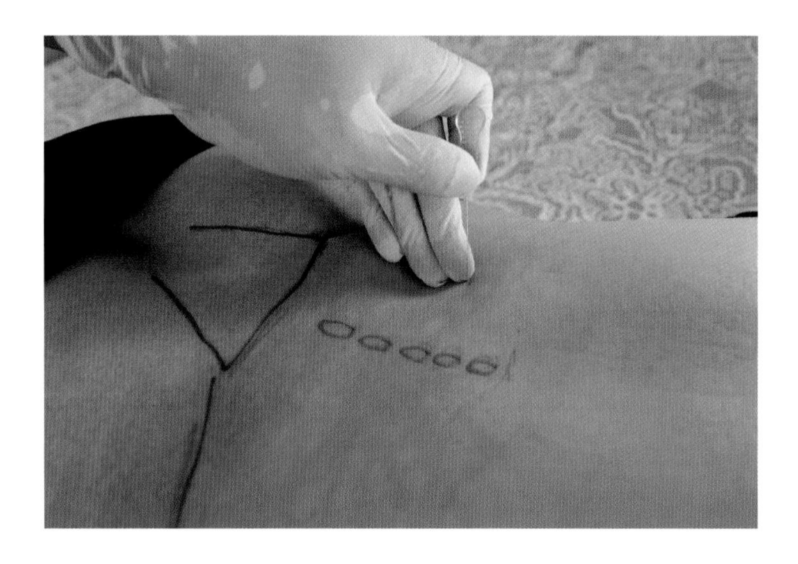

그림 3-1-7. 흉요근막 도침시술

자침 팁

- 흉요근막은 세 개의 층으로 되어 있습니다.
  우선 천층근막(posterior layer)을 목표로 해서 치료해보고 심층의 문제가 확실하다면 심부의 근막에 접근해 볼 수 있습니다. 급성요추염좌는 일반적으로 천층근막의 치료만으로 빠른 효과를 기대할 수 있습니다.
- 표피를 뚫고 처음 나타나는 저항점이 천층근막입니다.

위험도

- 천층근막을 목표로 한다면 1 cm 이하의 자입으로 치료가 가능합니다.
- 작은 직경의 도침을 이용해 최소자극을 원칙합니다.

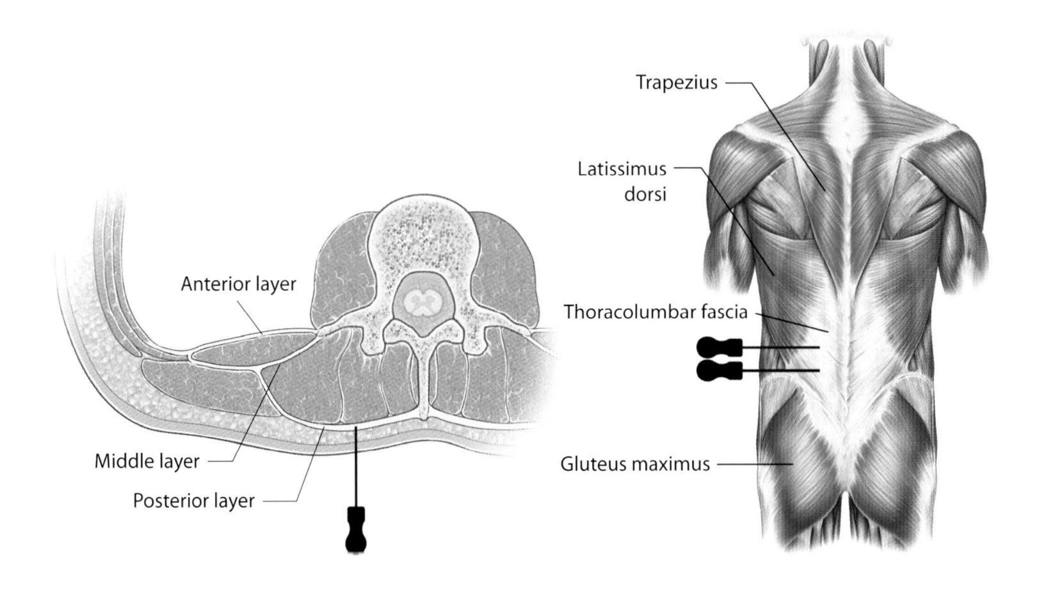

그림 3-1-8. 흉요근막 도침시술 포인트

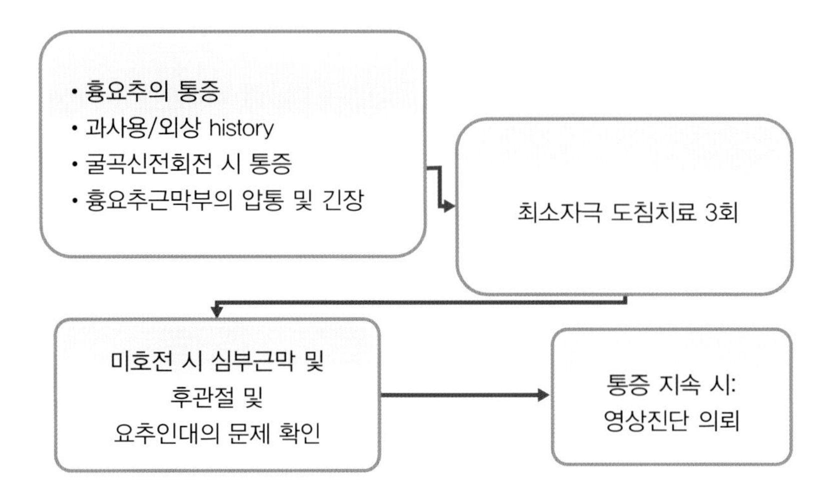

그림 3-1-9. 흉요근막 도침시술 포인트

4 극상인대 / 극간인대의 손상

키워드: #극상인대(Supraspinous ligament) #극간인대(Interspinous liagment)

특징

- 허리 가운데의 통증

히스토리

- 요추 부위 손상으로 허리의 과도한 굴곡 등 외상사(trauma)
- 육체노동이나 과도한 가사노동 등 과로

증상

- 극상인대 손상 - 초기: 허리 가운데 한 점의 시큰거림
  - 중기: 베이는 듯한 통증
- 극간인대 손상 - 허리 신전 시 통증
  때로는 굴곡 회전 시에도 척추 극돌기 간의 통증 호소

PE

- 극상인대 - 척추극돌기 인근의 압통이 비교적 얕고 명확,
  환자가 척추 중선에서 압통점을 손으로 짚어 냄.
- 극간인대 - 척추극돌기 간의 압통, 극상인대보다 심부

영상진단

- 고해상도의 MRI상에서 염증 및 파열 관찰 가능

1. 극상인대/극간인대의 해부학과 자침포인트(그림 3-1-10)

극상인대는 7 경추 극돌기상에서 기원하여 위로는 항인대, 아래로는 흉요추극돌기의 정점에 부착됩니다. L4 극돌기까지 내려오는 경우가 73%, L3 극돌기까지가 22%, L5까지 내려오는 경우는 5%에 불과합니다. L4 이하에서는 요천근막(lumbosacral fascia)과 구분하기가 쉽지 않습니다.

극상인대와 극간인대는 요추굴곡 시 과도한 굴곡이 발생하지 않도록 제한합니다. 그림에서 보듯 극상인대와 극간인대는 서로 연접해 있고 또 흉요근막과 척추기립근과 이어져 있습니다. 외상으로 인한 손상 시 후관절 부위는 물론 황인대 부위의 손상도 함께 발생하는 경우도 있습니다.

연구에 의하면 요추의 인대도 나이를 먹을수록 약화가 되며, 후관절의 퇴행이 진행될수록 극상/극간인대의 강도와 탄성이 떨어집니다. 요추의 안정성에 많은 관여를 하고 있는 인대인만큼, 요추 치료 시 손상 여부를 잘 파악해야 합니다.

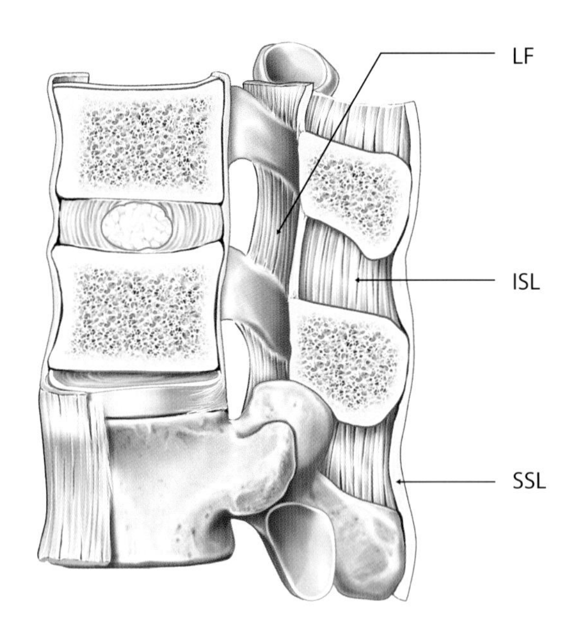

그림 3-1-10. 극상인대(SSL)와 극간인대(ISL)

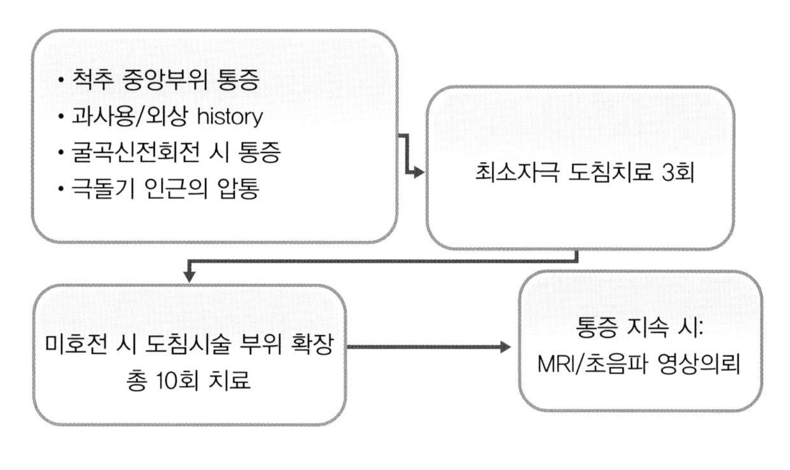

그림 3-1-11. Workflow

2. 극상/극간인대 도침치료(그림 3-1-12, 13)

난이도 ★★ 위험도 ★★

체위

환자는 엎드리고, 복부에 베개 등을 받쳐 요추 극돌기 간격을 느슨하게 해줍니다.

시술 포인트

환자가 통증을 호소하는 극돌기를 중심으로 압통점을 찾습니다. MRI에서 손상이 확인이 된다면 해당 부위를 참고하여 압통점을 찾습니다. 요추의 여러 분절에서 통증을 호소하는 경우도 있습니다.

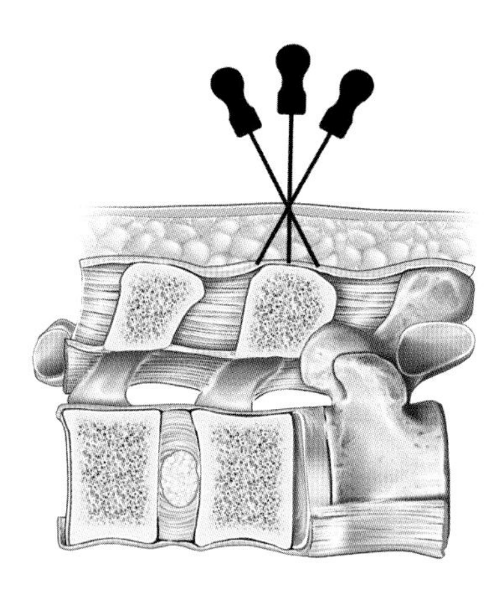

그림 3-1-12. 극상인대의 도침시술

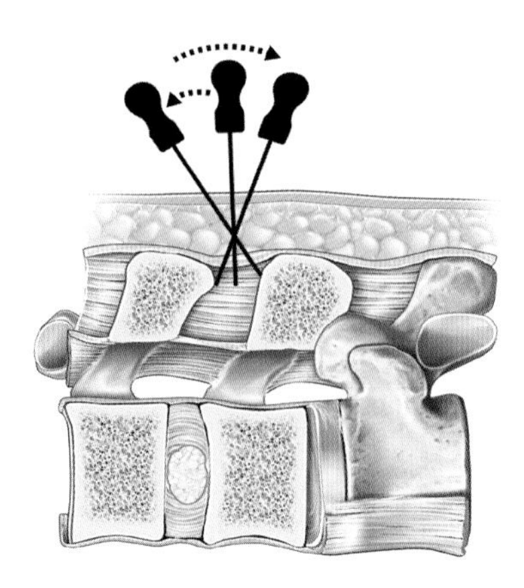

그림 3-1-13. 극간인대의 도침시술

자침 팁

- 극상인대는 극돌기 간을 잇는 얇은 인대이므로 극상인대를 포인트로 한다면 극돌기 간으로 깊이 들어갈 필요가 없습니다.
  특히 마른 사람이라면 얕게 자침하고 과도하게 자극 혹은 자입하지 않도록 해주세요. 극간인대는 극돌기 간의 비교적 넓은 부위인데 들어가는 각도에 따라서 목표점이 달라지므로 환자에게 적절한 체위를 취하도록 하고 손상 부위를 잘 측정해서 들어가도록 합니다.
- 극간인대는 생각보다 뻑뻑하며 환자에게는 시큰한 자극이 있습니다.

위험도 ★★

- 극간인대의 과도한 박리는 요추의 불안정성과 무력감을 유발할 수도 있습니다.
- 5 cm를 넘어 심부로 도침을 넣으면 척추강으로 도침이 자입될 수 있고, 이 경우 뇌척수액 누출 및 혈종으로 인한 하지마비 등이 유발될 수 있습니다.
- 과도한 자극 및 심자를 피해주세요.
- 0.5×5 cm 사이즈 이하의 도침을 사용하여 가볍게 최소자극을 원칙으로 자침합니다.

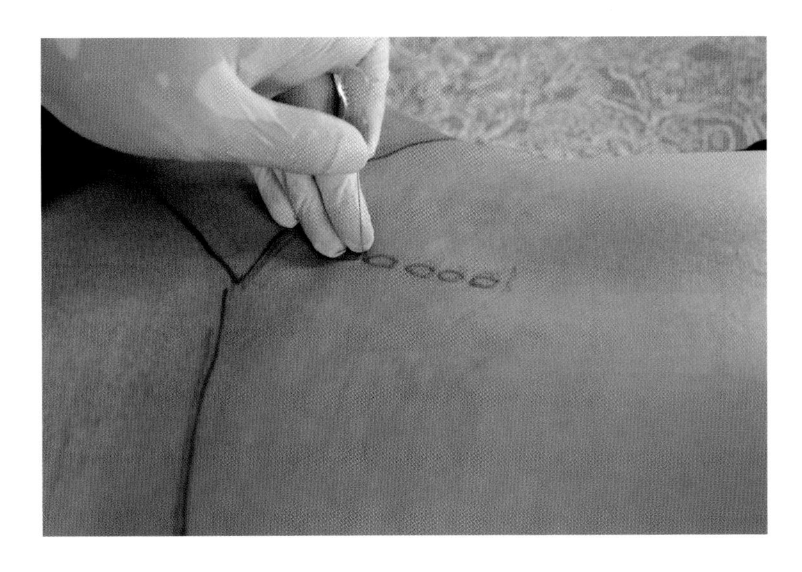

그림 3-1-14. L4/5 극간인대의 도침시술

5 만성요통의 접근 - 다열근 손상의 치료(Multifidus Injury)

요추의 안정성에 중요한 근육을 하나 고른다면 다열근이 첫 번째입니다. 다열근은 척추의 중립자세(neutral zone) 시 척추를 단단하게 유지하는 역할의 2/3 이상을 맡고 있습니다. 따라서 최근 다열근의 강화에 대한 다양한 연구가 많이 진행되고 있습니다.

MRI상 별다른 이상이 없는 만성요통 환자의 경우 다열근의 지방침착 혹은 위축이 발견되는 경우가 종종 있었습니다. 경험상 이 부위에 대한 장기적인 도침 및 전침자극이 요통 회복에 양호한 반응을 보였습니다. 아직은 도침치료에 대한 다양한 근거가 축적되지 않았지만 만성요통의 중요한 해결 포인트와 연구과제가 될 것으로 보고 다열근의 접근법을 정리해 봅니다.

1. 다열근의 해부학과 자침 포인트(그림 3-1-15, 16)

다열근은 척추의 lamina를 감싸고 척추후면의 가장 핵심에 자리한 근육입니다. 척추후면에서 극돌기 측면으로 후관절 범위의 안쪽까지가 다열근의 범위라고 할 수 있겠습니다. 소위 말하는 화타협척혈과 척추극돌기 쪽의 범위로 보시면 됩니다.

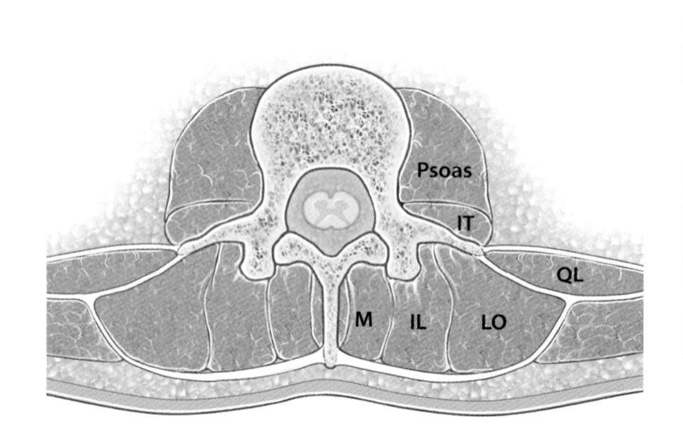

그림 3-1-15. 다열근의 해부학 :
다열근(multifidus)은 척추를 직접 감싸고 지지해줍니다.

M: multifidus, IL: Iliocostalis, Lo: longissimus,
QL: quadartus Lumborum, IT: intertrasversali

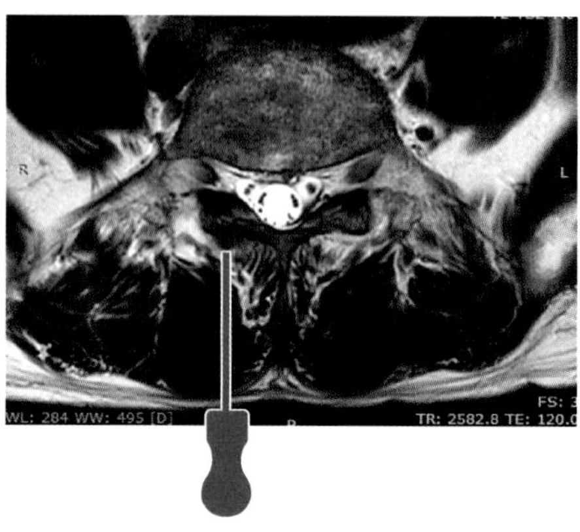

그림 3-1-16. 다열근의 변형과 도침 포인트

2. 다열근 도침치료 난이도

난이도 ★★ 위험도 ★★

체위

복와위

시술 포인트

다열근의 변이는 L5/S1 레벨이 많습니다.

하위요추의 극돌기와 후관절 부분을 체크하여 그 사이를 도침으로 심자합니다. MRI상 변형이 확인이 된다면 해당 부위를 참고하여 압통점을 찾습니다.

시술 깊이 / 횟수

3–4 cm 4–5회

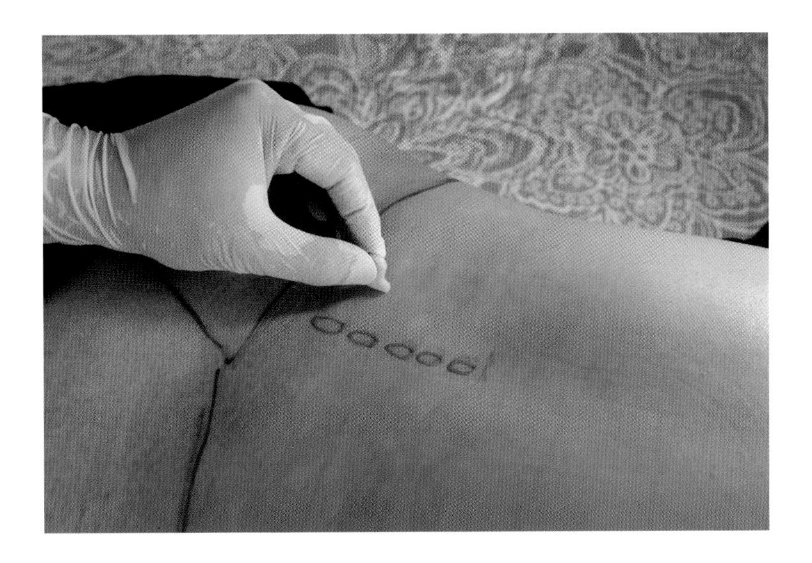

그림 3-1-17. 다열근 도침치료

자침 팁

다열근의 변형 부위는 비교적 심부에 위치하므로 lamina를 향하여 3–4 cm 깊이로 자입합니다.

위험도 ★☆

- 황인대 너머로 도침을 자입하면 척추강으로 도침이 자입될 수 있고, 이 경우 뇌척수액 누출 및 혈종으로 인한 하지마비 등이 유발될 수 있습니다. 정확한 자입 방향과 적절한 깊이 조절로 문제가 발생하지 않도록 합니다.
- 과도한 자극 및 심자를 피해주세요.

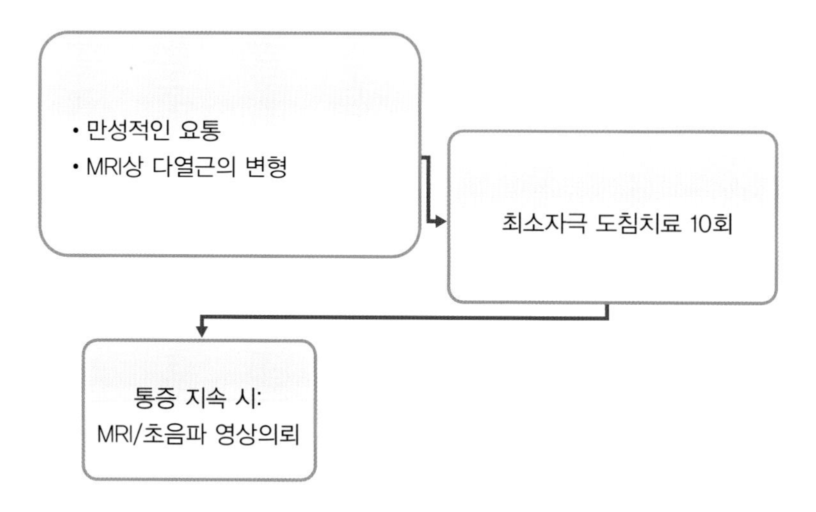

그림 3-1-18. Workflow

6 후관절증후군: 요추 퇴행의 건널목(Facet joint syndrome)

키워드: #Facet joint pain #Zygapophysial joint pain #Facet joint syndrome

특징

- 만성 요통 및 골반 대퇴 부위의 방사통

히스토리

- 과도한 노동이나 잦은 요추 염좌

증상

- 휴식 시 혹은 허리를 움직일 때 통증, 앉았다 일어날 때 허리를 펴기 힘듦
- 허리를 펴지 못해서 한동안 고생함
- 골반대퇴 부위의 방사통이 있음

PE

- 만성요통의 15-30% 정도를 차지함

영상진단

- X-ray상 관절 부위의 석회화 및 두터워진 변형
- CT, MRI상 관절의 퇴행성 변화, 활액낭의 염증

1. 후관절의 해부와 생리

허리뼈는 앞쪽에서는 추체(vertebral body)를 통해 디스크를 사이에 두고 이어져 있고 뒤쪽은 후관절을 통해서 관절 구조를 형성하고 있습니다. 후관절의 관절 부위에는 연골이 형성되어 있고 각 관절 사이에 작은 관절낭이 있어 충격을 완화하고 있습니다. 이러한 관절 후면을 인대로 감싸 단단히 잡아주고 있는 구조가 요추 후관절입니다. 후관절은 신경근 뒤쪽 가지의 내측지(medial branch of dorsal ramus) 신경지배를 받아 척추의 관절운동상태를 받아들이는 감각신경이 풍부하게 분포되어 있습니다(**그림 3-1-20**). 도침시술을 위해 후관절의 관절면 각도를 주의깊게 관찰해주세요.

요추에서는 **그림 3-1-19**에서 보시는 바와 같이 관절면의 모양이 상위요추에서는 직각을 이루다가 점차 옆으로 각도가 완만해지는 것을 볼 수가 있습니다. 후관절 퇴행의 도침시술 시 이와 같은 각도를 참고하여 시술해야 합니다.

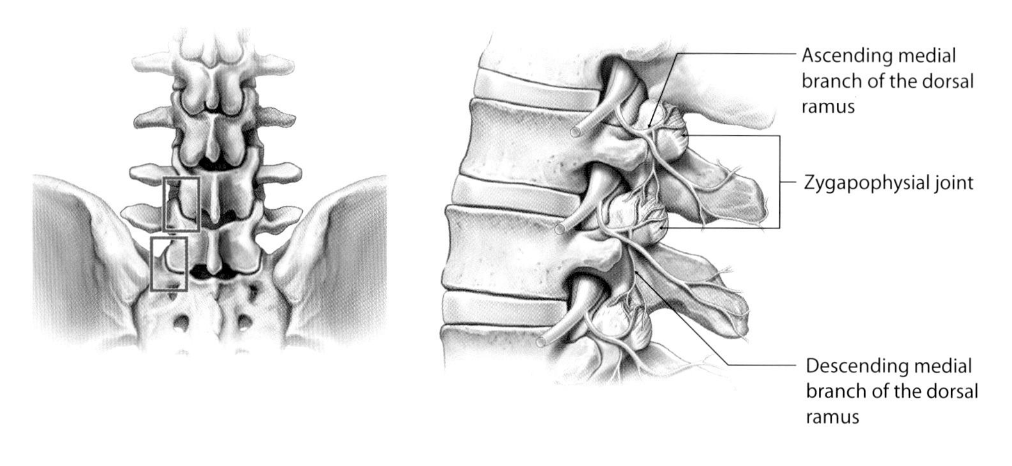

그림 3-1-19. 요추 후관절의 구조

그림 3-1-20. 후관절의 신경분포 : 풍부한 신경분포로 요통의 중요한 통증 기원처가 됩니다.

2. 후관절의 병리

➡ **급성**: 과도한 허리의 비틀림, 무거운 물건 운반을 반복 → 관절주변 인대 염좌와 만성손상이 빈발

➡ **만성**: 나이가 들면서 앞쪽의 디스크 높이가 감소 → 관절의 접촉면이 점차 늘어나 관절연골의 마모

: 후관절의 병변은 관절인대의 손상과 관절 퇴행의 복합적인 과정의 결과물

위와 같은 과정을 통해 관절을 잡아주는 인대가 약해지고 관절의 접촉면이 과도하게 넓어지면서 마찰이 반복되면 관절낭의 염증이 발생합니다. 그럴 때 후관절 부위의 통증이 나타나게 되는데, 염증 상태에 따라서 빼근한 통증부터 욱씬거리는 느낌까지 다양한 통증이 유발될 수 있습니다.

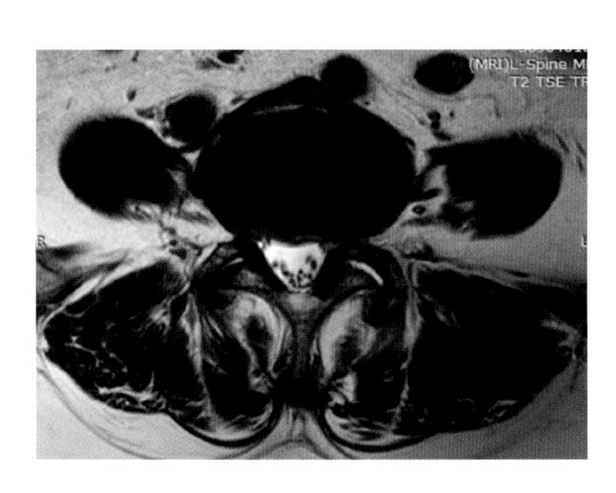

그림 3-1-21. 후관절의 염증 :
좌측 후관절의 염증 상태를 확인할 수 있습니다.

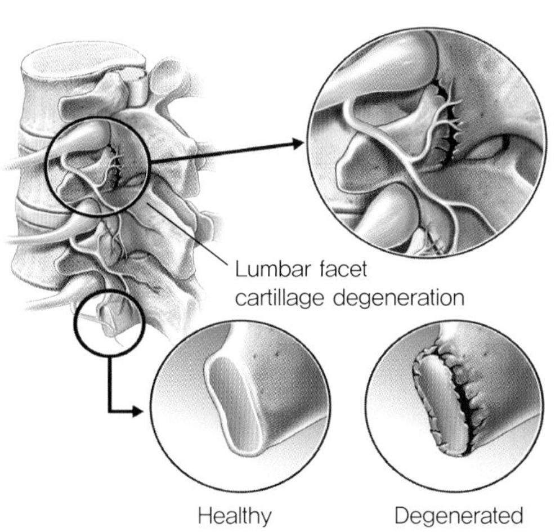

그림 3-1-22. 후관절의 퇴행성 관절 변화

3. 후관절의 변형과 도침

관절의 아탈구와 마모, 염증이 반복되면 이를 보상하기 위해 관절을 둘러싼 뼈가 두터워지게 됩니다. 이 과정은 느슨해진 관절을 잡아주기 위한 인체의 보상반응이지만 역으로 관절의 운동성이 저하되어 휴식 후 허리를 편다거나 아침에 자고 일어나서 허리를 펴려고 하면 관절이 뻑뻑해서 운동이 안 되는 문제가 발생합니다. 이 경우 후관절 내에 도침을 삽입하는 관절강 내 도침술을 고려해 볼 수 있습니다.

이와 같이 후관절은 통증과 방사통을 주증상으로 하는 활액낭의 염증단계부터 관절의 퇴행성 변화로 운동에 장애가 발생하는 단계까지 다양한 상태가 존재할 수 있습니다. 퇴행성 질환인만큼 예후를 수개월 정도로 잡고 필요한 경우 영상검사를 통해 정확한 평가를 통해서 치료 계획을 세우는 것이 바람직합니다. 비교적 난이도가 있지만 이 정도까지는 일반적인 도침치료로 호전을 기대할 수 있습니다.

4. 후관절의 도침치료(그림 3-1-23~25)

난이도 ★★★ 위험도 ★★

체위

환자는 편하게 엎드립니다.

시술 포인트

시술할 후관절을 정확하게 정합니다(예: 좌측 L4/5 후관절). 관절의 퇴행 부위를 X-ray 등으로 확인하고 진행하는 것이 더 좋습니다. 일반적으로 환자의 증상과 영상의 관절퇴행 부위가 일치하는 경우가 많습니다. 특정 관절에 문제가 있다면 환자가 해당 관절을 짚는 경우도 많습니다. 숙련되면 압통점과 더불어 관절의 두터워진 변화를 압진을 통해 찾아낼 수 있습니다.

자침 테크닉(도침: 0.5 mm×5 cm 이상)

- 다음 페이지의 표를 참조하여 후관절 부위까지 도침을 자침합니다.
- 확실한 포인트를 찾지 못하겠으면 일단 5 cm 혹은 그 이상 되는 길이의 호침을 사용해서 자침을 해보고 그것을 가이드라인 삼아 도침을 자입합니다.
- 후관절에 닿으면 인대 특유의 쫀득한 느낌이 침첨에 느껴집니다.
- 환자는 시큰하다는 표현 혹은 약간의 하지방사를 호소하기도 합니다.
- 가볍게 자극 후 발침하거나 유침 후 발침합니다.

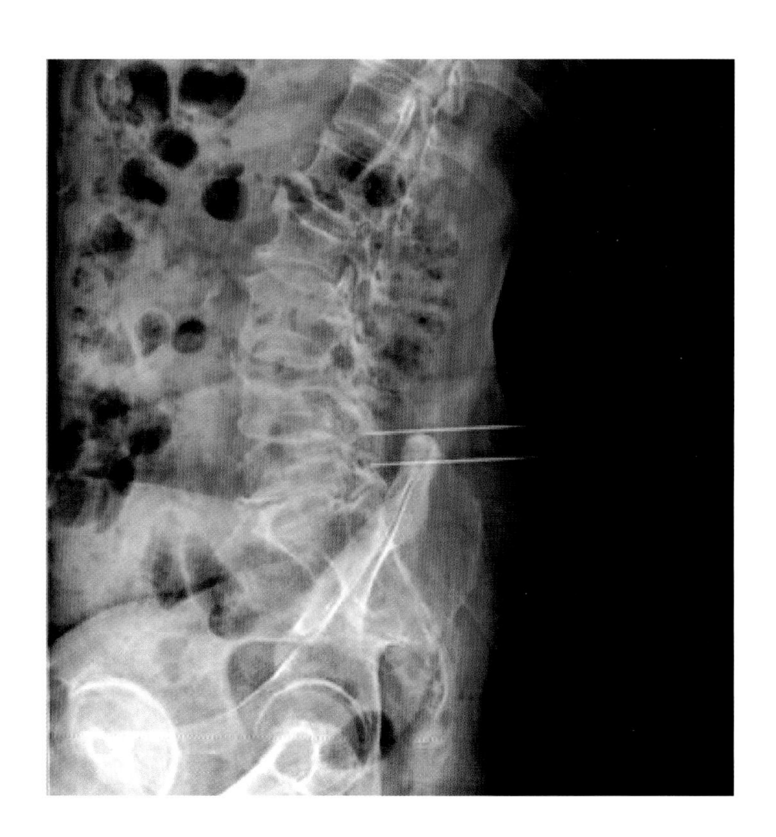

그림 3-1-23. 0.1×8 cm 도침을 이용한 L4/5 L5/6 후관절 도침술

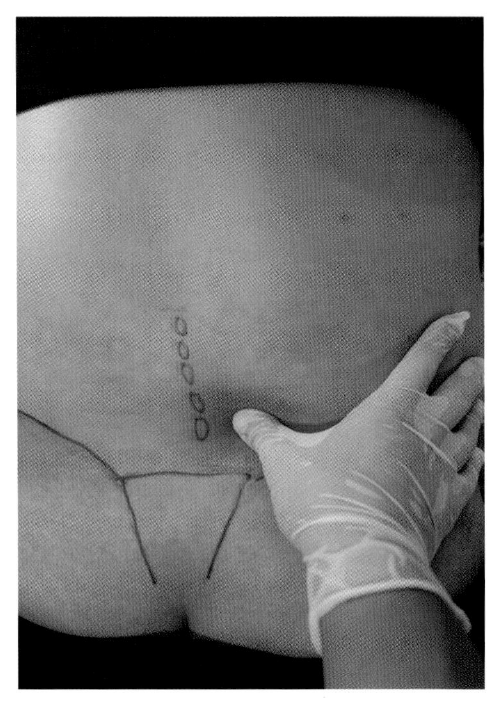

그림 3-1-24. 후관절 찾기 :
후관절은 각 극돌기 하단을 이은 선상에 존재합니다.

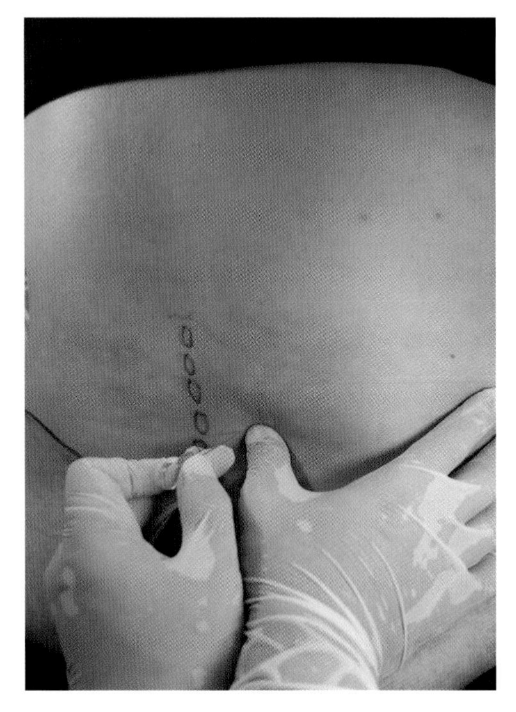

그림 3-1-25. 후관절 도침 자입

	최솟값	최댓값	평균
L34극돌기-후관절 거리	14.2	26.2	19
L45극돌기-후관절 거리	16.2	28.2	22
L56극돌기-후관절 거리	20.2	31.9	26.2
표피-L34후관절 깊이	32.5	74.8	50
표피-L45후표피-L45후관절 깊이	33.5	73.8	53.4
표피-L56후관절 깊이	30.0	80.9	51.7

표 3-1-4. 요추 후관절 극돌기 간의 거리와 표피로부터의 깊이(단위: mm)

표 3-1-4는 필자가 근무했던 병원에서 30여 명 남녀 환자의 X-ray에서 후관절 깊이를 측정한 표입니다.

L34에서 L56로 갈수록 극돌기와 후관절의 거리는 증가하며 그 편차는 대략 12 mm 정도 됩니다. 따라서 극돌기를 먼저 찾고 극돌기의 끝에서 옆으로 제시된 거리 정도만큼에서 후관절을 눌러서 찾아보고 이후 침을 삽입하여 해당 깊이 레벨에서 관절 부위를 섬세하게 찾아보도록 합니다.

보이지 않는 깊은 곳이므로 익숙해지는 데 시간이 걸리며 난이도가 높은 테크닉입니다.

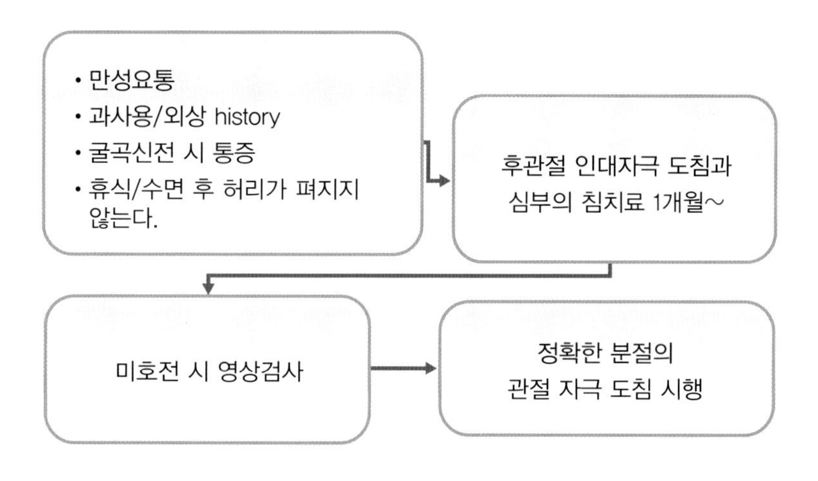

그림 3-1-26. Workflow

7 천장관절통 : 요추 퇴행의 건널목(Sacroiliac Joint Pain)

키워드: #Sacroiliac joint pain

특징

- 천장관절 부위의 통증 및 압통

히스토리

- 과도한 노동이나 잦은 요추 염좌

증상

- 아래허리 및 골반 부위의 통증
- 골반릉을 따라 바깥쪽 혹은 천골측(후면)을 따라서 통증

PE

- 만성요통의 15-25% 정도를 차지함

영상진단

- Red flags의 감별을 위해 활용할 수 있음

1. 천장관절의 해부와 병리

천장관절은 골반과 척추천골 간의 깊고 긴 관절 부위입니다. 천골과 장골은 활막관절을 이루고 있고 그 후면을 두터운 인대가 잡아주고 있습니다(**그림 3-1-27**). 이 부위의 운동과 기능은 주위의 대둔근, 중둔근, 이상근 등 골반의 근육, 허리의 기립근, 다열근과 함께 유기적으로 복합적인 관절운동을 하는 부위인만큼 통증 부위 또한 다양하게 나타날 수 있습니다. 따라서 천장관절의 문제는 골반의 통증과 함께 관절 부위, 아래허리, 하지의 연관통을 유발할 수 있습니다.

공식적인 진단 자체는 영상검사나 히스토리 등으로 진단을 내리기 어려운 질병으로 국소마취를 통해 유관된 부위의 통증이 해소되는 경우 천장관절통으로 진단을 내립니다. 그만큼 연조직의 손상으로 인한 nociceptive pain이 주된 부위라고 해석할 수 있을 것입니다.

도침시술 시 비교적 안전한 부위로 두터운 인대를 제외하고는 주요 구조물이 천골과 장골로 잘 보호되어 있습니다.

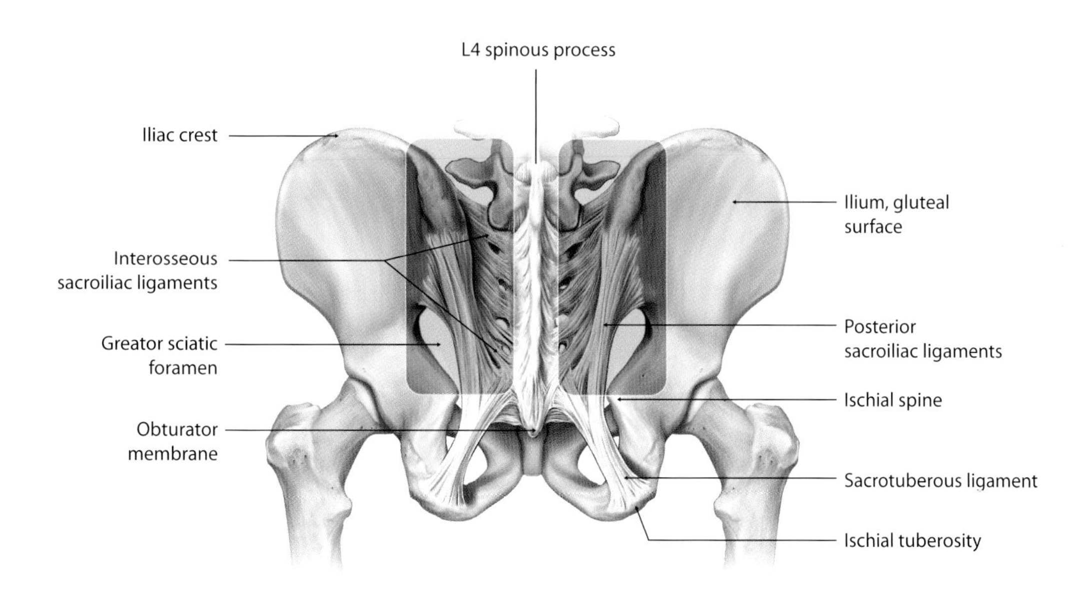

그림 3-1-27. 천장관절의 해부도

2. 천장관절의 도침치료(그림 3-1-28~31)

난이도 ★ 위험도 ★

체위

환자는 편하게 엎드립니다.

정점

천골과 장골의 관절면 PSIS 인근

날 방향

관절면으로 날은 인체의 종축으로, 진행 방향은 천장관절에서 대퇴골 방향으로 사선으로 (그림 3-1-28 참조)

시술 깊이 / 횟수

초기에는 압통점 인근의 천층 시술 후, 반응이 없으면 관절 심부까지 4-5 cm 자입, 2-4회

자침 팁

관절 내로 자입 시 뼈에 걸린다면 천장관절의 모양을 다시 확인하고 도침의 날 방향을 조정해서 5 cm 도침이 전부 자입될 수 있도록 해주세요. 압통점으로 도침이 온전히 자입되는 가운데 인대 특유의 저항감이나 투두둑 하는 소리가 들린다면 2-3회 종행박리해줍니다.

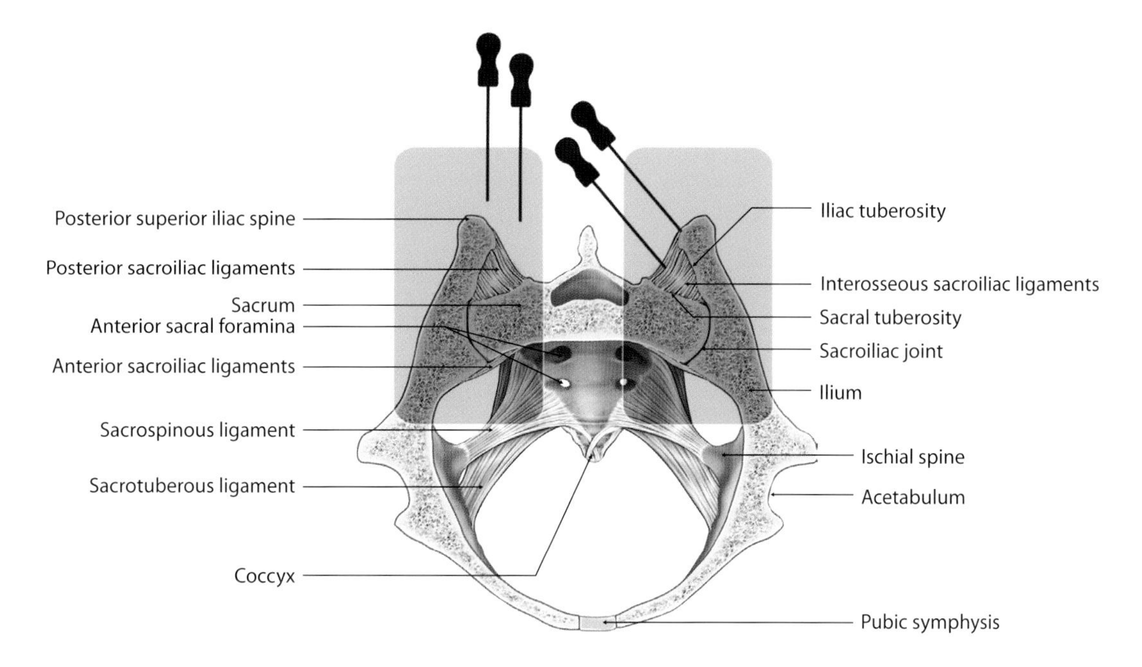

그림 3-1-28. 천장관절의 도침 자입 : 좌측처럼 직각으로 하면 천장관절 내로 자입되지 않습니다. 우측처럼 관절을 향해서 사자해야 합니다.

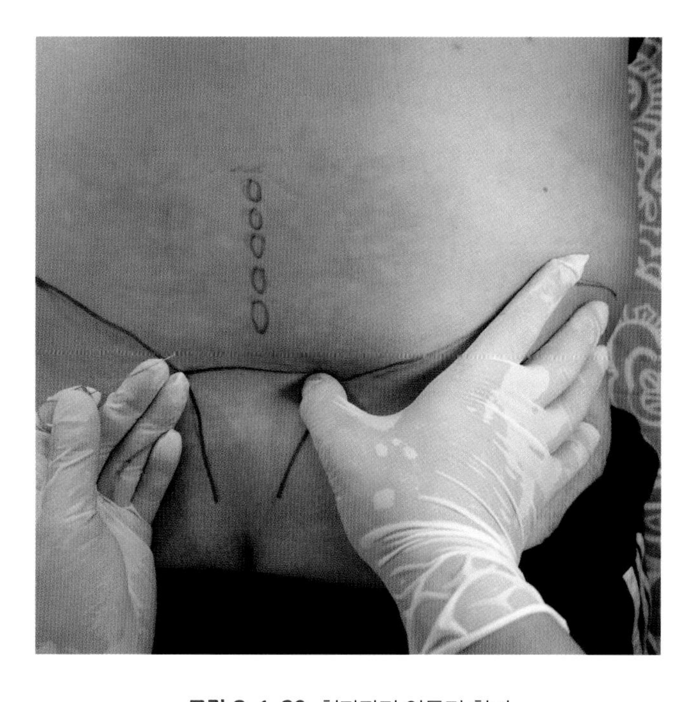

그림 3-1-29. 천장관절 압통점 찾기

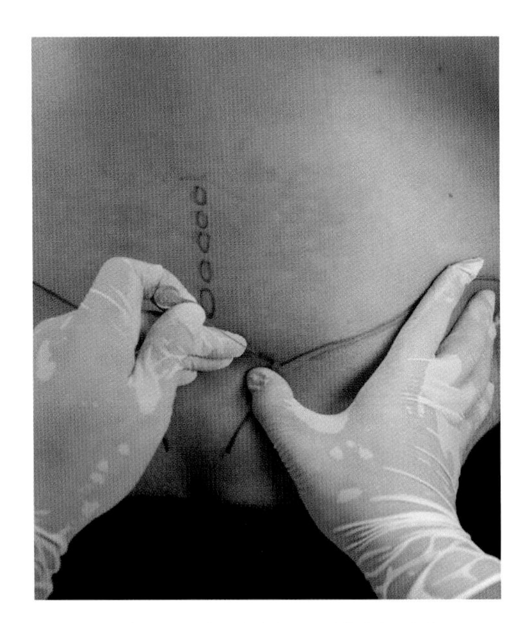

그림 3-1-30. 천장관절 도침시술 방향

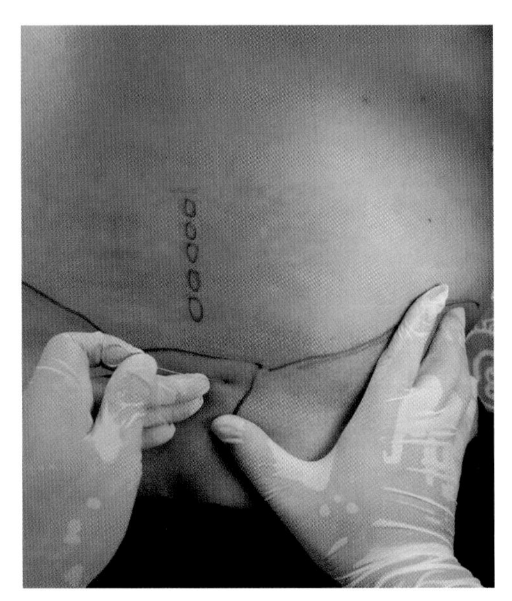

그림 3-1-31. 천장관절 도침시술 방향 2

8 디스크와 협착증의 치료

이 장의 서두에서 우리는 요통 환자를 보았을 때 다음과 같은 세 가지를 구분해서 치료해야 한다고 하였습니다.

- 비특이적 요통(Nonspecific Low Back Pain)
- 요추신경근병증 혹은 척추관협착증(Lumbar radiculopathy or spinal stenosis)
- 특이적 상태(Red Flags)

인체는 태어나고 성장하고 노화하기 마련입니다. 급성 디스크 탈출 등 과도한 일시적 손상으로 요추신경근병증이 유발될 수도 있지만, 대단한 손상이 아니더라도 나이가 들면서 요추의 문제가 누적되기 마련이고, 점차 요추신경근병증과 척추관협착증으로 진행됩니다.

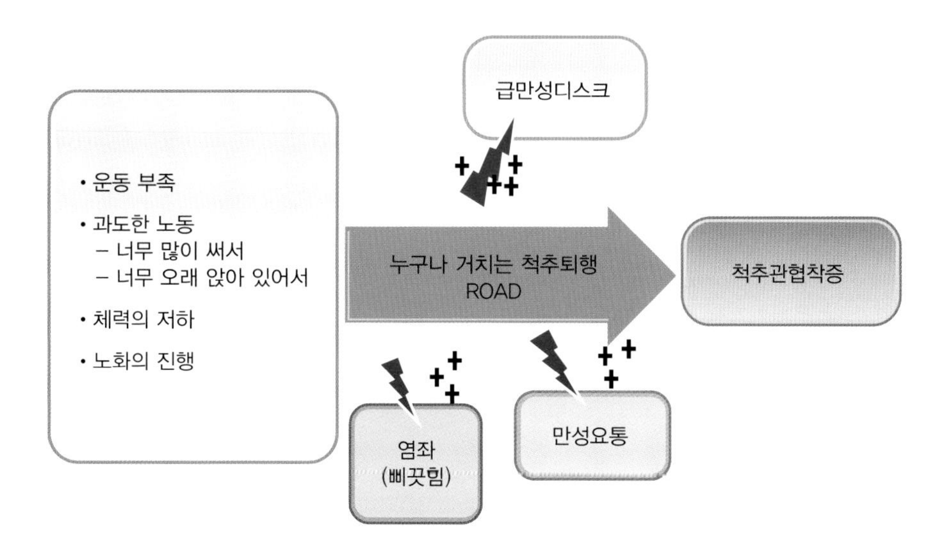

그림 3-1-32. 누구나 거치게 되는 척추퇴행의 과정

그림 3-1-29에서 잘 설명되어 있듯, 척추가 퇴행하는 이유는 운동이 부족하거나, 너무 과도하게 사용하였거나, 체력이 저하되어 순환과 재생이 적절하게 이루어지지 않는 등의 다양한 원인을 가지고 있으며 누구나 겪는 노화의 과정으로 자연스럽게 이루어지는 것입니다.

척추관 바깥의 구조물은 물론 척추관 안쪽에 대한 상태도 고려해야 합니다.

따라서 허리에 신경근병증이나 척추관협착증이 발생했다면 지금까지 공부한 근육 근막 인대 관절에 대한 손상에 더해 척추관 안쪽의 구조적인 손상과 변형이 더해져 있는 상태라는 것을 이해해야 합니다. 치료 또한 비특이적인 손상에 대한 치료 방법을 바탕으로 하여 척추관 안쪽의 회복을 도모하는 치료법이 병행되어야 합니다.

요추신경근병증의 치료는 후관절 도침술이 훌륭한 대안이 될 수 있습니다.

요추신경근병증, 흔히 말하는 추간판탈출증 혹은 내장증으로 인해 발생하는 신경자극 증상은 **요추 6장**의 후관절증후군에 대한 치료가 필수적입니다. 모든 환자가 해당 치료로 호전되는 것은 아니지만 과도한 통증으로 수면장애가 있는 정도가 아니라면 3-6주 정도의 후관절 도침치료로 상당부분 호전을 기대할 수가 있습니다.

척추관의 협착 ≠ 파행

척추관협착증은 척추관의 공간이 협착되어 발생합니다. CT나 MRI 촬영 결과를 바탕으로 진단하는데, 촬영된 영상에서 척추관의 공간이 좁아져 척추관의 협착을 진단받았다고 할지라도, 이는 영상에서 척추관이 좁아진 소견을 바탕으로 한 진단일 뿐 모든 환자에게서 파행이 발생하는 것은 아닙니다. 따라서 척추관협착증 진단을 받은 환자라도 환자가 파행이 아닌 요통 등 국소적인 불편함을 주소증인 경우 앞에서 언급한 치료법들을 위주로 하여 허리 근육과 관절에 대한 치료를 병행한다면 증상의 개선을 기대할 수 있습니다.

척추관협착증으로 인한 파행의 경우 100% 회복을 장담할 수는 없습니다.

하지만 100m도 걷지 못하고 주저 앉아서 쉬어야 한다는 등 심각한 파행이 주소증인 환자라면 치료기간도 길어질 수 있고 예후도 100% 장담할 수는 없습니다. 그만큼 척추에서 가장 퇴행이 많이 진행된 상태이고, 병의 원인도 황색인대가 두터워져 척추관 내에 단단한 찌꺼기가 끼인 것처럼 공간자체가 좁아져서 발생한 것이기 때문입니다. 후관절 치료를 통해서 파행이 개선되는 경우도 적지 않지만, 4주 이상의 치료에도 파행이 회복되지 않는다면 척추관 내의 문제를 해결해 줄 다른 치료법을 안내해드리는 것이 좋습니다.

도침으로 황색인대 등 척추관 안쪽을 치료하는 것은 추천하지 않습니다.

중국의 침도치료법 중에 황색인대나 추간공을 목표로 한 치료법을 사용하는 경우도 있습니다. 하지만 해당 부위까지 칼날이 달린 도침을 사용해 진입하는 것은 안전하지 않습니다. 비교적 가벼운 부작용인 뇌척추액 누출에서 심각하게는 척수나 신경근의 손상이 발생하는 것을 배제할 수 없기 때문입니다.

02 Hip & Pelvis

1 대전자 통증 증후군(GTPS)

특징

- 골반 부위의 통증

히스토리

- 과동한 노동, 운동 시 손상, 외상

증상

- 대전자, 둔부 또는 대퇴 외측의 통증과 압통

PE

- 해당 부위의 압통

영상진단

- MRI상에서 중둔근과 소둔근의 tendinopathy 관찰 가능

대전자 통증 증후군(greater trochanteric pain syndrome, GTPS)은 요추 신경근 압박과 유사한 대전자, 둔부 또는 대퇴 외측 부위의 통증 및 재현 가능한 압통을 특징으로 하는 증후군입니다. 이 경우 MRI상 중둔근과 소둔근의 tendinopathy가 함께 관찰되고, 임상에서 해당 부위의 통증과 압통이 있는 경우 이 부위의 힘줄과 근막의 손상으로 인한 것으로 보고 치료할 수 있습니다.

GTPS의 진단은 종종 놓치기 쉽지만 요통 환자 중에 골반 부위의 통증이 함께 나타나는 경우가 20% 정도에 달합니다. 골반의 압통과 통증 부위를 정확히 감별하여 도침치료를 한다면 빠른 효과를 기대할 수 있는 곳입니다.

1. 엉덩이 근육의 해부학과 치료 포인트

임상에서는 중둔근의 origin, 골반릉 인근의 근막부위에서 통증과 압통이 많이 발견됩니다(**그림 3-2-1** 검은색 마킹). 한편으로는 증상이 심해지고 만성화가 된 경우 중둔근의 insertion인 대전자 부위에서 통증과 압통이 발견되는 경우가 많습니다(**그림 3-2-1** 푸른색 마킹). 대전자 부위에서 통증이 발생하는 경우 고관절의 문제가 있을 가능성이 있기 때문에 고관절 가동검사와 함께 고관절의 문제를 심도있게 체크하여 치료를 진행하셔야 합니다.

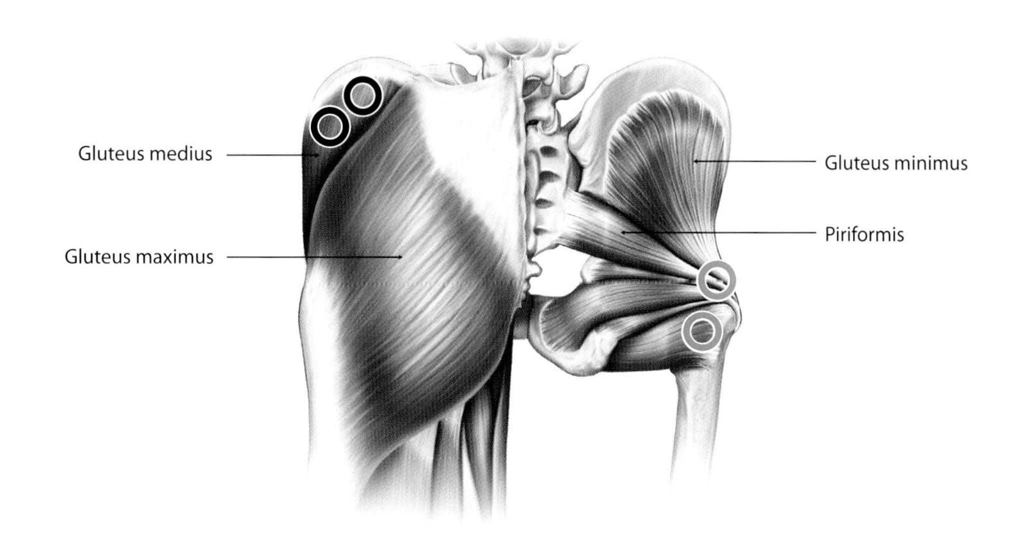

그림 3-2-1. 엉덩이의 근육

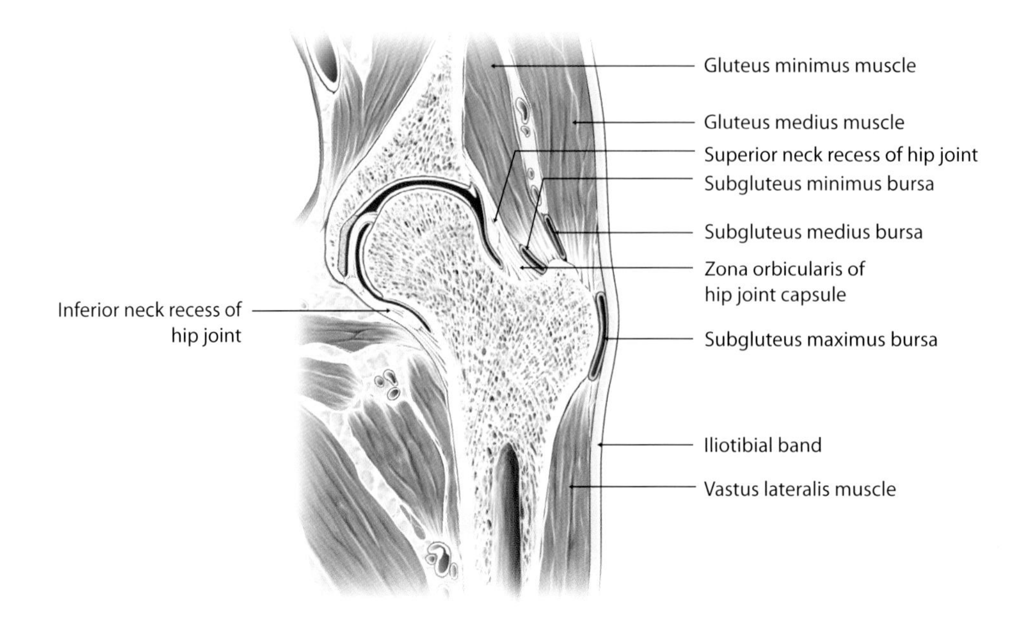

그림 3-2-2. 대전자의 해부도

2. GTPS 중둔근 도침술(그림 3-2-3~6)

정점

1. 골반릉 중둔근 기시점 및 근복 압통점
2. 대전자 중둔근 종지점

날 방향

근육결 방향, 압통점에 수직

깊이

1. 기시점 치료 시 0.5–1.5 cm 근막의 긴장 포인트까지
2. 대전자 치료 시 1–2 cm 골면 인근까지

자극 방법

1회-수회 자극 후 발침

> [주의사항]
> 심부까지 도침 자입이 되고 근육 내에서 출혈이 생길 수 있으니 시술 후 출혈 여부를 확인하여 지혈을 잘 해줍니다.

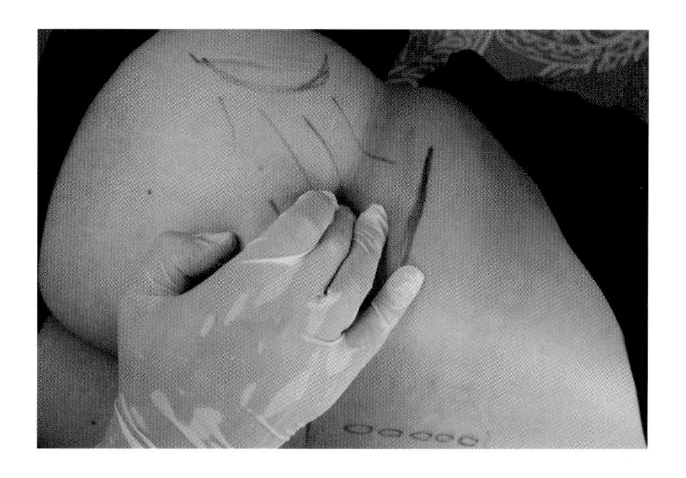

그림 3-2-3. 골반릉의 압통점

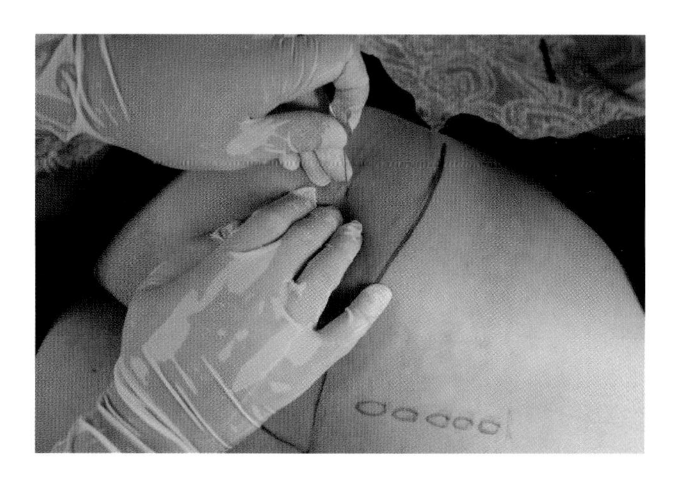

그림 3-2-4. 골반릉의 도침시술 사진

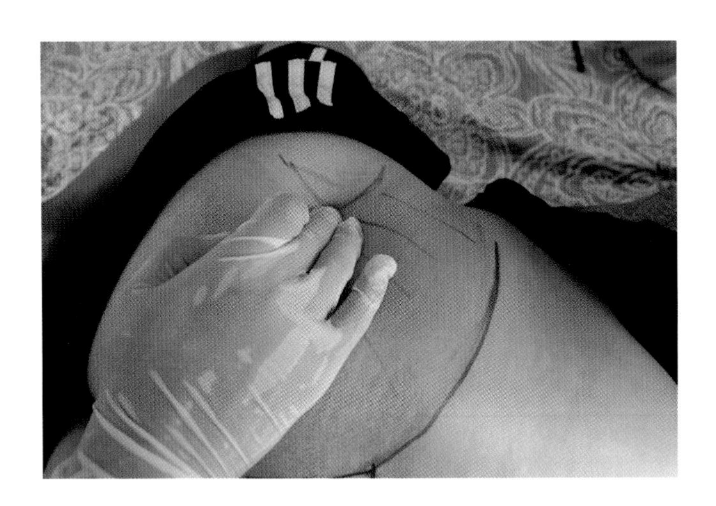

그림 3-2-5. 대전자측 압통점 확인

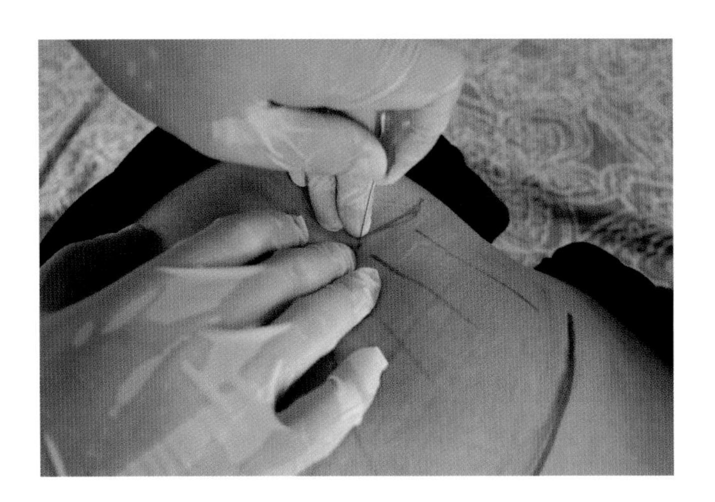

그림 3-2-6. 대전자측 도침시술

2 좌골신경포착(Deep gluteal syndrome, DGS: Sciatic nerve entrapment)

증상/정의

- 둔부의 통증과 감각이상, 엉덩이에서 신경이 눌려서 발생한 골반 혹은 대퇴후면의 방사통(non-discogenic sciatic nerve entrapment in the subgluteal space)

유형/히스토리

- Fibrous and fibrovascular bands, piriformis syndrome, obturator internus/gemellus syndrome, quadratus femoris and ischiofemoral pathology, hamstring conditions, gluteal disorders or orthopedic causes.

원인

- 연조직 혹은 근육의 신경 압박, 혈관의 압박, 외상으로 인한 손상 및 방사통, 신생물(암), 비대성 신경병변

PE

- Active piriformis test, Seated piriformis stretch tests

영상진단

- CT, MRI를 통해 요추기원성 통증 등을 배제진단할 수 있음

1. DGS의 해부와 병리

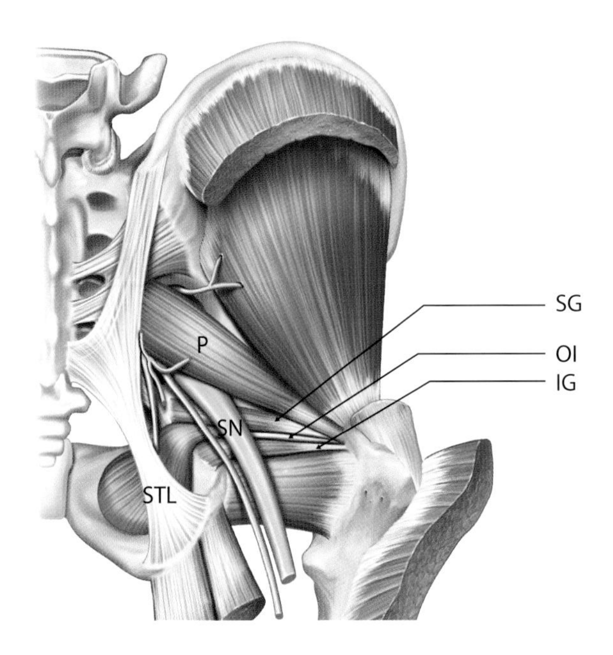

그림 3-2-7. 좌골신경과 주변의 해부도

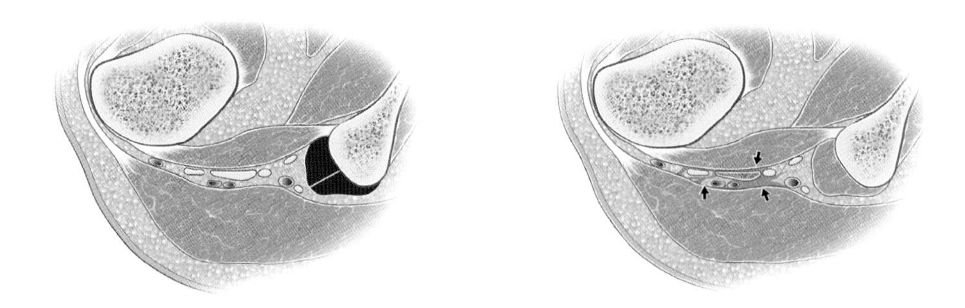

그림 3-2-8. 좌골신경 주변의 병리상태(좌: 정상, 우: 유착으로 인한 신경자극)

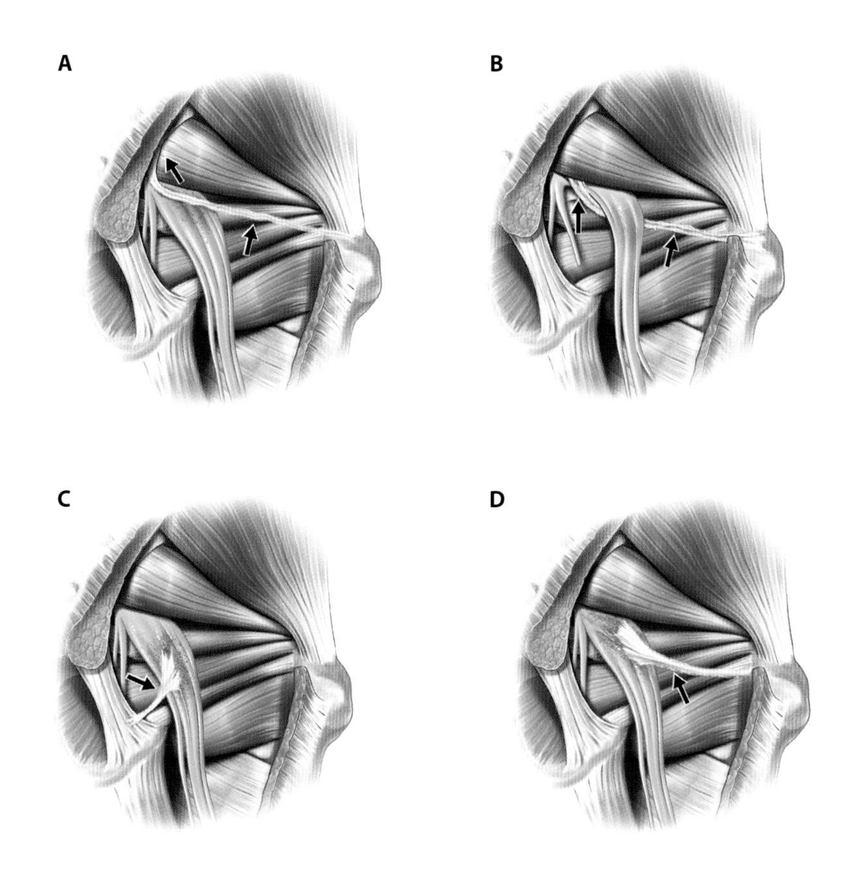

그림 3-2-9. 좌골신경과 주변의 해부도

일반적으로 하지까지 이어지는 방사통은 흔히 말하는 요추 디스크가 원인인 경우가 많습니다. 하지만 그 외에도 골반 내에서 좌골신경이 눌리고 주변 조직과 유착되어 나타나는 경우가 있는데 위 그림들이 이와 관련된 해부 및 병리를 잘 설명해주고 있습니다(그림 3-2-7~9).

가장 흔한 증상은 고관절 또는 눈부의 동승과 압봉 빛 좌골 신경동입니다. 보동 편측싱이지만 때로는 양측으로도 옵니다. 고관절 굴곡 후 회전 시, 무릎 신전 시 통증이 악화되고, 20-30분 이상 앉아 있기 힘들어하며, 다리를 절기도 합니다. 낮에는 덜 하지만 밤에는 이환부위의 하지 감각이상과 요통이 심해집니다.

우리는 좌골신경이 압박되고 유착된 부위에 도침을 사용하여 신경의 압박을 해소하는 데 주안점을 두면 됩니다.

2. DGS syndrome 치료점

좌골신경은 이상근(piriformis M.) 주변에서 압박과 유착이 발생하기 쉽습니다. 따라서 DSG 치료점을 잘 찾기 위해서는 중둔근으로 덮여 있는 이상근을 잘 찾을 수 있어야 합니다. 이상에서는 대략적인 이상근의 위치를 찾고 해당 부위의 압통점을 목표로 도침을 시술합니다(그림 3-2-10, 11).

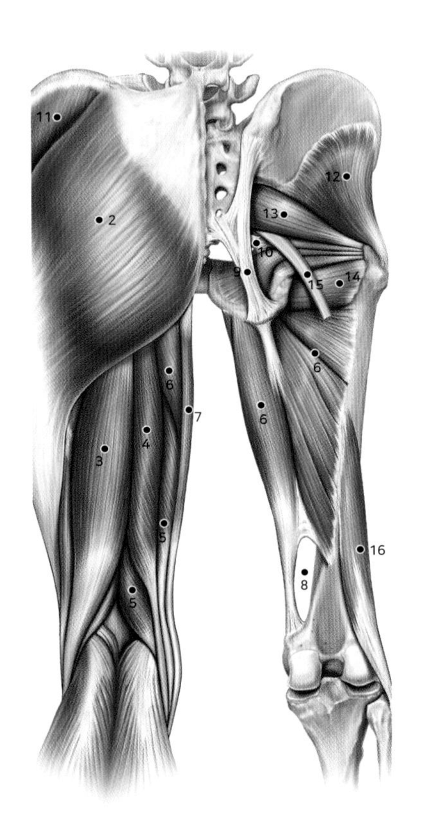

① 근막긴장근(Tensor fascia lata)
② 대둔근(Gluteus maximus)
③ 대퇴이두근의 긴갈래(Long head of biceps femoris)
④ 반힘줄근(Semitendinosus)
⑤ 반막근(Semimembranosus)
⑥ 대전전근(Adductor magnus)
⑦ 박근(Gracitis)
⑧ 내전근 열공(Adductor hiatus)
⑨ 천골결절인대(Sacrotuberous ligament)
⑩ 천골극인대(Sacrospinous ligament)
⑪ 중둔근(Gluteus medius)
⑫ 소둔근(중둔근의 심부에 위치; Gluteus minimus, deep to medius)
⑬ 이상근(Piriformis)
⑭ 대퇴사각근(Quadratus femoris)
⑮ 좌골신경(Sciatic nerve)
⑯ 대퇴이두근의 짧은갈래(Short head of biceps femoris)

그림 3-2-10. 이상근의 해부도

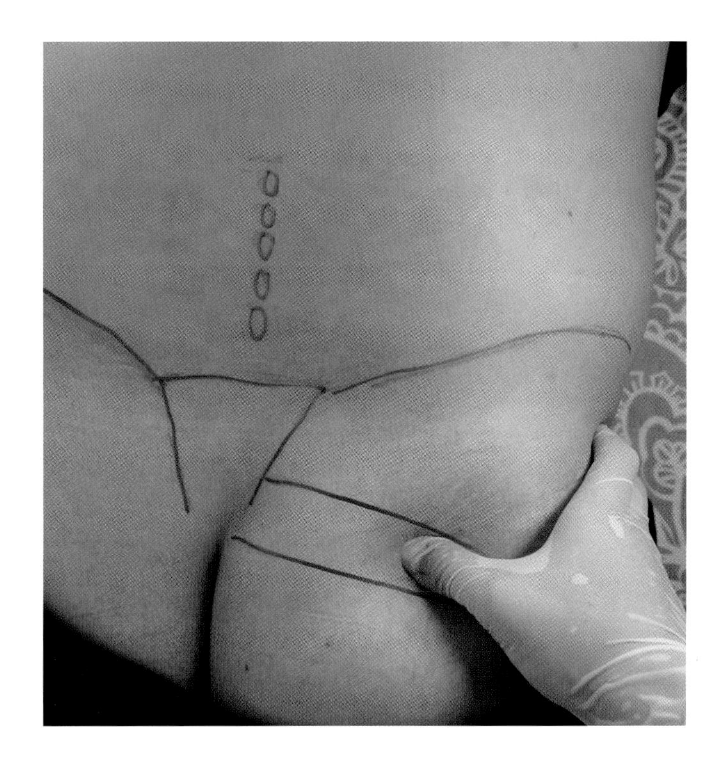

그림 3-2-11. 이상근의 압통점 찾기

3. DGS Syndrome 도침치료(그림 3-2-12)

난이도 ★★ 위험도 ★★

정점

이상근과 좌골신경의 교차점

날 방향

자입 시 인체에 횡으로 자입, 필요에 따라 종으로 침날 회전

깊이

5 cm

자극 방법

1회-수회 자극 후 발침

→ **신경 손상을 피하기 위하여 좌골신경과 평행하도록 인체에 종축으로 회전하여 천천히 자극합니다.**

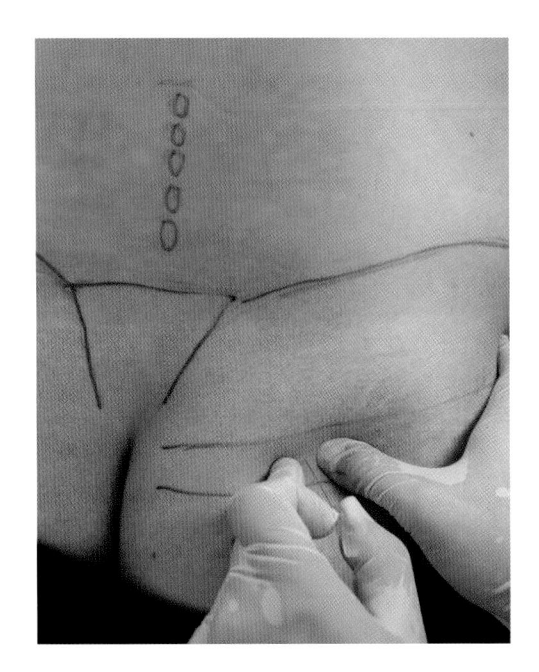

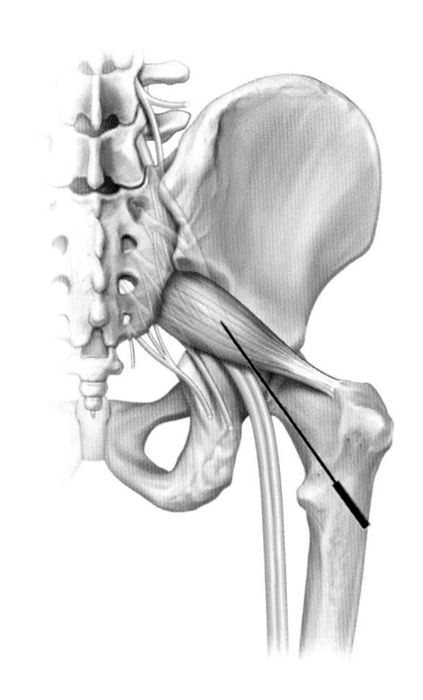

그림 3-2-12. DGS syn. 도침치료

3 엉덩이 통증: 좌골 점액낭염(Ischial bursitis)

키워드: #엉덩이 통증(Hip pain) #좌골 점액낭염(Ischial bursitis)
#좌골결절(Ischial tuberosity, Sit bone)

1. 좌골 점액낭염

좌골결절은 앉을 때 바닥에 닿는 부위로, sit bone이라고도 합니다. 좌골결절의 아래쪽에는 햄스트링이 붙으며, 이 부위는 체중의 부하를 많이 받는 부위이므로 완충 역할을 하는 점액낭이 존재합니다. 이 점액낭에 걸리는 부하가 한계를 넘어서서 점액낭에 염증이 생기면 엉덩이 통증 때문에 의자나 바닥에 앉기가 힘들어집니다. 환자는 주로 엉덩이가 닿는 부위의 뻐근함이나 찌릿함을 호소하며, 일어나서 움직여 주면 증상이 일시적으로 완화됩니다. 좌골 점액낭염의 경우 실제 임상에서 환자가 적지 않지만, 다른 질병으로 오진받아 치료가 늦어지는 경우가 많습니다. 좌골 점액낭염은 기타 여러 가지 치료보다 도침 치료에 대한 반응이 가장 빠르고 우수합니다.

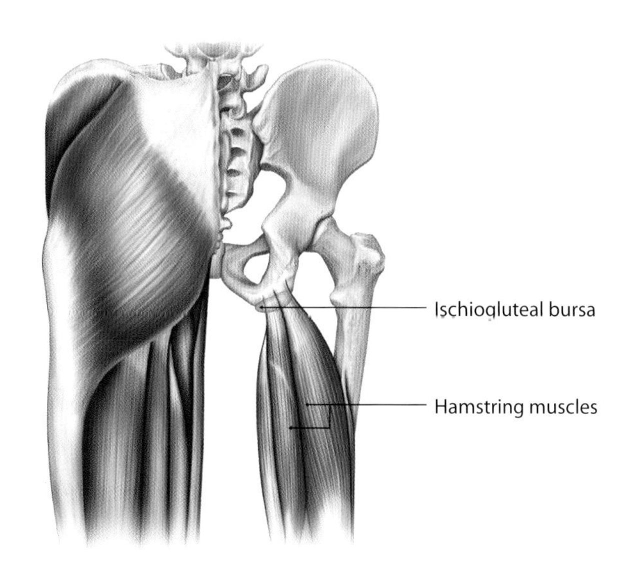

그림 3-2-13. 좌골 점액낭

2. 원인

- 지나치게 딱딱한 바닥에 오래 앉아 있는 경우
- 골반 불균형으로 한쪽 좌골결절에만 압력이 가해지는 경우
- 다리를 꼬고 오래 앉아 있는 경우
- 사무직, 운전직, 수험생 등 오래 앉아 있는 직업군
- 선천적으로 대둔근이 얇아서 좌골결절에 압박에 많이 노출되는 경우
- 엉덩방아를 찧는 등 엉덩이의 외상이 있는 경우
- 점프, 달리기 등으로 인해 햄스트링에 지속적으로 강한 힘이 가해지는 경우

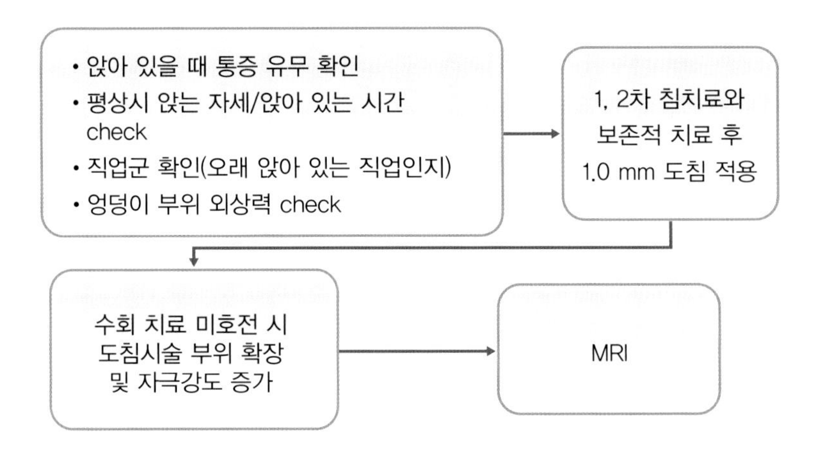

그림 3-2-14. Workflow

3. Patient teaching

엉덩이 부위의 직접적인 외상이나 햄스트링의 과사용 등으로 인해 좌골 점액낭염이 생기는 경우도 있지만, 앉아있는 습관이 잘못되었거나 직업상 너무 장기간 앉아 있게 되어 생기는 경우가 대부분입니다. 좌골 점액낭염의 빠른 치료와, 치료 후 재발을 막기 위해서는 잘못된 습관을 교정하는 것이 중요합니다. 오래 앉아 있을 수밖에 없는 직업의 경우 푹신한 쿠션을 사용하는 것이 좋습니다. 앉아 있을 때는 뒷주머니에 지갑을 넣거나 다리를 꼬는 자세 등, 한 쪽에만 압력이 쏠리는 자세를 피하는 것이 좋습니다. 오랫동안 서 있는 경

우에도 한 쪽으로만 짝다리를 오래 짚고 서 있는 것을 피하는 것이 좋습니다. 또한 스트레칭을 통해 햄스트링의 긴장을 풀어주어 부하를 줄여주는 것도 도움이 됩니다.

4. 좌골 점액낭염 도침치료(그림 3-2-15, 16)

난이도 ★★★ 위험도 ★★

정점

좌골결절 압통점

체위

- 복와위 혹은 측와위
- 골반을 90도로 굴곡시키면 좌골결절과 좌골신경 사이의 거리가 멀어져 자침 시 좌골신경의 손상 가능성을 줄여줍니다.

깊이

5 cm 이상

자극 방법

- 직경 0.75-1 mm 도침을 사용(직경이 얇으면 들어가면서 휨)
- 압통점을 정확하게 파악하고, 좌골결절을 강하고 정확하게 압박하여(가압분리) 도침이 지방층을 지나는 깊이를 줄여줍니다. 도침을 골면에 도달시킨후 3-5회 제삽합니다.

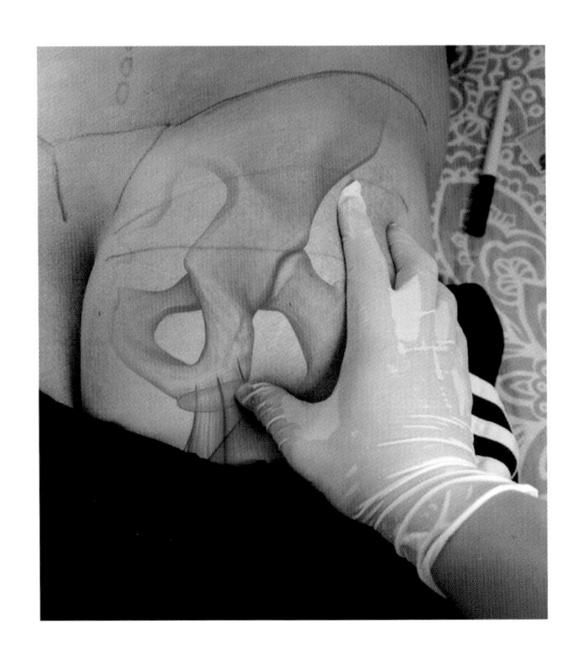

그림 3-2-15. 좌골결절의 압통 확인

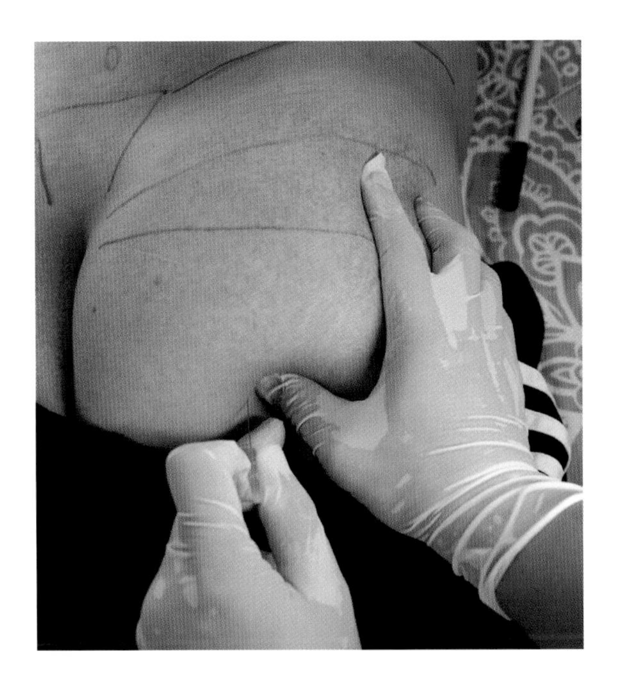

그림 3-2-16. 좌골결절 도침술

[만성 엉덩이 통증에 관하여]

좌골 점액낭염이 만성으로 진행되어 쉽게 치료되지 않는 경우, 염증이 점액낭에 국한된 것이 아니라 주변 조직에 광범위하게 퍼져있다고 생각할 수 있습니다. 실제로 환자가 호소하는 증상이 좌골 점액낭염의 증상과 대부분 일치하지만 MRI상 좌골 점액낭에 염증이 크게 발견되지 않는 경우도 있습니다. 이 경우는 좌골 점액낭 부근에 부착된 햄스트링의 만성 건염이라고 생각해 볼 수 있습니다. 햄스트링의 만성 건염인 경우 도침치료와 함께 강한 스트레칭을 병행하는 것이 좋습니다. 좌골 점액낭염이 햄스트링 만성 건염의 원인이 되었을 수도, 햄스트링 만성 건염의 결과일 수도 있습니다. 하지만 두 가지 경우 모두 도침치료의 적응증이므로 크게 구분없이 사용하여도 된다고 할 수 있습니다.

4 대퇴골두 무혈성 괴사증과 고관절통(Avascular necrosis of femoral head)

특징

- 고관절의 통증과 운동제한

히스토리

- 외상, 음주, 스테로이드제의 사용 등

증상

- 체중부하에 의해 증가되는 서혜부 대퇴 앞쪽의 통증
- 고관절의 통증, 뻐근함

PE

- 고관절 운동제한, 이환 부위의 압통

영상진단

- 영상진단을 통해 확진하며, 괴사의 진행 정도를 평가할 수 있음

1. 개요

대퇴골두 무혈성 괴사증은 대퇴골두로 가는 혈류가 차단되어 골조직이 괴사되고 괴사된 뼈에 압력이 지속, 골절이 진행되면서 고관절의 손상이 나타납니다(**그림 3-2-17**). 고관절의 통증이나 불편함이 있다고 해서 모든 영상진단에서 이상이 발견되는 것은 꼭 아닙니다. 대퇴골두 무혈성 괴사증은 혈류공급의 문제로 인해 대퇴골두가 바스라지는 것이고 그 전에 주변 연조직의 손상과 국소 순환의 제한 등이 영향을 미치면서 일상생활에 지장을 주는 증상들이 발견될 수 있습니다.

이 파트에서는 영상에는 나타나지 않지만 고관절의 불편함을 호소하는 환자부터 실제 대퇴골두 무혈성 괴사증이 상당히 진행된 단계까지 치료할 수 있는 방법을 알아보도록 하겠습니다.

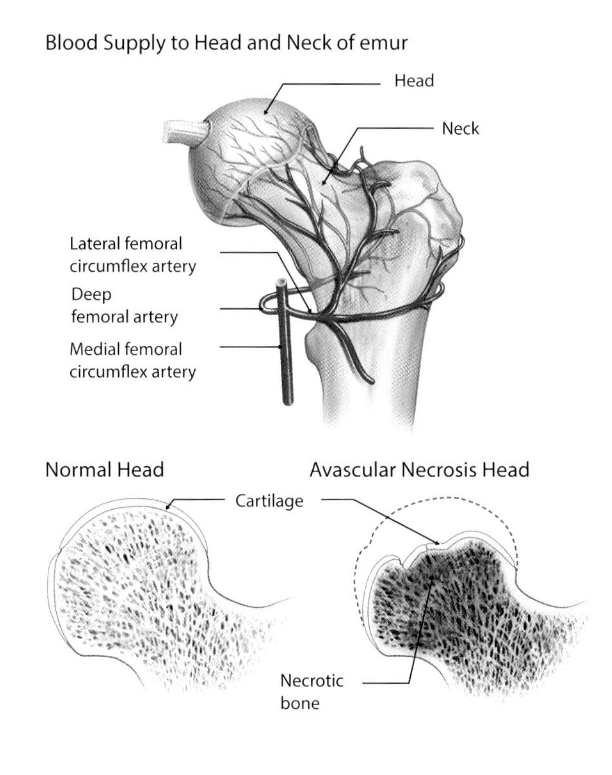

그림 3-2-17. 괴사된 고관절 모식도

2. 고관절의 해부

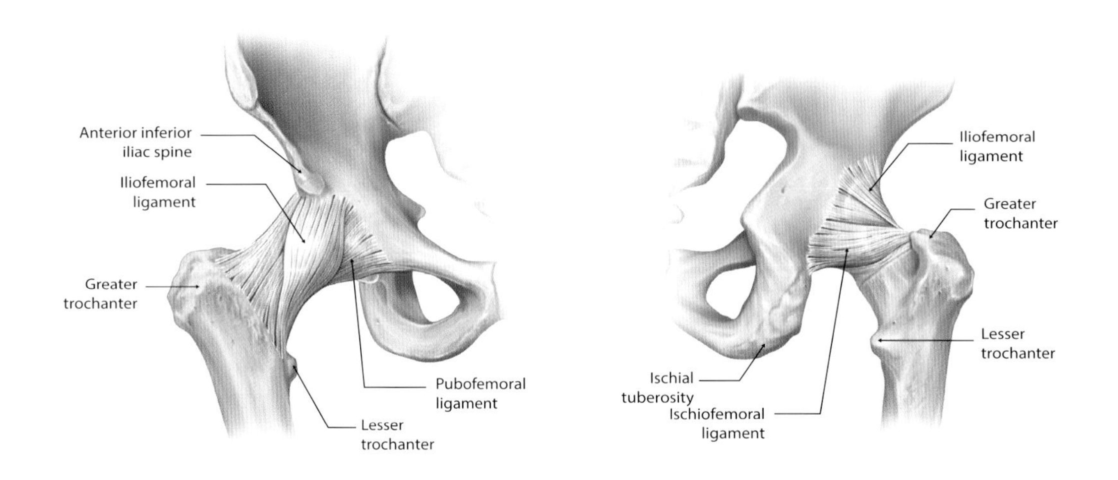

그림 3-1-18. 고관절의 해부학적인 이해

고관절은 위 그림 3-1-18과 같이 골반과 대퇴가 연결된 3차원적인 부위입니다. 고관절에 문제가 있다면 앞쪽에서만 이해해서도 안 되고 골반의 후면의 문제도 확인하여 함께 치료해주는 것이 좋습니다.

➡ 골반 후면의 문제를 치료한다면 1단원의 대전자동통증후군 파트에서 대전자 부위의 치료법을 참고하시면 도움이 됩니다.

3. 고관절의 도침치료

고관절의 도침시술 시 가장 중요한 포인트는 고관절 치료 포인트가 대퇴동맥과 근접해 있다는 것입니다. 방심한 상태에서 무심코 치료하기에는 생명과 직결된 아주 중요한 부위라는 것을 명심해야 합니다.

정점

대퇴경골 압통점

치료목표

Iliofemoral lig.의 긴장 완화 혈류와 운동 개선

깊이

1. 가벼운 경우 Iliofemoral ligament 인근 압통점만 가볍게 자극(1 cm 이내)
2. 위 치료로 반응이 없거나 괴사가 진행된 경우 대퇴골두를 향해 3-4 cm 자입

   cf) 골반측의 대전자 치료 시 1-2 cm 골면 인근까지 자입

자입 횟수

2-3회

> [주의사항]
> 대퇴동정맥을 확인하여 마킹하고 동정맥의 손상에 절대 주의합니다.

고관절의 도침치료 포인트로 두 곳을 안내해드리겠습니다. 첫 번째는 서혜인대 인근 압통점, 두 번째는 대퇴골두입니다.

➡ 서혜인대 인근 압통점

난이도 ★ 위험도 ★

고관절 치료 시 가장 먼저 가볍게 접근해볼 수 있는 포인트는 서혜인대 부위입니다. 환자분이 처음 내원하여 고관절의 불편함이나 관절가동 제한을 호소하는데 서혜인대 부위의 압통점이 있다면, 먼저 해당 부위를 찾아서 1 cm 이내로 얕게 시술을 해줍니다. 2-3회의 치료로 고관절 가동성이나 뻐근함이 감소하는 것을 기대해 볼 수 있습니다.

대퇴골두(Neck of femur)

난이도 ★★ 위험도 ★★☆

위의 가벼운 치료로 호전이 되지 않는다면 고관절 자체를 치료해줘야 합니다. 고관절 그림을 다시 한 번 자세히 보도록 하지요. 고관절은 골반과 대퇴의 연결된 관절로 대퇴골두는 여러 인대로 감싸져 있습니다(**그림 3-2-20**). 도침치료는 이 인대를 자극하고 부드럽게 하여 국소 순환을 개선하고 관절가동성을 증가시키는 것을 목표로 합니다(**그림 3-2-19**).

고관절의 후면도 또한 다양한 힘줄로 고정되어 있습니다. 환자의 골반측 대전자의 압통 여부를 확인하여 이 부위의 치료가 필요하다면 이 부위도 도침으로 긴장을 해소해 주도록 합니다(**그림 3-2-21, 22**).

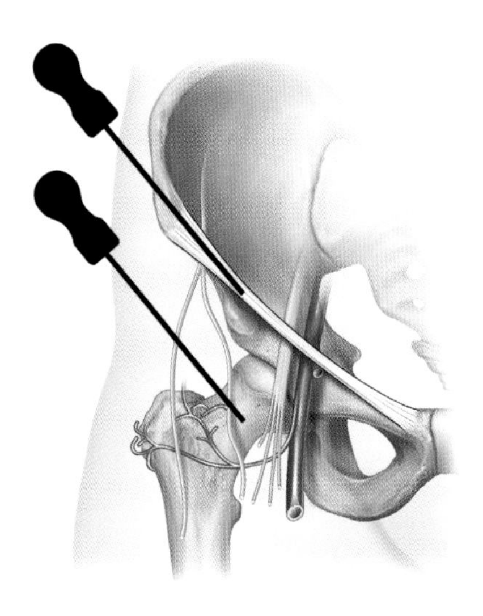

그림 3-2-19. 고관절의 치료 포인트

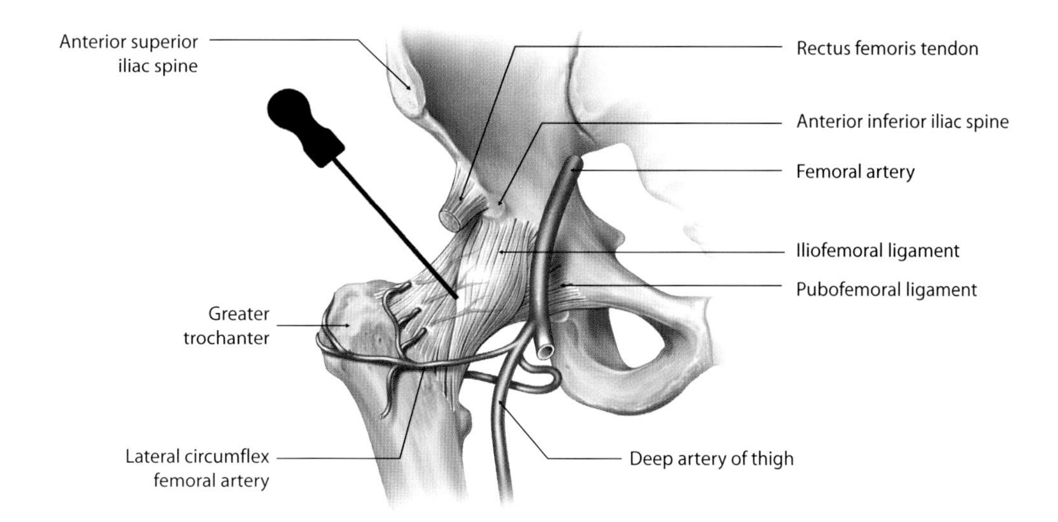

그림 3-2-20. 고관절 도침포인트 해부도

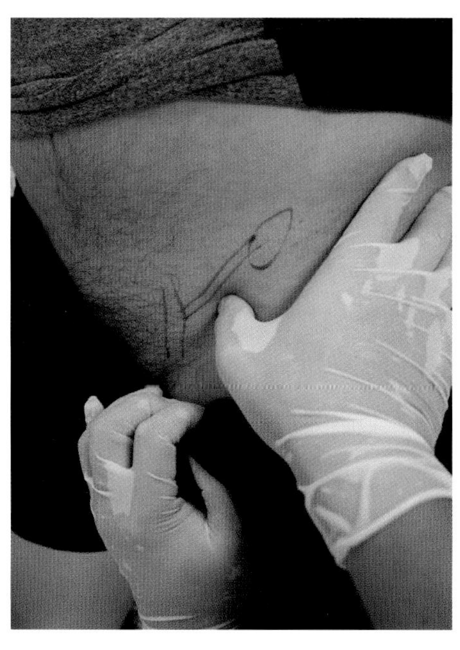

그림 3-2-21. 서혜부의 압통점을 확인합니다 :
그 전에 서혜동맥을 찾아서 마킹해줍니다(좌측 표시된 부분).

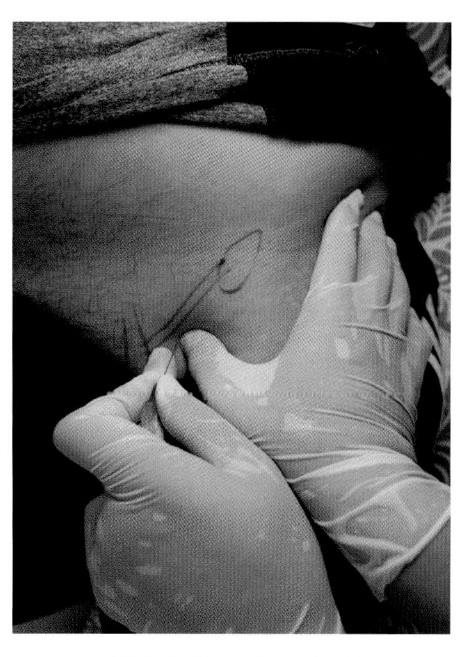

그림 3-2-22. 고관절 도침시술

03 무릎

1 무릎 질환의 개요

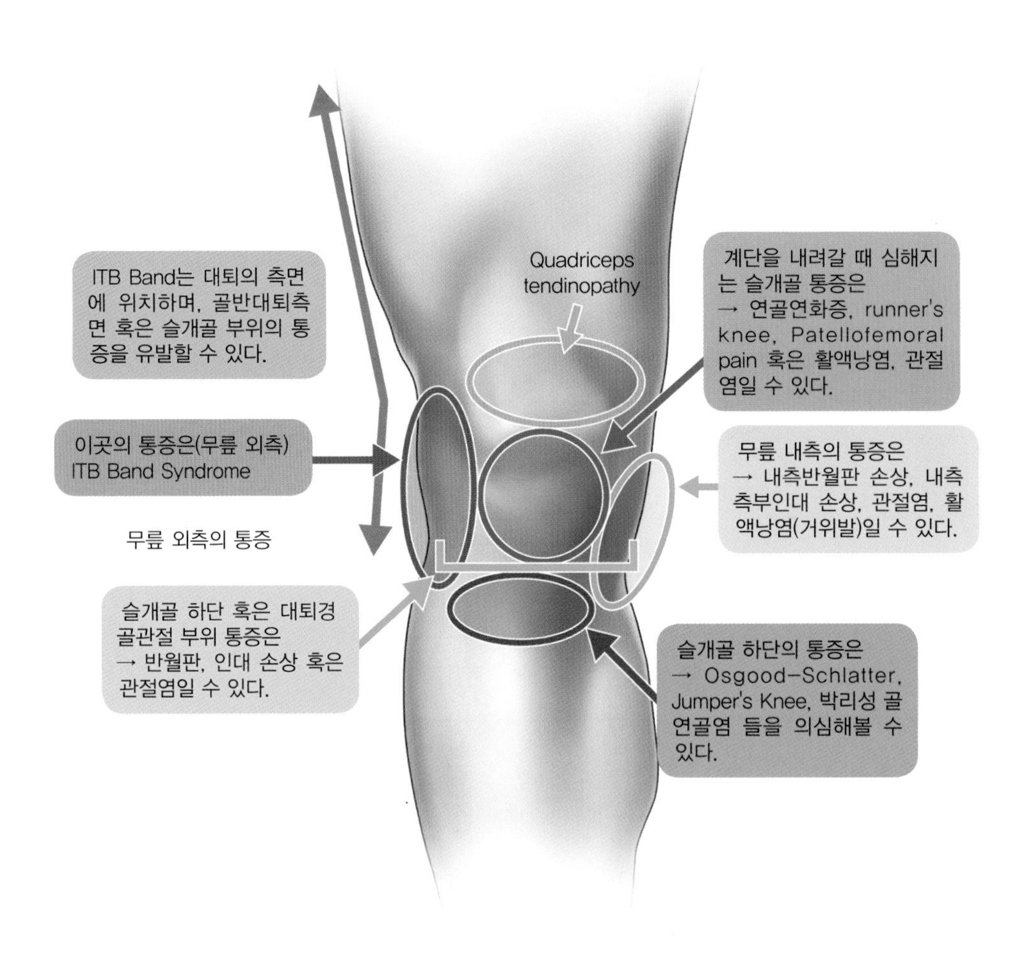

그림 3-3-1. 무릎 부위에 따른 질병

무릎은 대퇴와 슬개골, 경골 비골로 이루어진 관절입니다. 비교적 복잡한 구조를 이루고 있어 각 부위에 따른 진단명을 잘 알고 있어야 빠른 진단이 가능합니다. **그림 3-3-1**은 무릎의 부위에 따라 가능한 질병명을 정리한 것으로 이번 파트를 이해하기 위해 매우 중요한 내용입니다.

이 책에서는 무릎 바깥 쪽 통증의 주요 원인인 장경인대증후군(iliotibial band syndrome), 슬개골 하단 통증의 주요 원인인 슬개건 손상, 무릎 내측 통증에서 중요한 부분인 내측측부인대 손상과 거위발점액낭염에 대해서 다루도록 하겠습니다.

아래 **그림 3-3-2**은 위에 정리한 질병에 따른 도침치료 포인트를 정리한 것입니다. 각 질병의 핵심이 되는 해부학적인 치료 포인트와 질환을 연결하였습니다. 각론을 들어가기 전에 유심히 한 번 보고 가시면 무릎에 대한 이해가 쉬울 것입니다.

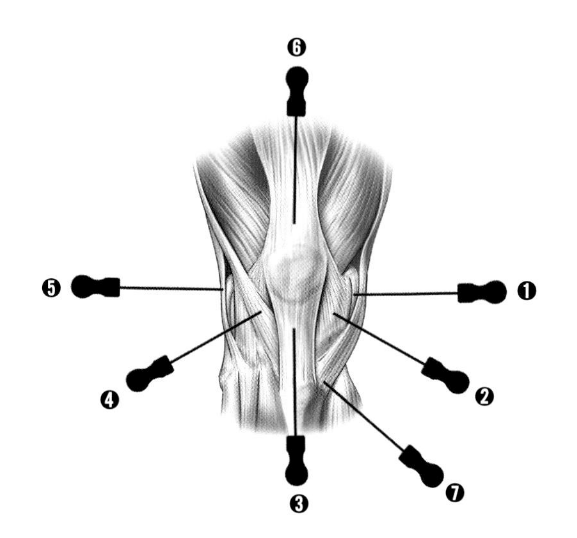

	해부학 포인트 / 질환
1	내측측부인대 /측부인대염좌
2	내슬안/ Hoffa's Disease 관절통
3	슬개건/Jumper's Knee 건염
4	외슬안/ Hoffa's Disease 관절통
5	외측측부인대/측부인대염좌
6	슬개건/Patellofemoral pain Syn.
7	아족낭/거위발 활액낭염

그림 3-3-2. 무릎관절의 도침치료 포인트

위 내용이 정리가 되셨다면 **그림 3-3-3** 무릎과 주변 근육과 인대를 중심으로 한 해부그림으로 마무리를 해보도록 하겠습니다. 무릎은 슬개골과 대퇴골, 경골 그리고 비골이 다양한 연조직으로 이어져 있습니다. **그림 3-3-4**을 보시면 슬개골 위쪽으로 대퇴직근, 대퇴사두근이 있고 이것이 슬개골을 감싸면서 아래로 이어져 내려가 무릎에 안정감을 줍니다. 무릎에서 슬개골과 슬개건의 역할이 아주 중요한 것을 확인할 수 있습니다. 그 외에 내외측 측부인대의 역할도 참고하시고 슬개골 주변의 손상이 활액낭염으로 이어질 수 있음을 구조적으로 이해하셨기를 바랍니다.

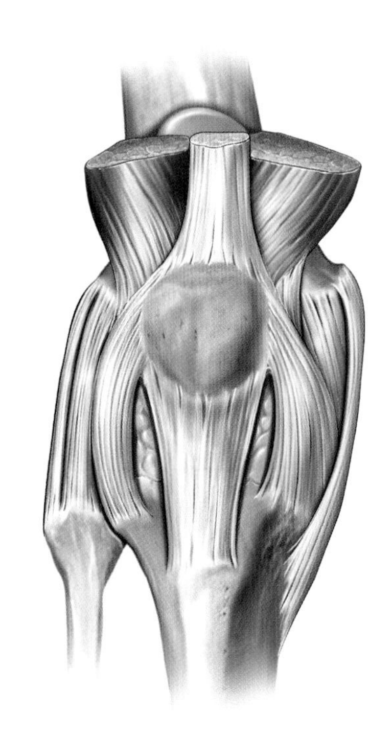

그림 3-3-3. 무릎관절의 주요 근육과 인대

2 무릎 바깥쪽, 대퇴측면의 치료 포인트- 장경인대증후군(ITBFS)

특징

- 무릎 외측의 통증

히스토리

- 과사용, 외상, 과도한 운동, 슬개골의 과운동성, 대퇴사두근의 과긴장

증상

- 점진적 온셋을 가진 무릎 외측의 통증
- 통증은 예측 가능한 거리에서 시작
- 무릎을 full extension한 상태에서 통증은 완화
- 반복적인 굴곡을 하면 통증 악화, 특히 30도 정도에서 심해짐
- 이 손상으로 육상선수의 달리는 거리를 짧게 만들어 훈련이 불가능하게 됨

빈도

- 무릎 통증 외래 환자의 25%

영상진단

- 치료에 반응이 없는 경우
- 50세 이상의 경우 골관절염 배제를 위해 고려

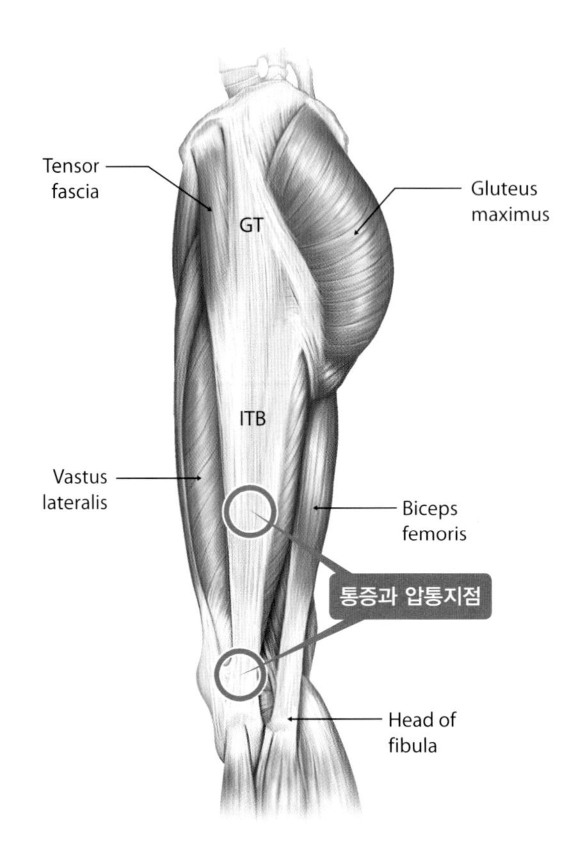

그림 3-3-4. 대퇴근막장근의 해부도

이 파트에서 중요하게 볼 점은 대퇴근막장근(iliotibial band)의 위치를 정확하게 이해하고, 이때 통증과 압통이 유발될 수 있는 부위를 빠르게 짚어내는 것입니다. **그림 3-3-4**를 보시면 대퇴근막장근은 대퇴측면을 커버하는 아주 크고 두터운 근막입니다. 임상에서는 근육이 발달한 사람이라면 **그림 3-3-5**처럼 단단한 띠 모양의 형태를 확인할 수 있습니다.

바지의 봉제선 형태를 이루고 있는 대퇴근막장근의 해부학적인 구조를 잘 이해하셔서 이 부위의 문제를 빠르게 파악하고, 대퇴근막장근의 긴장과 손상을 도침으로 치료하시면 빠른 효과를 기대할 수 있습니다. 다만 우리 몸에서도 가장 두텁고 단단한 형태의 근막인만큼 대퇴근막장근에 수직으로 도침을 자입하거나 조금 두터운 형태의 도침을 사용하는 것이 효과적입니다.

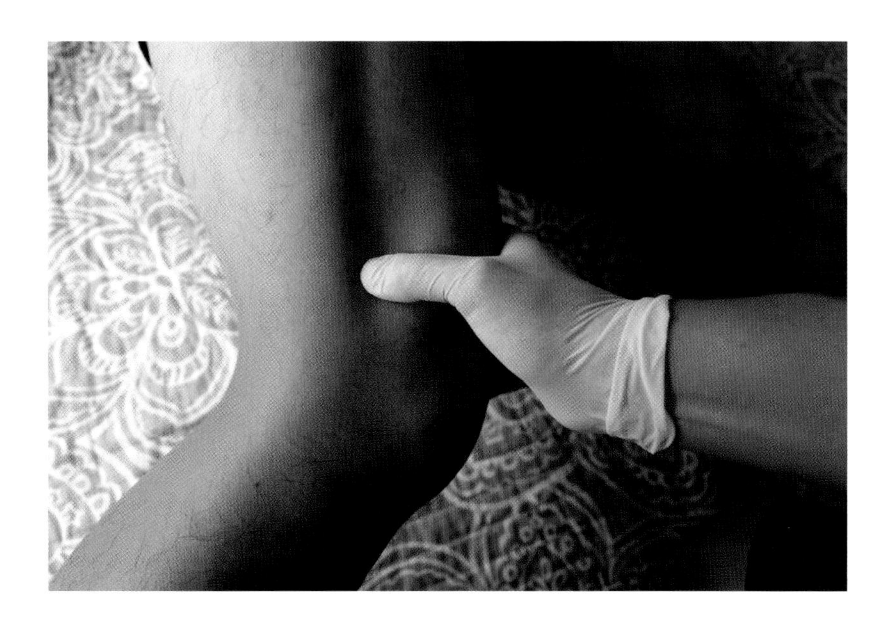

그림 3-3-5. 대퇴근막장의 띠 형태

1. 장경인대증후군 도침치료

난이도 ★

ITBFS는 진단이 정확하고 치료 포인트만 잘 찾는다면 몇 회의 시술만으로도 빠른 회복을 기대할 수 있는 곳입니다. 사진상에 보이는 1번과 2번 두 포인트를 모두 잘 확인해보시고 치료점을 정해주세요(**그림 3-3-6~8**). 여기서 설명하는 도침시술법과 맨 아래에 나오는 수술법(mesh technic)을 비교해보면 상당히 유사한 것을 알 수 있습니다(**그림 3-3-9**).

체위

측와위 혹은 앙와위

정점

1. 대퇴골외측상과부 압통점

2. 대퇴골외측상과부 위쪽의 압통점 2-3포인트(독비혈 인근)

타겟

대퇴근막장근

깊이

1 cm 내외

날 방향

증상이 가벼운 경우에는 시술 시 칼날 방향을 인체 종축을 기본으로 합니다. 하지만 대퇴근막장근은 아주 두터운 근막으로 일반적인 자극이 부족할 수 있기 때문에 첫 시술에 호전되지 않는다면 인체 횡축으로 2-3회 자극 가능합니다(대퇴근막장근에 직각).

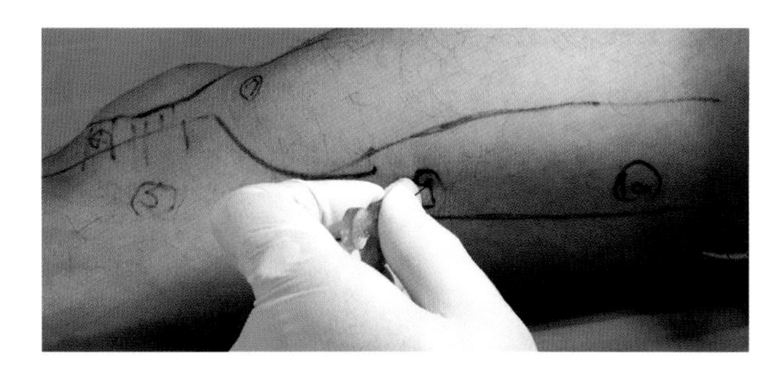

그림 3-3-6. 치료 포인트 1

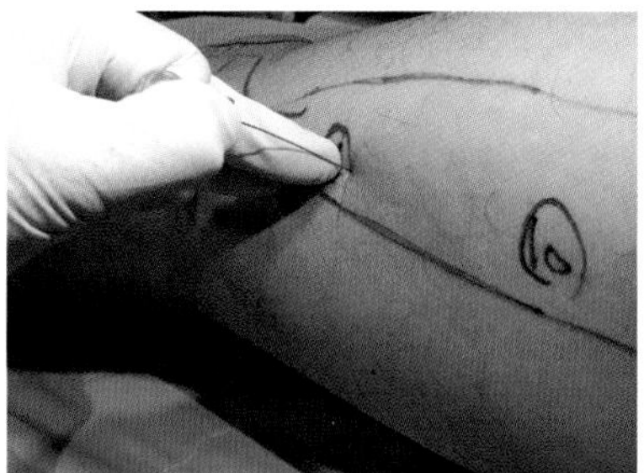

그림 3-3-7. 도침의 자입각도

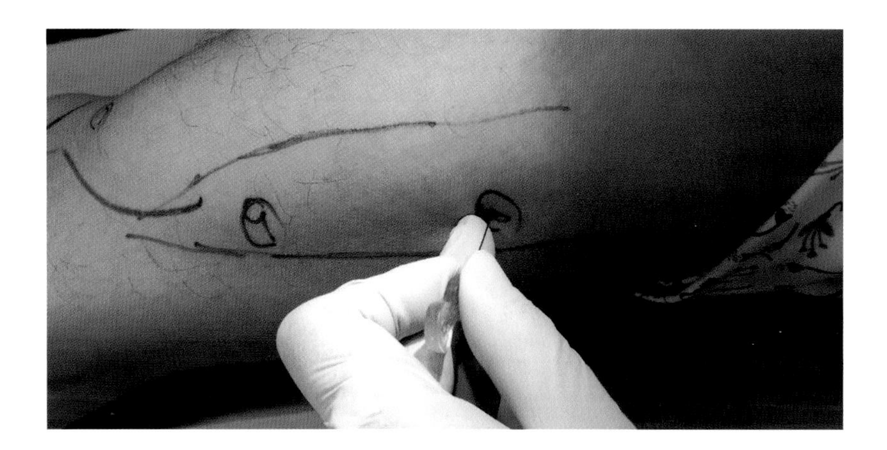

그림 3-3-8. 치료 포인트 2

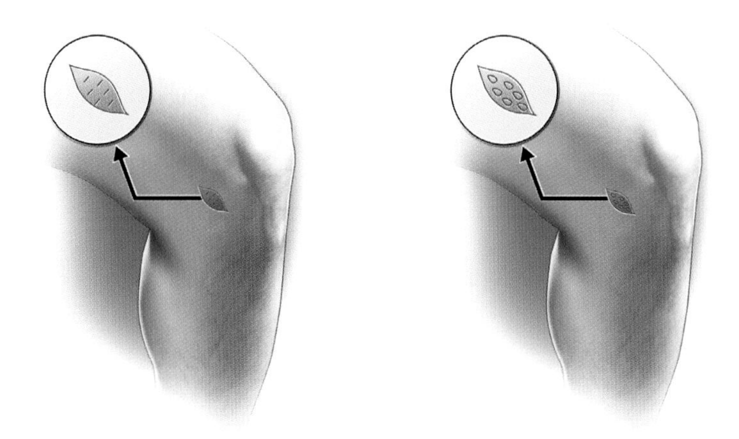

그림 3-3-9. ITBFS 수술법
좌측: 그림과 같이 대퇴골외측상과 부근에서 2 mm 정도의 칼집을 근막 주행 방향에 수직으로 내어줍니다.
우측 : 칼집은 ITB의 긴장에 의해서 당겨져 구멍 형태로 되고 대퇴근막장근의 긴장이 완화됩니다.

3 거위발건염과 활액낭염(Pes anserinus tendinitis bursitis syn., PATBS)

키워드: #Pes anserinus tendinitis # Pes anserinus bursitis
#PATBS (Pes anserinus tendinitis bursitis syndrome)
#거위발 건염 #거위발 활액낭염
#봉공근(Sartotius) #박근(Gracilis tendon)
#반건양근(Semitendinosus tendon)

1. 거위발건염과 활액낭염은

무릎 통증의 주 원인이 되는 질환 중 하나입니다. 주로 무릎 내측의 거위발건 부위의 압통을 호소하며 계단을 오르내릴 때나 앉았다 일어날 때 무릎 내측의 통증이 나타나곤 합니다. 골관절염을 가지고 있는 환자의 46.8%, 역으로 거위발활액낭염을 가지고 있는 환자의 83.3%에서 골관절염이 발견되는 만큼 두 질환은 밀접한 관계를 가지고 있습니다.

2. 해부학

거위발은 봉공근 박근 반건양근 세 근육의 insertion 부위로 경골의 내측과 하단에 위치한 곳입니다(그림 3-3-10). 무릎 내측, 특히 경골의 내측이 아프다면 이 부위의 압통을 확인하고 건염 혹은 거위발 활액낭염을 의심할 수 있습니다. 이들 건과 활액낭의 위치를 잘 파악해놓으셔야 정확한 시술이 가능합니다.

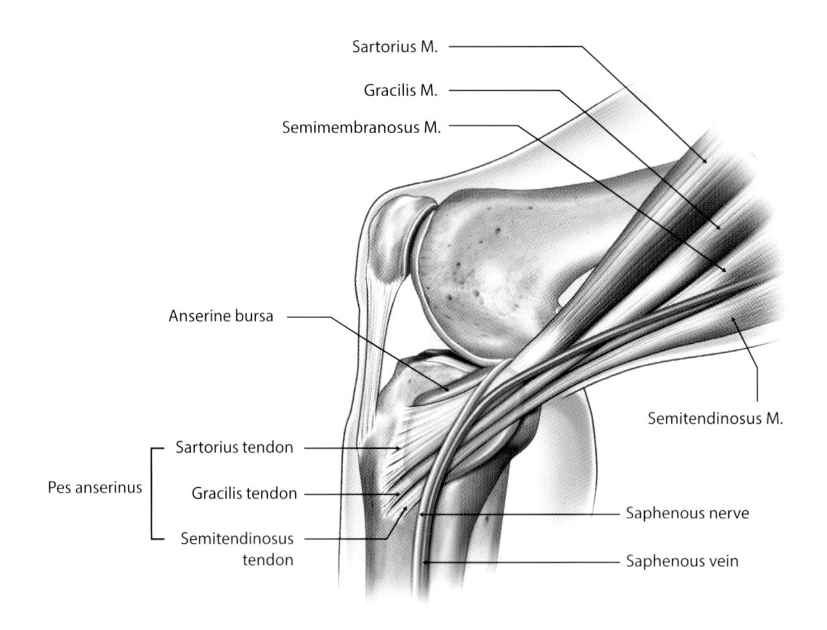

그림 3-3-10. 거위발 건과 활액낭의 해부도

⦿ Check point :거위발건염의 진단

아래의 네 가지 질문에서 1번 무릎의 통증을 기본으로 질문 2, 3, 4 중에 한 가지 이상이 해당하고 거위발 점액낭과 건 부위에 압통이 있다면 PATBS로 진단할 수 있습니다.

PATBS 진단을 위한 4가지 질문

(1) 최근 2주 동안 통증이 있었는가?

(2) 계단을 오르내릴 때 통증이 있는가?

(3) 체중을 실으면 무릎 통증이 있는가?

(4) 차에서 내릴 때 무릎 통증이 있는가?

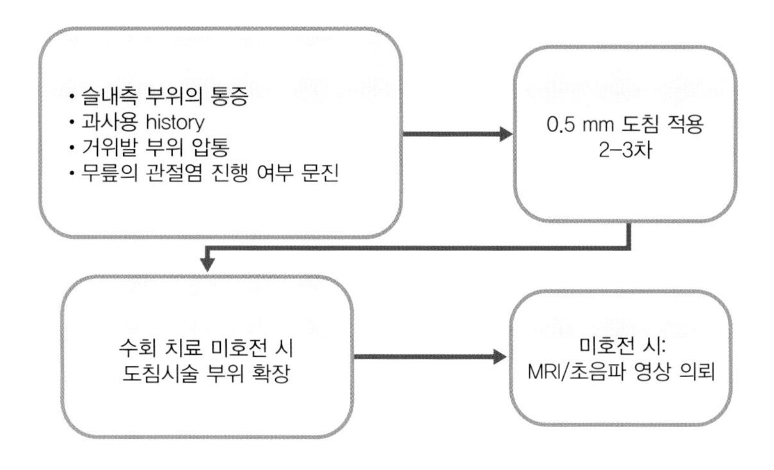

그림 3-3-11. Workflow

3. PATBS 도침치료(그림 3-3-12)

난이도 ★

체위

앙와위 슬관절 신전 혹은 가벼운 굴곡상태

시술 포인트

봉공근 박근 반건양근의 부착부인 거위발 부위의 압통점

날 방향

- 경골내측에서 앞쪽으로 45도 사선으로
- 향하는 신경혈관의 주행 방향을 고려하여 도침의 날 방향도
- 45도로 기울여서 시술하여 신경 혈관의 손상을 예방

깊이

0.5 cm

자극방법

- 1회-수회 자극 후 발침
- 활액낭염 시 시술 후 습부항을 해주면 더 좋다.

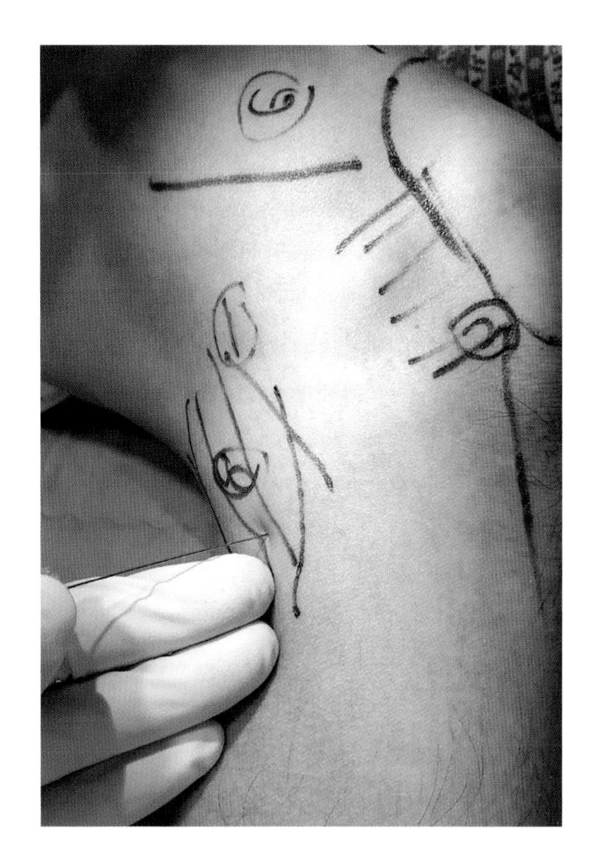

그림 3-3-12. 거위발활액낭염 도침시술

4 슬개건염(Patellar tendinitis)

키워드: #Patella tendinitis #Jumper's Knee #Tenotomy #Patellofemoral pain

특징

- 슬개골 하단의 통증

히스토리

- 과도한 운동, 과사용

증상

- 초기: 운동시작 시 통증, 운동 후 통증
- 중기: 운동 중 통증
- 계단보행 시, 앉았다 일어날 때, 차에서 내릴 때 통증

PE

- 슬개골 하단의 부종과 압통

영상진단

- 초음파에서 슬개건의 저음영
- MRI상에서 활액낭염 및 슬개건의 염증 상태 관찰 가능

1. 슬개건염은

슬개건염은 슬개골과 경골을 이어주는 건의 손상을 일컫습니다. 슬개건은 대퇴부의 근육과 이어져 무릎을 신전하고 달리고 뛰는 데 주요한 역할을 합니다. 이 부위의 염증은 대부분 과도한 운동이나 과사용으로 인한 슬개건의 반복된 손상으로 유발됩니다. 쓰임새 그대로 달리거나 점프를 하면서 발생하는 손상이 많기 때문에 Jumper's knee라고도 불립니다.

이외에 신부전이나 당뇨, 류마티스 관절염 같은 자가면역질환이나 만성질환이 슬개건염에 영향을 미칠 수 있습니다.

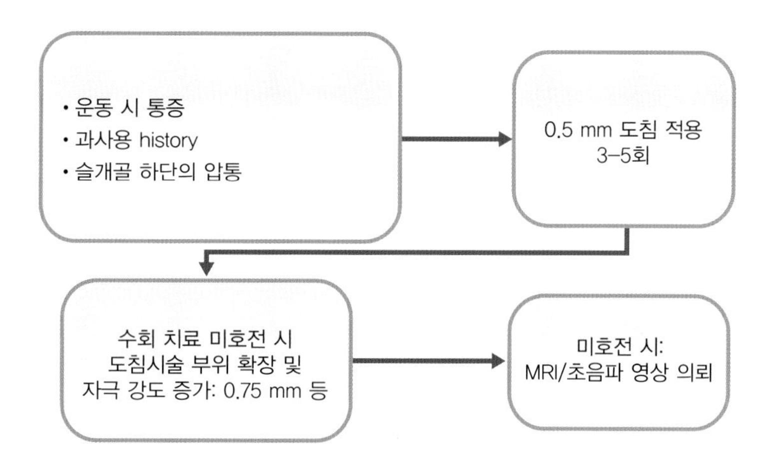

그림 3-3-13. 슬개건염의 workflow

2. 슬개건은 주로 어디에 손상이 오는가?

치료를 위해서는 정확한 치료 포인트를 알아야겠지요. 슬개건 손상은 일반적으로 슬개골 하단의 슬개건 부착부로 옵니다(그림 3-3-14). 바로 이곳이 도침치료 포인트가 됩니다. 먼저 그림으로 확인하고, 환자의 MRI와 초음파 영상을 통해 도침이 어디로 향해야 하는지 이해하시기 바랍니다(그림 3-3-15, 16).

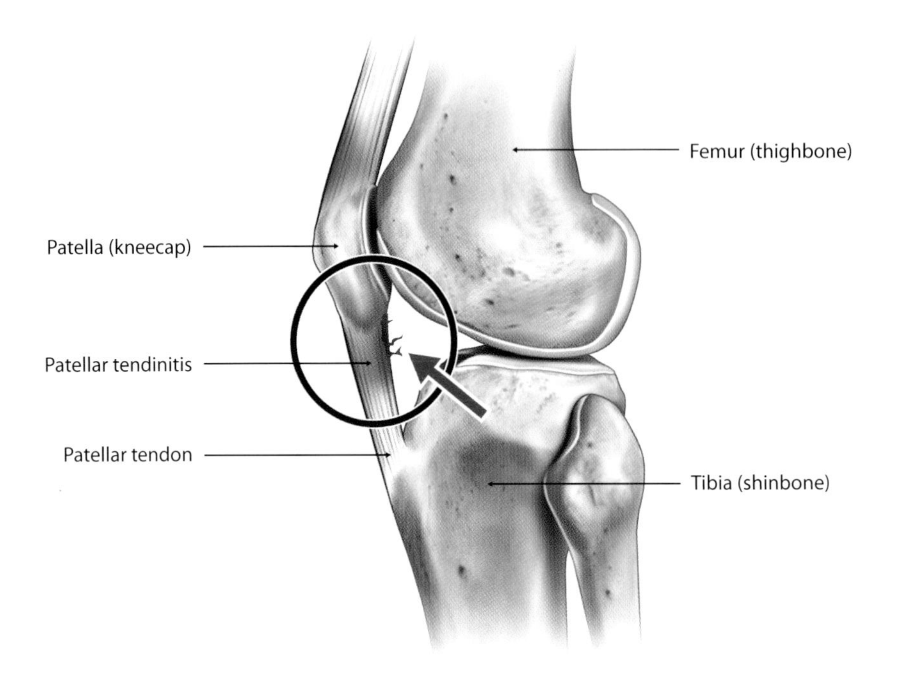

그림 3-3-14. 슬개건 손상의 개념도

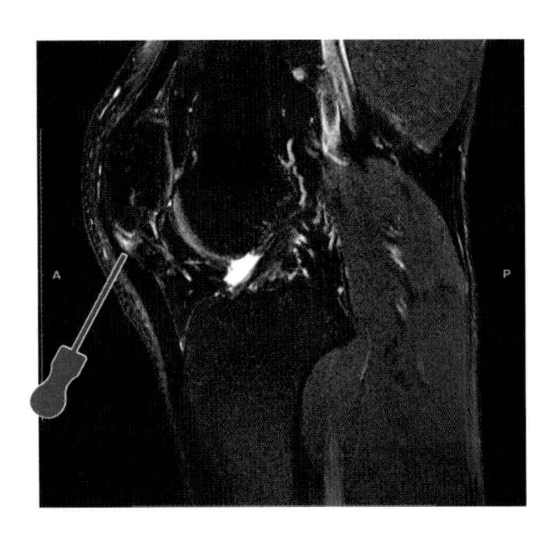

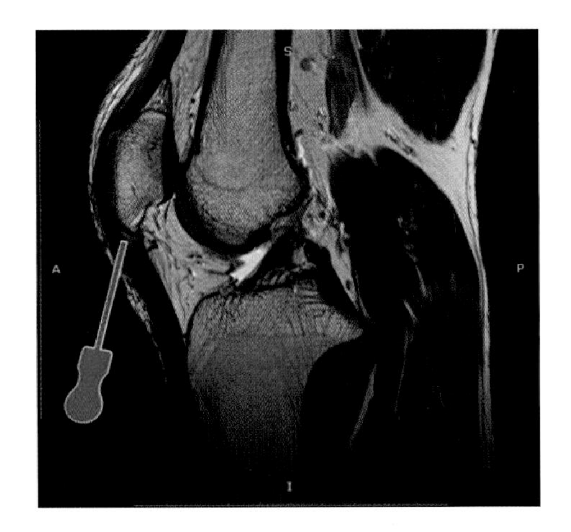

그림 3-3-15. 슬개건염의 MRI 영상

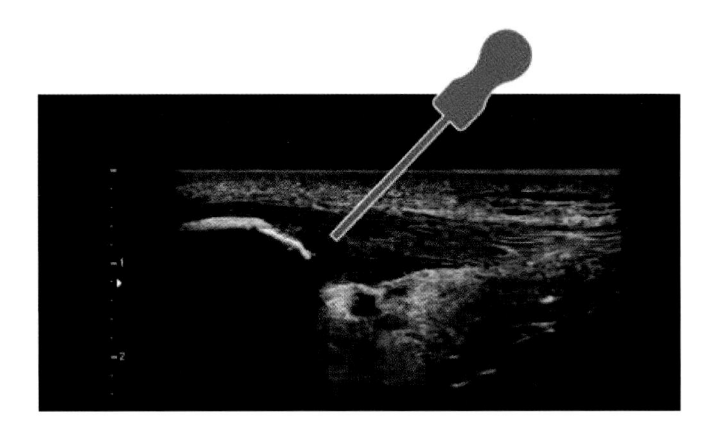

그림 3-3-16. 슬개건의 초음파 영상

3. 슬개건염 도침치료

난이도 ★★★

체위

- 앙와위 슬관절 신전 혹은 가벼운 굴곡상태
- 무릎 아래에 베개를 받치는 것이 좋다.

시술 포인트

- 슬개골 하단의 슬개건 손상점

날 방향

- 슬개건 주행 방향으로 한다.
- 1번 시술법: 슬개골을 정면으로 슬개건을 통과 후 슬개골 하단에 자입. 슬개골 하단에서 위쪽으로 눌러보면 압통점이 발견됨(그림 3-3-17).
- 2번 시술법: 내슬안 측에서 슬개골 하단으로 자입. 내슬안에서 슬개골 하단으로 눌러보면 압통점이 발견됨(그림 3-3-18).

깊이 / 자입 횟수 / 시술 빈도

1.5 cm, 2-3회, 2주 1회 2-4회 시술하며 경과를 지켜본다.

[주의사항]
시술 전 가능하면 초음파, MRI 등을 통해서 손상 부위를 확인하는 것이 좋습니다. 일반적으로 슬개골 하단의 내측 혹은 정중앙에서 압통점을 발견할 수 있습니다.
이 부위의 난이도가 높은 이유는 슬개건이 상당히 두터워서 0.5 mm 도침으로 치료가 쉽지 않고 치료 부위를 찾거나 적절한 강도를 체득하는 것이 쉽지 않기 때문입니다.
2번 치료법은 손상점을 향한 최단거리로 시술하고 얇은 도침으로도 치료가 가능합니다.

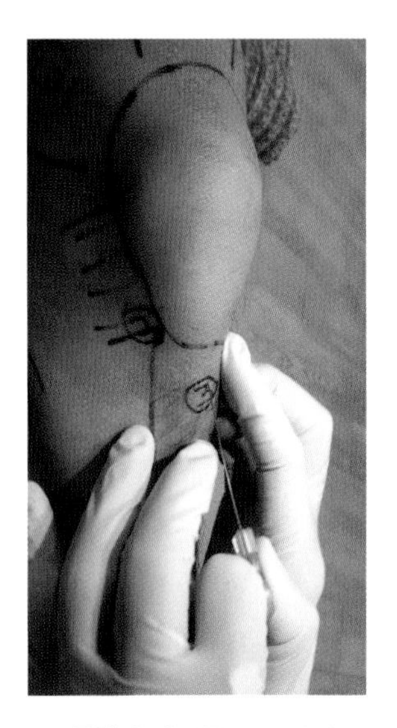

그림 3-3-17. 슬개건염 시술법 1번

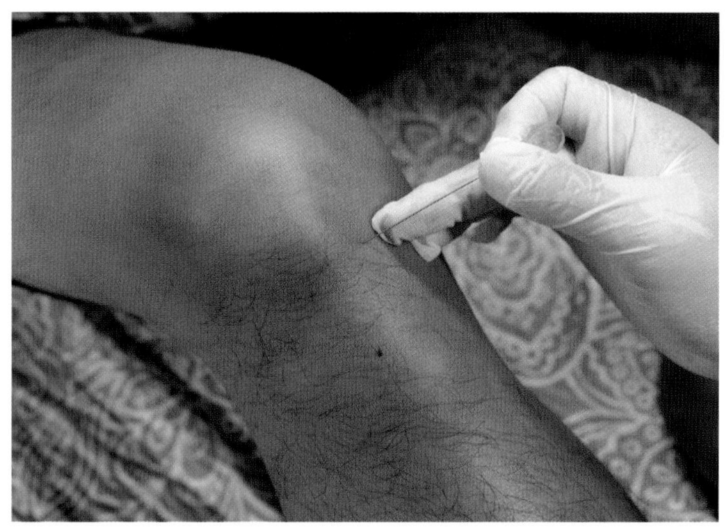

그림 3-3-18. 내슬안 측에서 접근하는 시술법

5 내측 측부인대 손상

키워드: #Collateral ligament injury #Medial collateral ligament

젊은 환자 중에 외상이나 축구 등의 격렬한 운동 후 슬관절 내측의 통증이 있다면 내측측부인대의 손상을 확인해볼 필요가 있습니다. 인대의 파열이 아닌 염좌의 경우 가벼운 도침치료가 인대의 손상회복에 도움이 됩니다. 노인 환자분의 경우에도 관절염을 치료하려고 할 때 이 부위의 통증이나 압통이 있는 경우가 있습니다. 정확한 치료를 위해 인대 위치와 압통점의 파악이 중요합니다.

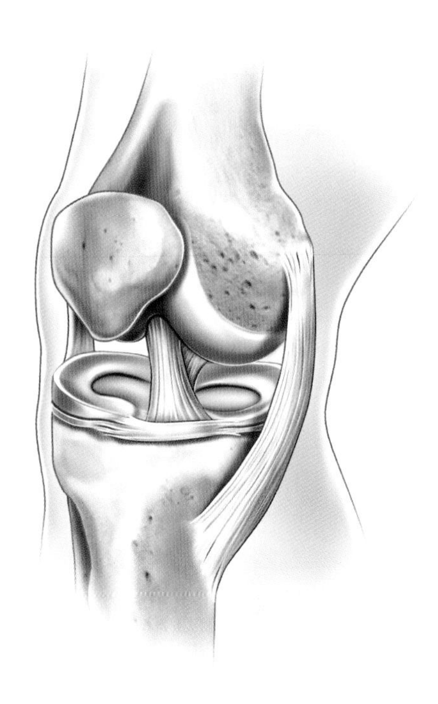

그림 3-3-19. 내측측부인대의 해부도

특징

- 슬개골 내측의 통증

히스토리

- 외상력, 축구 등 과도한 운동

증상

- 보행 시 통증, 슬관절 굴곡신전제한

PE

- 외반부하검사(Knee valgus test) : 슬관절 불안정 시 전원조치 요망

영상진단

- 호전이 더디거나 슬관절 불안정성이 보이면 인대파열 여부를 확인하기 위한 영상검사가 필요함

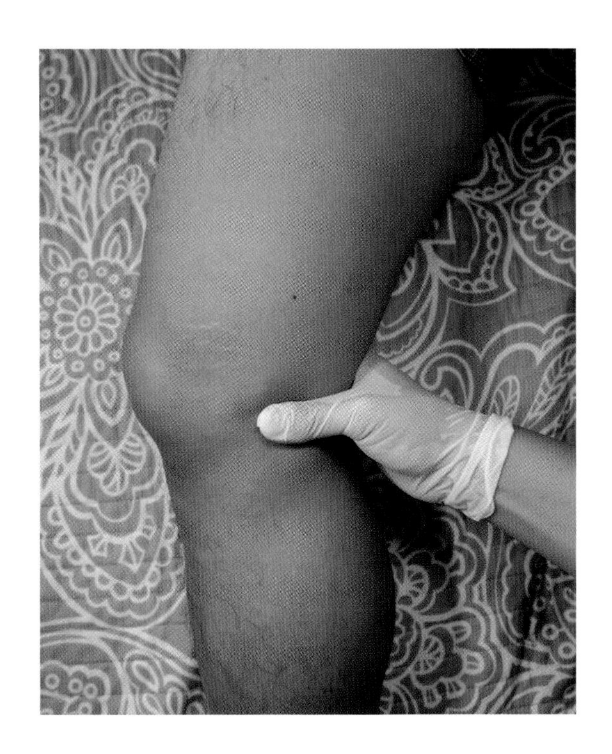

그림 3-3-20. 내측측부인대 부위의 확인

정확한 치료 부위를 찾기 위해서는 일단 대퇴골과 경골의 관절면을 찾는 것이 중요합니다. 사진과 같이 관절면을 손으로 눌러보시면 관절의 틈이 만져집니다(**그림 3-3-20**). 애매하다면 슬관절을 굴곡신전하면서 찾아보세요. 해당 부위의 압통점이 있다면 도침치료를 적용합니다.

1. 내측측부인대 도침치료(그림 3-3-21)

난이도 ★

체위

- 앙와위 슬관절 신전 혹은 가벼운 굴곡상태
- 무릎 아래에 베개를 받치는 것이 좋다.

시술 포인트

대퇴골 경골 관절면 내측측부인대 압통점

날 방향

인체 종축, 인대의 주행 방향

깊이 / 자입 횟수 / 시술 빈도

0.5 cm, 1-2회, 주 2회, 2-4회 시술하며 경과를 지켜본다.

> [주의사항]
> 인대의 회복을 위한 도침자극이니 최소한의 자입으로 인대 손상이 일어나지 않도록 해야 합니다.

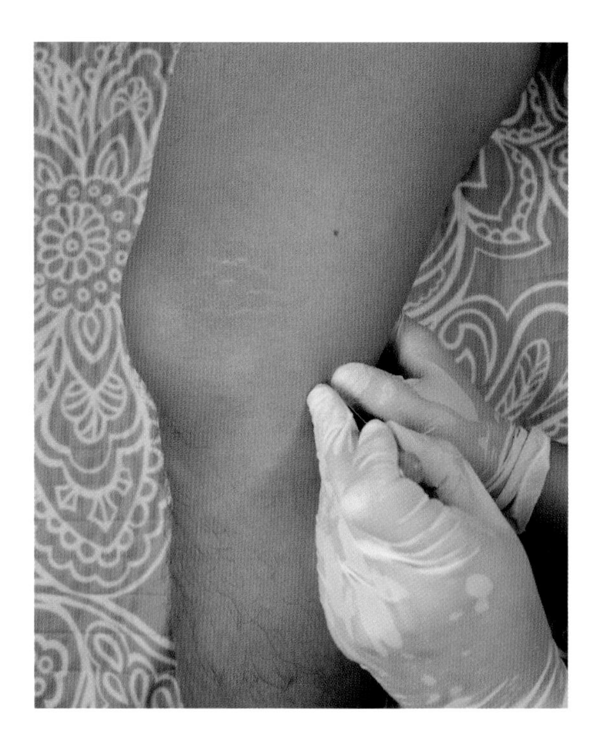

그림 3-3-21. 내측측부인대 도침치료

04 발목과 종아리

1 종아리 통증(근경련)

종아리 근육 천층은 비복근, 심층은 가자미근 그리고 그 안에는 또 다른 여러 근육으로 구성되어 있습니다(그림 3-4-1). 임상적으로 가장 중요한 것은 비복근입니다. 비복근은 종아리의 근육 통증과 근경련과도 깊은 관련이 있지만 다음 파트의 아킬레스건염, 족저근막염과도 밀접한 관련이 있습니다. 반복된 점프나, 맨발로 단단한 바닥을 반복해서 딛는 발뒤꿈치와 발바닥의 손상 기전을 생각하면 당연히 종아리 근육의 손상도 함께 일어난다는 것을 알 수 있습니다. 일단 비복근 근막의 지속된 손상과 손상 후에 근막이 두터워지면 발뒤꿈치와 발바닥의 쿠션 역할을 잘 해주지 못하게 되고 손상이 가속화되는 악순환을 만들어내기도 합니다.

특징

- 종아리 근육의 긴장과 근경련

히스토리

- 과도한 운동, 과사용

증상

- 종아리의 빈번한 근경련, 신전 시 제한, 달리기나 운동 시 통증

PE

- 종아리 근육의 압통

영상진단

- 초음파, MRI상에서 종아리 근육의 파열 등 진행정도 확인

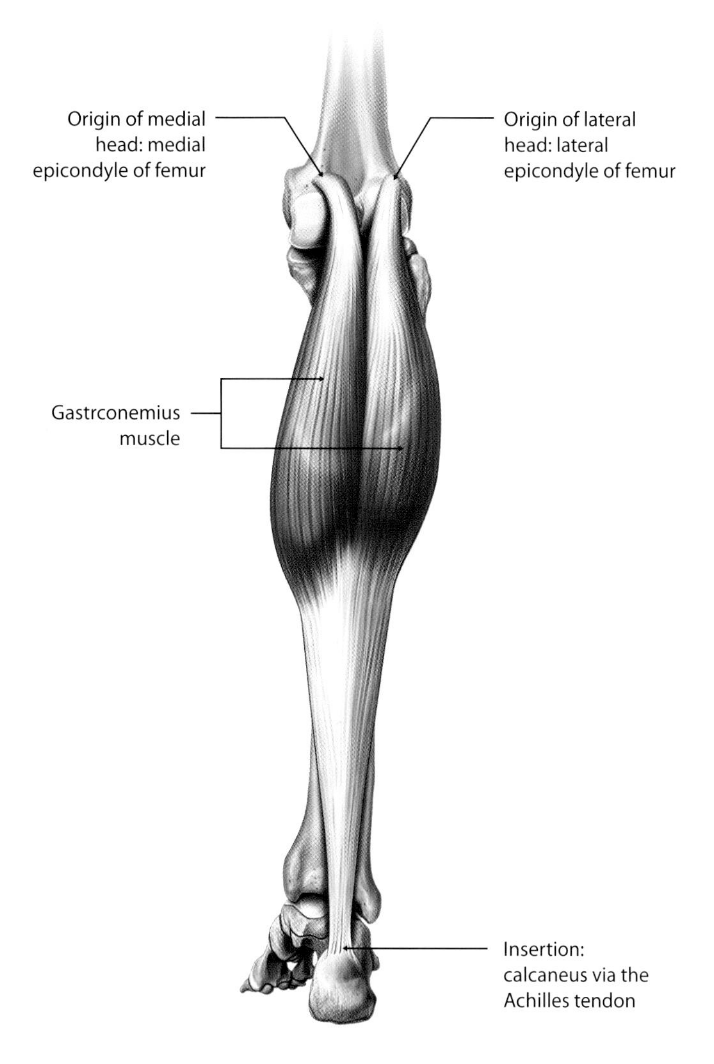

그림 3-4-1. 종아리의 근육

1. 종아리 통증의 도침치료(그림 3-4-4)

난이도 ★

그림 3-4-2는 비복근에서 자주 발견되는 긴장과 압통점입니다. 종아리 혹은 슬와부에 이상이 있다고 보이면 환자분을 엎드리게 하고 해당 부위를 눌러보시기 바랍니다. 종아리에 힘을 주면 오목하게 들어가는 근건이행부의 내측지점(C, D)이 가장 압통점이 자주 나타납니다. 비복근의 오리진 부위에서는 내측두(A)가 더 압통점이 자주 나타납니다(**그림 3-4-2**).

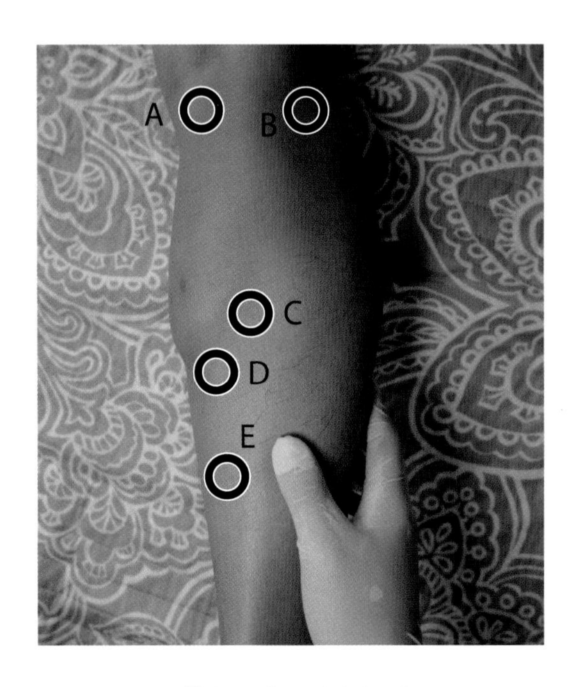

그림 3-4-2. 종아리의 근육

체위

복와위

정점

비복근 압통점

타겟

비복근 근막

깊이 / 포인트

0.5 cm / 압통이 가장 심한 곳 위주로 2-3포인트 / 2-3회 제삽

[주의사항]
슬와부의 중점에는 주요 동정맥이 지납니다(그림 3-4-3). 정확한 치료 포인트는 슬와부의 좌우측이기 때문에 이 부위를 자극할 이유는 없지만 슬와부위에서 무심코 심자하는 일이 없도록 합니다.

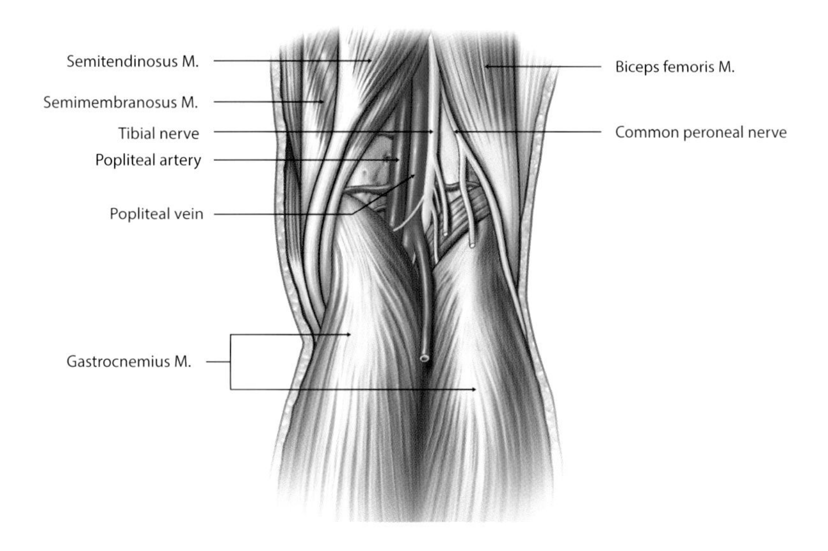

그림 3-4-3. 슬와부위 혈관과 신경

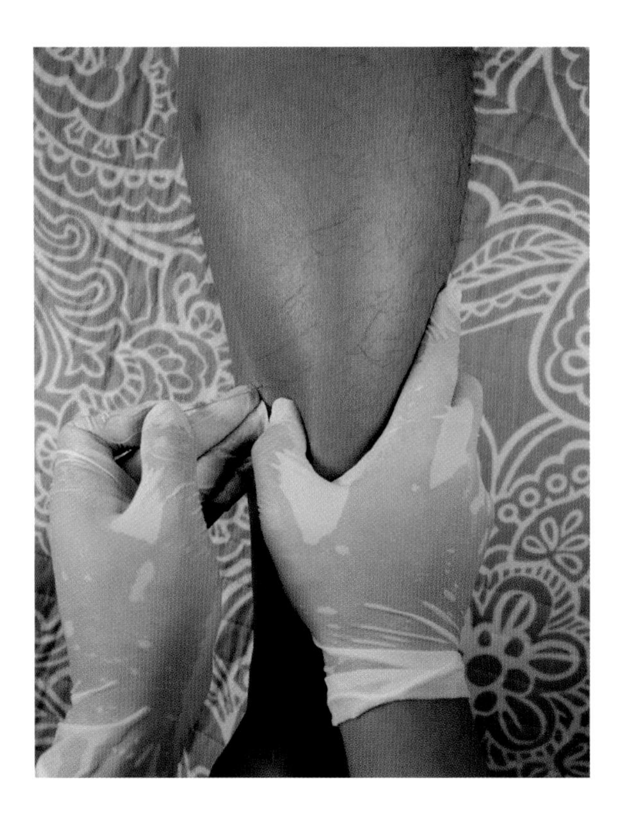

그림 3-4-4. 종아리 도침시술: 피부표면에 수직으로 자입하는 것이 좋습니다.

2 아킬레스건염(Achilles tendinitis)

키워드: #뒤꿈치통증(Heel pain) #아킬레스건(Achilles tendon)
#아킬레스건염(Achilles tendinitis) #발뒤꿈치 골극(Heel dorsal spur)

특징

- 발뒤꿈치 통증

히스토리

- 과도한 운동(농구, 점프), 부적절한 신발(플랫슈즈, 슬리퍼), 과도한 보행

증상

- 아침에 아킬레스건 주변에 통증이 있고 뻑뻑한 느낌이 있다.
- 활동을 하면 발뒤꿈치나 건 부위에 통증이 더 심해진다.
- 운동을 하고 난 다음날 심한 통증이 발생한다.
- 건의 두께가 두꺼워진다.
- 골극이 생기고 만져진다.
- 발목을 움직일 때 소리가 난다.
- 발목과 건이 항상 부어 있고 활동을 하면 점점 더 심해진다.

PE

- 아킬레스건 압통, Thompson test(파열여부 감별)

영상진단

- 초음파, MRI상에서 종아리 아킬레스건 파열 등 진행정도 확인

1. 아킬레스건의 구조와 역할

아킬레스건은 서 있을 때 무릎이 앞으로 넘어지지 않도록 지탱하며, 걸을 때 뒤꿈치를 들어 올려 발이 땅에서 떨어져 바닥을 차고 몸을 앞으로 나아가도록 하는 중요한 역할을 하는 힘줄입니다(**그림 3-4-5**). 그러나 아킬레스건은 활액막이 없어 마찰에 약한 구조이고(1형), 이 때문에 가장 손상되기 쉬운 힘줄입니다.

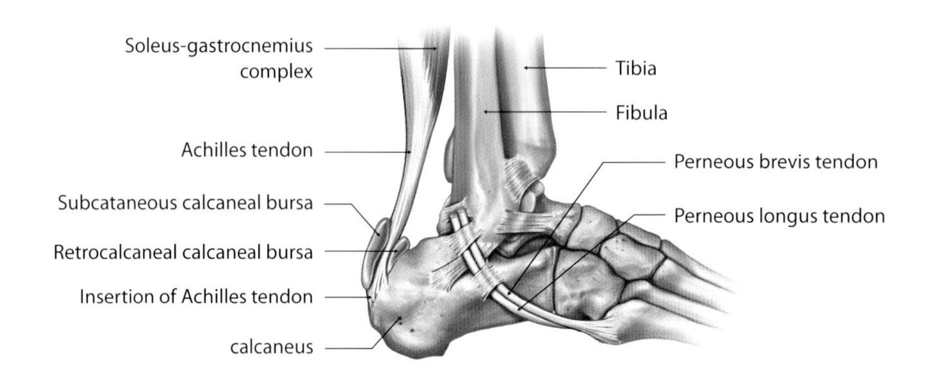

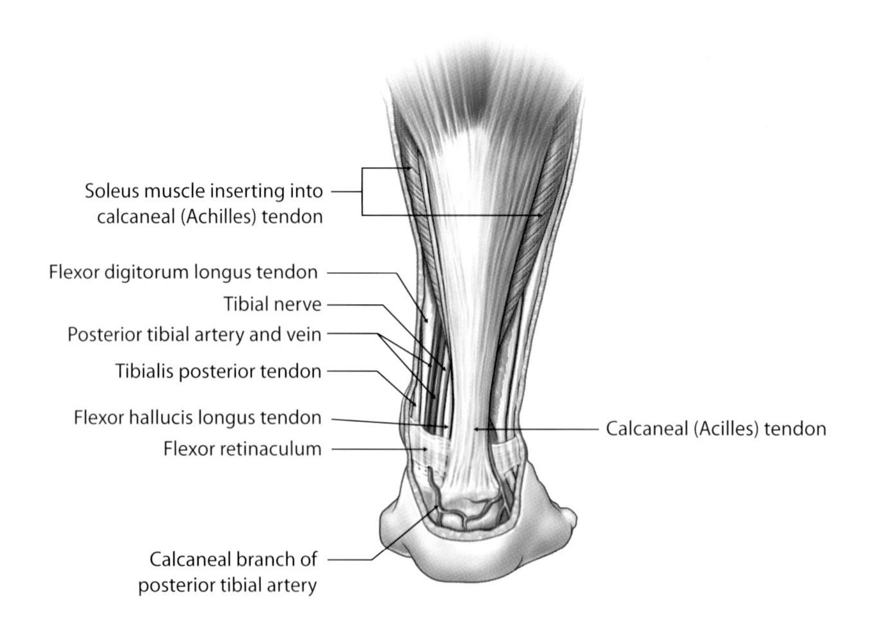

그림 3-4-5. 아킬레스건의 구조

건은 부착하는 방식에 따라서 2가지로 나눌 수 있습니다. 끝 부분이 뼈와 직진으로 연결된 건은 1형, 부착부위 직전에 방향이 바뀌는 건은 2형으로 분류합니다.

1형 건의 경우 건 내부의 콜라겐 섬유들을 더욱 질긴 건초(peritendon)가 감싸고 있는 형태로, 장력이 강하기 때문에 강한 힘이 전달되는 곳에서 많이 볼 수 있습니다. 그 대표적인 것이 아킬레스건입니다(**그림 3-4-6A**). 2형은 1형과 달리 건조직이 활막초(synovial sheath)로 덮여 있습니다. 활막초는 활액막과 동일한 세포층으로 이루어진 세포내막을 가지고 있습니다. 이러한 구조는 건초 안에서 건이 미끄러질 때 마찰력을 줄여줍니다. 그러므로 건 주변에 뼈 조직 등의 구조물이 많아 잦은 마찰이 생기는 부위에서 발견됩니다. 그 대표적인 것은 회전근개의 건들입니다(**그림 3-4-6B**).

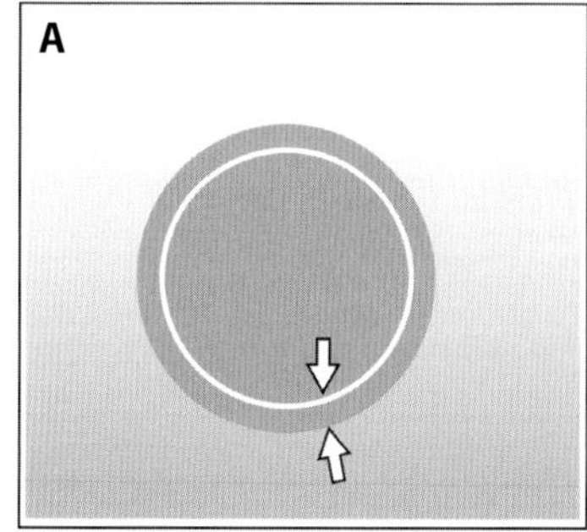

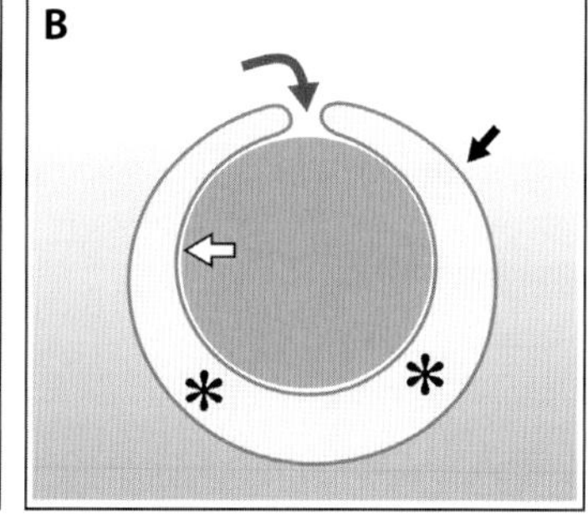

그림 3-4-6. 1형 건의 구조

2. 아킬레스건염의 원인

과체중, 발목 및 하체의 무리한 운동, 잘못된 보행습관, 골극의 발생 등 건이 지속적이고 반복적인 스트레스들 받아 발생하는 일종의 퇴행성 변화입니다. 주로 달리기를 오래하는 운동선수에게 많이 발생하지만, 운동을 하지 않던 중년 남성이 갑자기 과한 운동을 하는 경우, 20대 여성의 하이힐과 플랫슈즈로 인한 손상으로 발생할 수 있습니다.

3. 비부착부 손상

일반적으로 건의 손상은 근건이행부나 골부착부에서 흔하게 발생합니다. 하지만 아킬레스건의 경우 종골부착부 상방 2–6 cm에서 염증이 가장 호발합니다(**그림 3-4-7**). 이 부위는 장딴지근과 가자미근이 90도로 꼬이면서 합쳐지는 부위로, 혈액이 원활히 공급되지 못하는 부위임에도 전단력(shearing force)이 집중되는 **critical zone**이기 때문입니다. 이 부위의 손상을 '비부착부 손상'이라고 합니다.

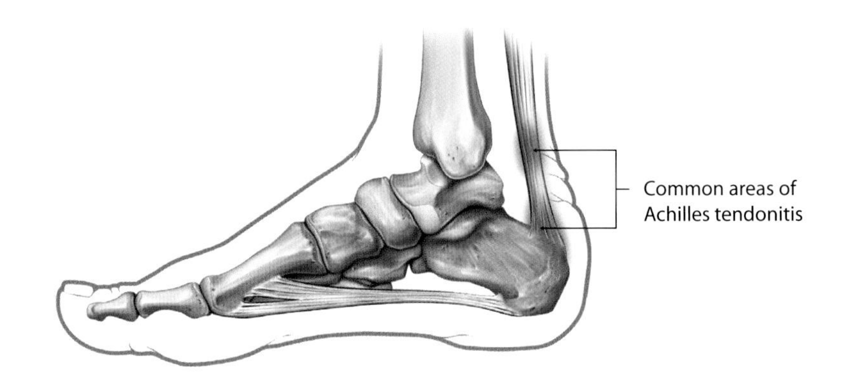

그림 3-4-7. 아킬레스건염의 호발 부위: 부착부에서 2–6 cm 위쪽이 critical zone입니다.

4. 부착부 손상

아킬레스건의 손상에서 비부착부 손상이 부착부 손상보다 많지만, 부착부 손상이 드문 것은 아닙니다. 아킬레스건 종골 부착부 손상은 극상근 종지부의 손상, tennis elbow, golf elbow 등과 함께 부착부 건염의 호발부위 중 하나입니다. 또한 종골의 dorsal spur로 인해 통증이 유발되는 Haglund's Syndrome과도 밀접한 관련이 있습니다.

5. Tendinitis - Tendinosis

아킬레스 건병증(tendinosis)은 만성적인 과사용으로 인하여 발생하는 아킬레스건의 퇴행성(degeneration)질환입니다. 아킬레스 건염(tendinitis)의 상태에서 충분한 휴식과 완전한 치유없이 종아리 근육(calf muscle)의 지속적인 과사용(repeted overuse)으로 인해 힘줄의 손상이 심화되면 상처(scar)가 발생되고 이로 인한 섬유화(fibrosis)가 발생하면서 퇴행성 변화로 이어진 질환입니다. 건의 손상 이후에 허혈성 손상이나 세포 독성의 결과로 건 내부의 콜라겐이 퇴행성 변형을 일으키게 되는데, 그 결과 glucosaminoglycan의 축적을 초래합니다. 결국 단단한 콜라겐 조직이 겔과 같은 조직으로 바뀌면서 내구성이 줄어드는 과정이라고 할 수 있습니다.

6. 보존적 치료가 우선적

연구에 따르면 아킬레스건 병증에 대한 보존치료의 성공률은 약 65%인 반면, 재건술과 같은 외과적 수술의 성공률은 약 51%입니다. 그러므로 아킬레스건의 치료는 스트레칭과 같은 보존적 치료가 가장 우선적으로 이루어져야 합니다. 하지만 보존적 치료의 기간도 3-6개월로 한정되며, 이후에도 증상이 계속된다면 외과적 치료를 고려하여야 합니다.

7. 도침치료의 목적

아킬레스건은 대사속도가 낮아 손상 후 회복이 느리며, 손상 후 혈액공급이 잘 되지 않아 퇴행이 발생합니다. 그러므로 도침치료는 혈액공급을 통해 건의 허혈 상태를 치료하여 퇴행이 진행된 아킬레스건을 리모델링하는 것을 목적으로 합니다.

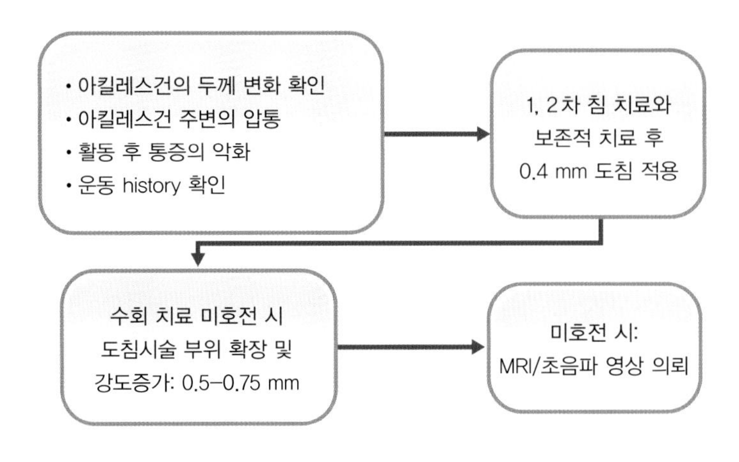

그림 3-4-8. Workflow

8. 아킬레스건염 도침치료(그림 3-4-9~11)

난이도 ★★

체위

환자는 엎드리고, 발목에 베개 등을 받쳐 발바닥을 지지

정점

내외과 후면의 아킬레스건의 종골 부착부(곤륜 태계의 골면) + 아킬레스건 후면의 압통점(정근 정종혈)

목표

아킬레스건의 섬유 손상부

깊이 / 포인트 / 자입 횟수

1.5 cm 내외 / 3–5 포인트 / 1–2 회

날 방향

인체 종축 힘줄 주행 방향

[주의사항]
환자에 따라 증상의 심한 정도가 다양합니다. 가벼운 환자는 압통점이 적고 심한 환자는 압통점이 심하면서 넓게 분포합니다. 환자의 상태에 따라서 시술 포인트와 강도를 정해서 시술합니다.
너무 과도한 자극으로 아킬레스건의 손상에 이르지 않도록 자극량을 조절해 갑니다.

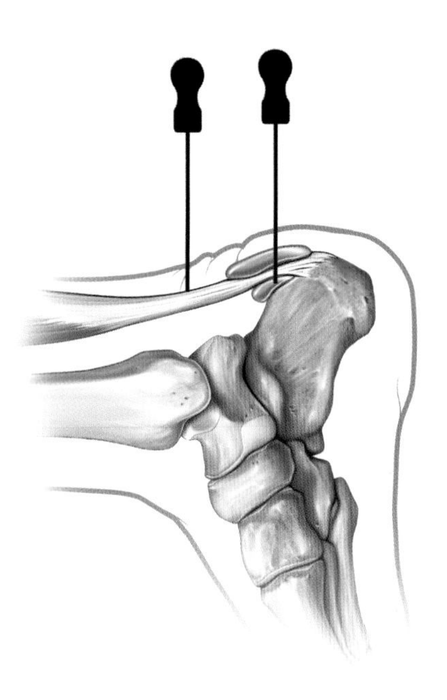

그림 3-4-9. 아킬레스건 도침시술 그림

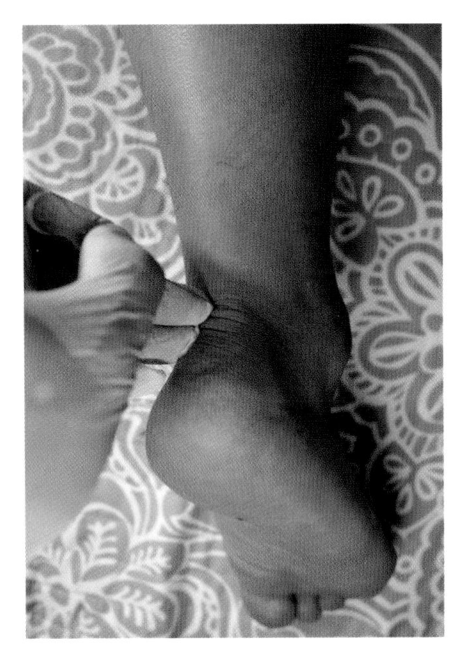

그림 3-4-10. 비부착부 도침사진

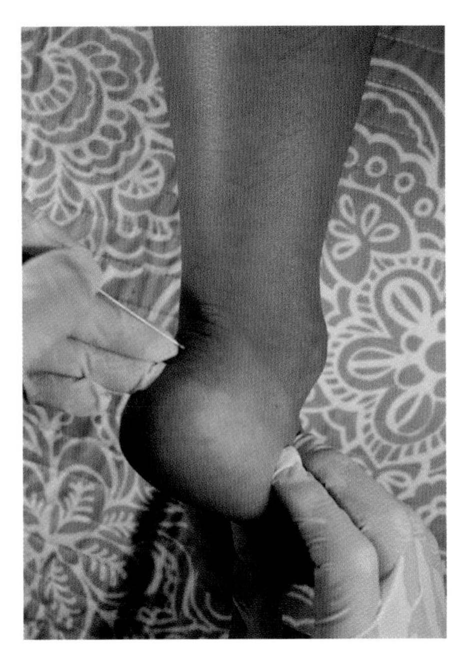

그림 3-4-11. 부착부 도침사진

3 족저근막염(Plantar fasciitis)

키워드: #발바닥통증(Plantar heel pain) #발바닥 근막(Plantar fascia)
#발바닥 근막염(Plantar fasciitis) #발뒤꿈치 골극(Heel spur)

특징

- 발바닥 뒤쪽 통증

히스토리

- 과도한 운동(농구, 점프), 부적절한 신발(플랫슈즈, 슬리퍼), 과도한 보행

증상

- 아침에 처음 발바닥을 딛거나 휴식 후 발을 처음 딛을 때 통증 호소.
- 심해지면 걸을 때마다 통증이 있음

PE

- Squeeze test(압박골절 배제)

영상진단

- 초음파, MRI상에서 족저근막의 손상 정도 등 확인

1. 족저근막염은

발바닥 통증을 유발하는 부위는 주로 족저근막, 족저 지방체 등이 있습니다. 그 중 족저근막염은 발바닥 뒤쪽 통증(plantar heel pain)의 80%를 차지하는 질환으로 10명 중 한 명이 평생에 한 번은 겪는 흔한 질병입니다. 보존적인 치료에 반응이 좋은 질환이지만 재발을 잘하고 생활 및 작업환경에 따라 예후가 달라질 수 있습니다. 따라서 적절한 치료와 함께 오래 걷거나 충격을 주는 행동을 자제하고, 충분한 쿠션이 있는 신발을 신는 등 일상생활에 대한 티칭도 반드시 병행해야 합니다.

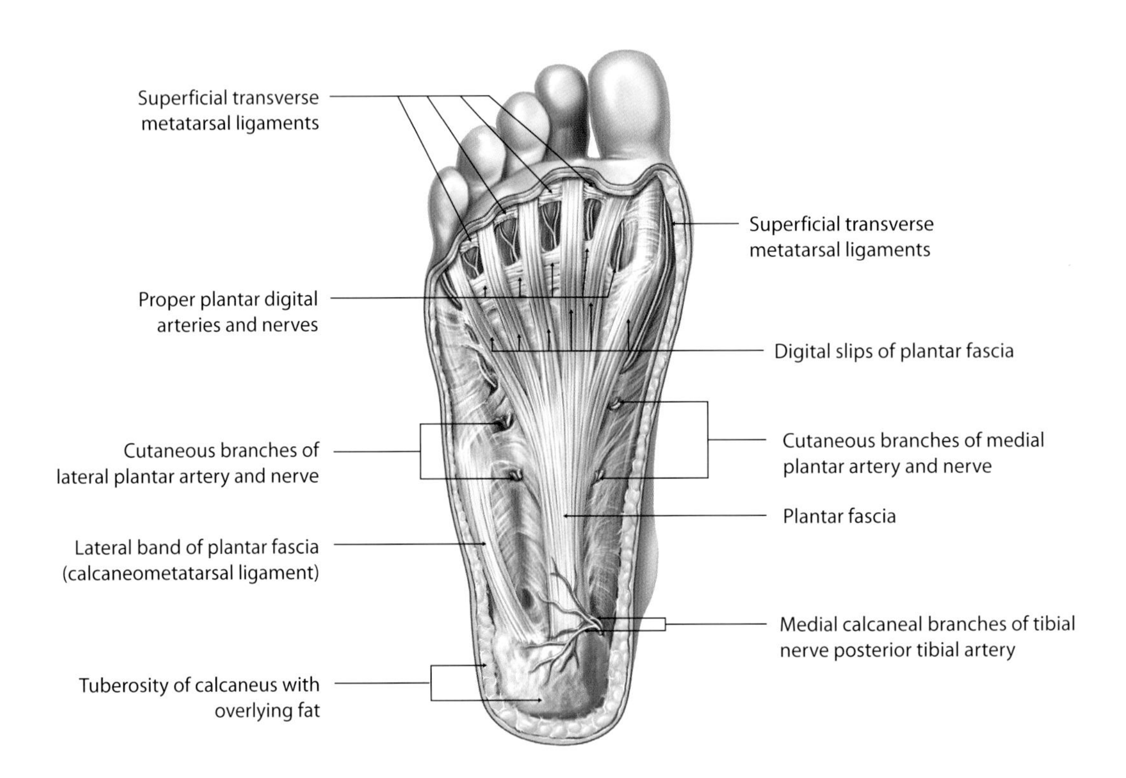

그림 3-4-12. 발바닥 근막의 해부도

2. 족저근막의 해부학

발바닥의 인대들은 발바닥의 근막으로 둘러싸여 있습니다. 족저근막과 발뒤꿈치의 지방체는 보행 시, 혹은 서 있을 때 인체의 체중을 지탱하는 쿠션 역할을 해줍니다. 발바닥의 손상과 과사용이 반복되면 만성적인 염증이 유발되고, 구조가 두터워지거나 딱딱해지는 등 변형이 일어나며 이로 인해 체중이 실릴 때마다 발바닥의 통증이 지속적으로 발생합니다. 또한 족근관을 통과하는 Poterior tibial n.의 압박으로 발바닥의 이상감각이 유발될 수도 있으므로 족근관증후군의 포인트도 알아둔다면 감별에 도움이 될 것입니다(족근관증후군 → p.275).

[추가적인 감별진단]

스포츠 손상 등으로 발바닥 근막의 파열이 일어난 경우라면 손상의 히스토리와 함께 국소적인 부종이나 파열 부위의 육안적 변화를 확인할 수 있습니다. 발뒤꿈치를 쥐어짜는 squeeze test를 통해서 발뒤꿈치의 스트레스 골절을 배제할 수 있습니다. 보존적인 치료에도 반응하지 않고 휴식 시 통증을 호소한다면 종양 등 신생물을 고려해볼 수 있습니다. 이상의 경우에는 정확한 영상진단을 고려해야 하겠습니다.

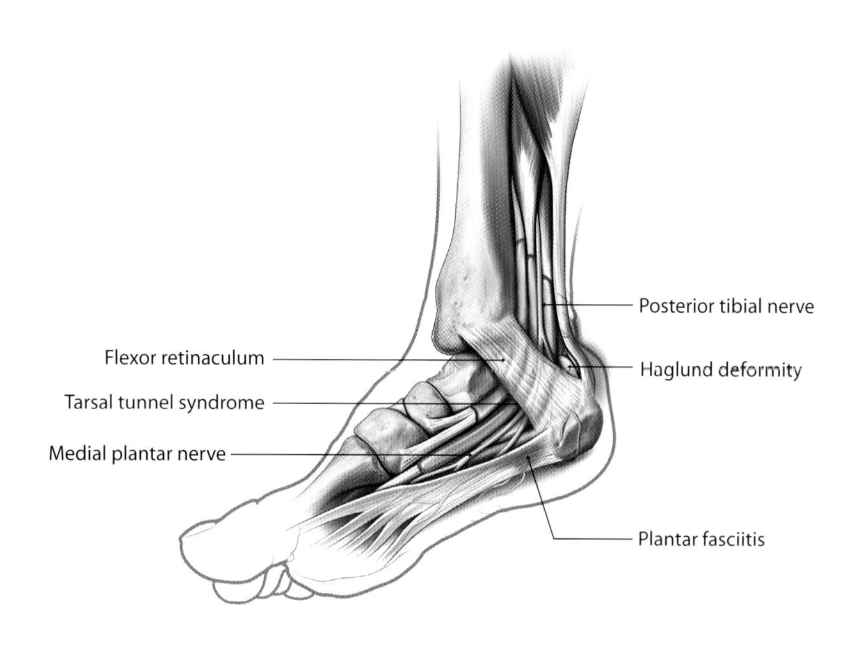

그림 3-4-13. 아킬레스건염과 족저근막염: 발의 충격은 두 조직 모두에 영향을 끼칠 수 있습니다.

3. 보존적 치료, Steroid injection과 발바닥 근막파열

홈 스트레칭이나 물리치료 NSAIDs 체외충격파(ESWT)가 발바닥 통증을 경감시킨다는 근거가 있으며 보존적 치료로 널리 사용되고 있습니다. 스테로이드주사는 일시적으로는 1개월 정도 호전반응이 있지만 6개월의 예후를 보면 보존적 치료보다 나은 점이 없습니다. 도리어 발바닥의 근막 파열은 물론, 발바닥의 지방체를 퇴축(fat pad atrophy)시키는 부작용을 유발하기도 합니다.

환자분에게 발바닥 근육과 종아리 근육의 이완을 위한 스트레칭을 알려드려 도침치료와 병행하도록 하는 것을 권장드립니다.

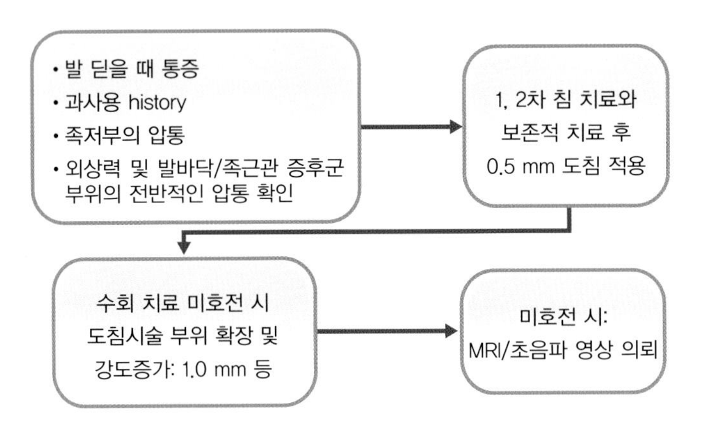

그림 3-4-14. Workflow

4. 족저근막염 도침치료(그림 3-4-15)

난이도 ★★★ 위험도 ★

체위

환자는 엎드리고, 발목에 베개 등을 받쳐 발바닥을 지지

정점

- 종골의 족저근막 부착부 내측 압통점
- (중족골부위 통증 시) 공손혈 인근

목표

족저근막의 손상 부위(종골의 골면까지 자입)

깊이 / 포인트 / 자입 횟수

3 cm 내외 / 1–2 포인트 / 1–5 회

날 방향

인체 종축 족저근막 주행 방향

[주의사항]
비교적 통증이 심한 부위이므로 시술 전 5분 정도 얼음팩을 해주시고 환자의 통증 감수성 여부에 따라 치료 포인트의 개수를 조절해주세요. 심한 경우에는 우측의 여러 포인트를 동시공략할 수도 있어 마취를 진행하거나 통증에 대해 환자분에게 미리 고지를 하고 진행하는 것을 추천드립니다.

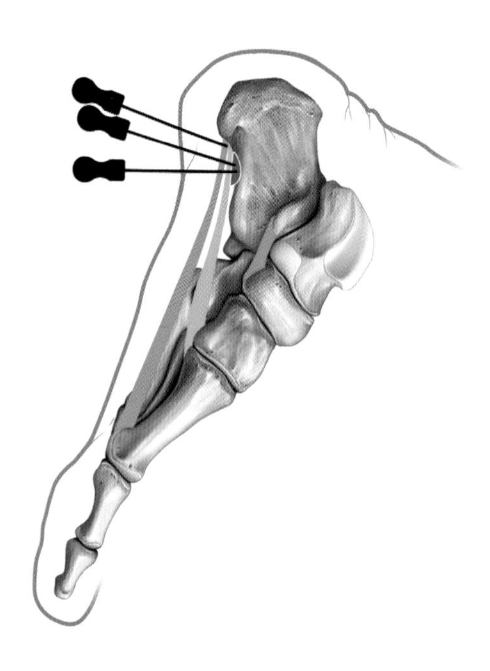

그림 3-4-15. 족저근막염 도침시술 개념도

시술 포인트 설명

1번. Medial aspect of the calcaneal tuberosity를 위주로 족저근막의 종골 부착부의 압통점입니다. 압통점이 의외로 종골의 내측면에서 나타나는 때도 있으니 그림에 세 포인트를 중심으로 먼저 체크해주세요.

2번. 때로는 1-2 중족골 간에 압통점이 나타나면서 보행 시 엄지발까락 쪽으로 통증이 오는 경우도 있습니다. 발가락을 위로 스트레칭해보면 근막이 도드라지면서 단축이 온 부위를 확인할 수 도 있습니다. 해당 포인트의 압통점을 체크하세요(**그림 3-4-16**).

> **정리해보면, 종골부위의 압통점을 기본으로 하되 족저근막을 따라 발바닥 전반적으로 짚어보고 압통이 있는 부위를 시술 포인트로 합니다.**

도침 1-5회 자입

족저근막의 종골 부착부를 타겟으로 두터운 발바닥의 표피를 빠르게 뚫고 서서히 **종골의 골면까지 자입**합니다. 골면까지 도달하는 과정에서 근막의 두터워진 부위나 긴장된 부위를 발견하면 자연스럽게 종행 박리해줍니다.

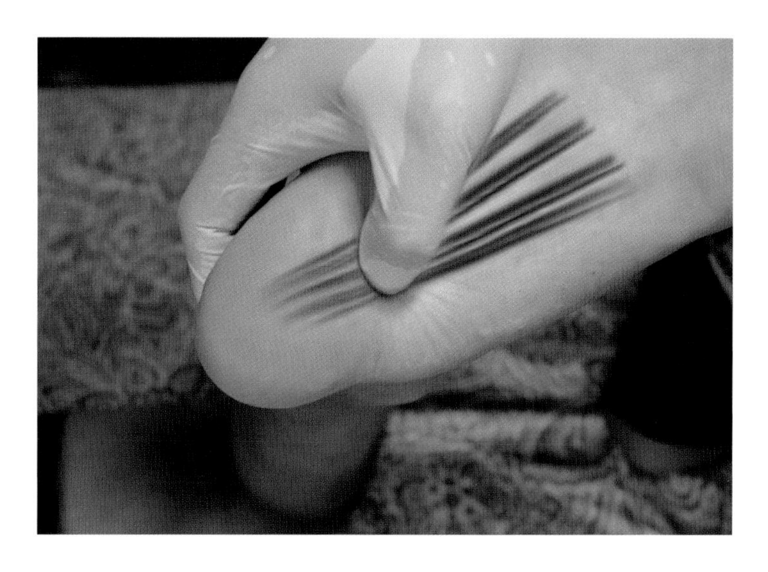

그림 3-4-16. 족저근막염 압통점 : 종골의 내측면 족저근막 부착부를 유심히 살펴봅니다.

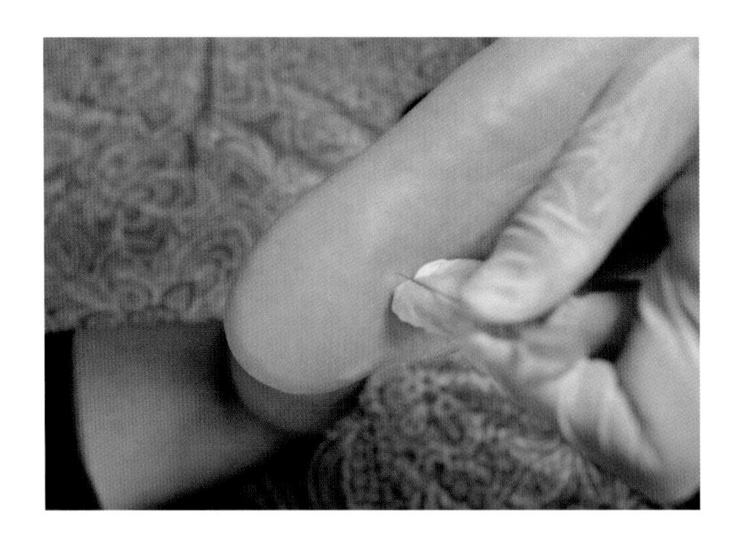

그림 3-4-17. 족저근막염 도침시술 포인트 1

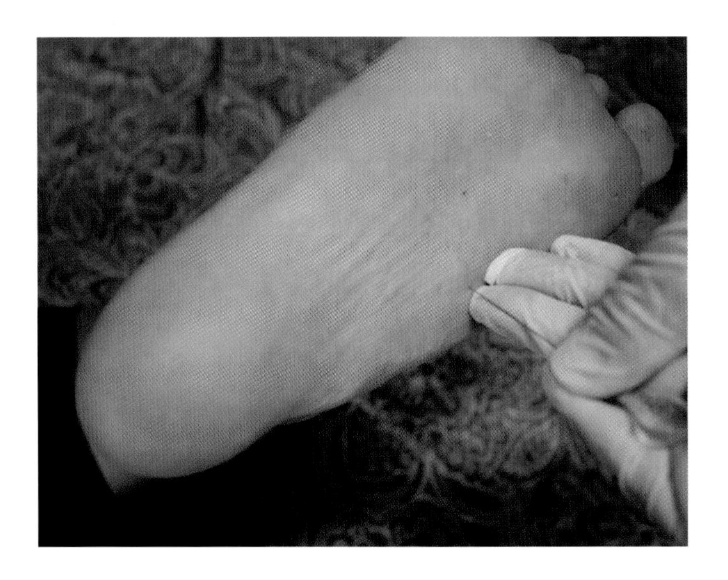

그림 3-4-18. 족저근막염 도침시술 포인트 2

4 발목터널증후군

키워드: #Tibial Nerve Entrapment #Posterior Tarsal Tunnel Syndrome (PTTS)
#Deep Peroneal Nerve Entrapment #Anterior Tarsal Tunnel Syndrome (ATTS)

손목터널증후군처럼 자주 발생하는 것은 아니지만, 발목에서도 신경이 지나가면서 터널을 형성하고 이 터널에서 신경이 압박되어 증상이 나타나곤 합니다. 발목에서는 두 곳의 터널이 형성되는데요, 내과 후방에서 경골신경이 압박되어 나타나는 것이 후방발목터널증후군(PTTS), 발등에서 비골신경이 압박되어 나타나는 것이 전방발목터널증후군(ATTS)입니다.

특징

- 내과 후방에서 경골신경과 그 분지가 압박되어서 오는 신경포착증후군

히스토리

- 외상, 조이는 신발, 결절종, 종양, 신경종, 골극 등

증상

- 발바닥과 발뒤꿈치의 저림과 감각이상, 발바닥의 화끈거림

PE

- 압박 부위의 Tinel sign

영상진단

- 종양, 신경종, 골극 등 신경압박의 원인감별을 위함

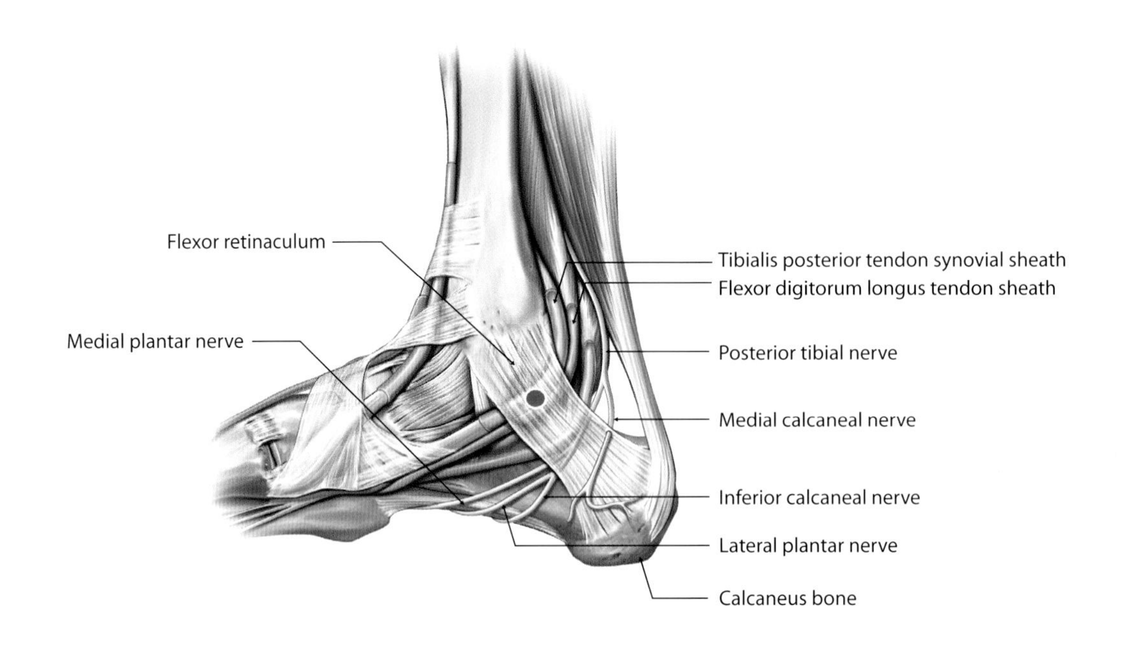

그림 3-4-19. 후방발목터널의 해부도: 빨간색 원이 압박 포인트

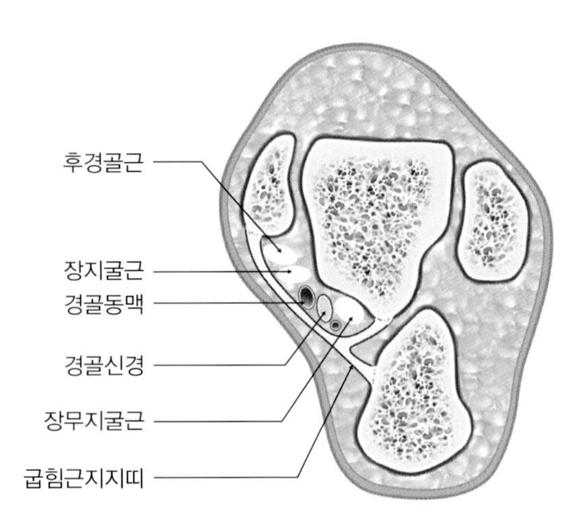

그림 3-4-20. 후방발목터널

1. 후방발목터널증후군 도침치료(그림 3-4-21, 22)

난이도 ★ 위험도 ★

체위

앙와위

정점

후방발목터널의 신경주행부 압통점

목표

Flexor retinaculum

깊이 / 포인트 / 자입 횟수

0.5 cm 내외 / 1-2포인트 / 2회

날 방향

신경 주행 방향

[주의사항]
칼날 방향을 신경 주행 방향으로 하며, 과도한 심자로 신경을 손상하는 일이 없도록 합니다.

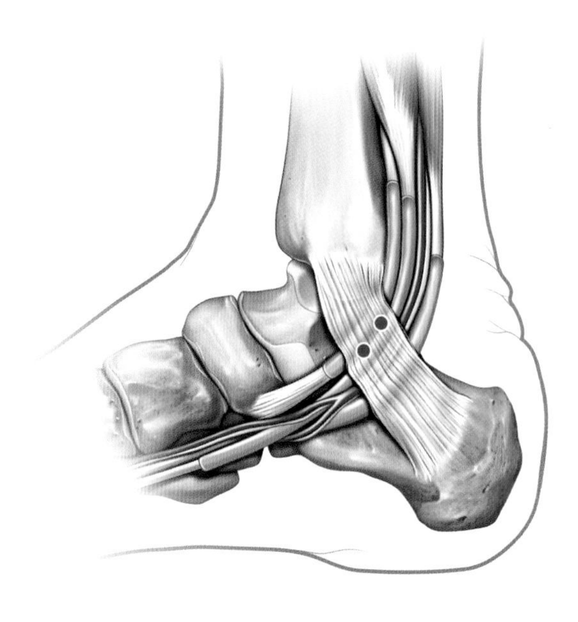

그림 3-4-21. 후방발목터널증후군 도침 포인트

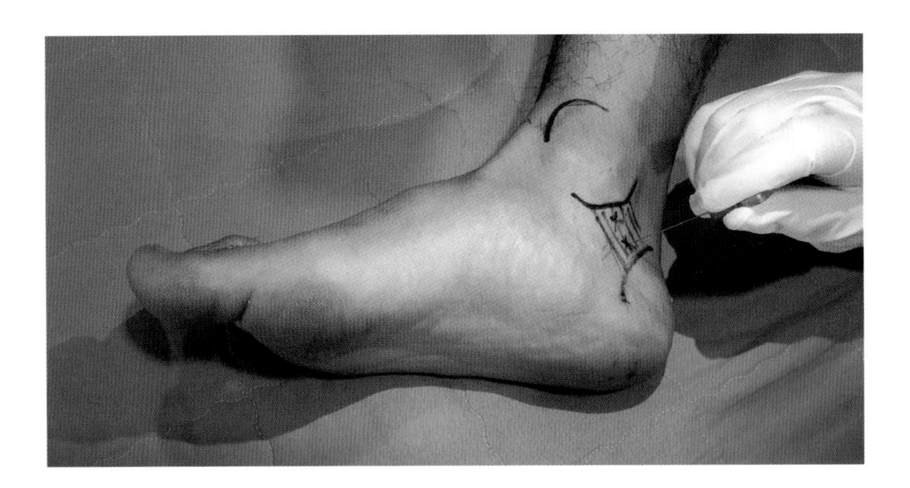

그림 3-4-22. 발목터널증후군 도침치료

2. Anterior tarsal tunnel syndrome (ATTS)

정의

- 발등에서 심비골신경이 inferior extensor retinaculum에 압박되어서 오는 신경포착증후군

히스토리

- 발등의 타박상, 조이는신발, Talonavicular Osteophytosi, 결절종, 요족

증상

- 발등의 통증과 족모지 & 족 2지의 감각이상
- 심해지면 첫째와 둘째 발가락의 마비와 단지신근의 위축이 발생

PE

- Anterior tarsal tunnel

영상진단

- 종양, 신경종, 골극 등 신경압박의 원인 감별을 위함

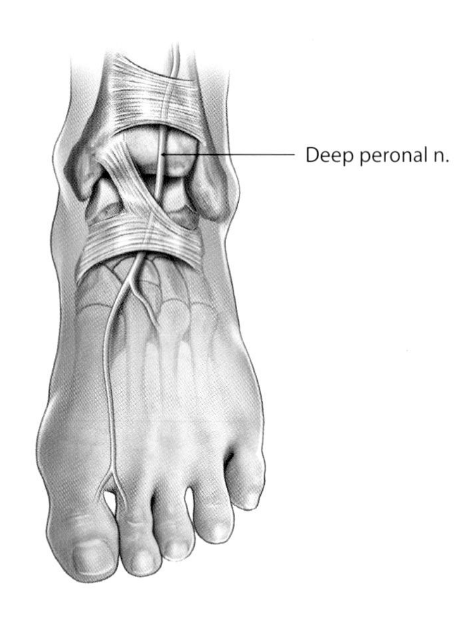

그림 3-4-23. 전방발목터널의 해부도

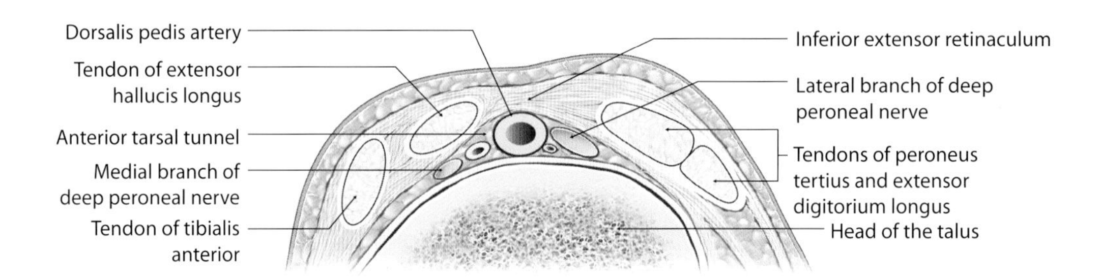

그림 3-4-24. 전방발목터널의 절편

전방발목터널증후군 도침치료(그림 3-4-25)

난이도 ★ 위험도 ★

체위

앙와위

정점

전방발목터널의 신경주행부 압통점

목표

Inferior extensor retinaculum의 신경압박포인트

깊이 / 포인트 / 자침 횟수

0.5 cm 내외 / 1-2포인트 / 1-2회

날 방향

신경 주행 방향

[주의사항]
칼날 방향을 신경 주행 방향으로 하며, 과도한 심자로 신경을 손상하는 일이 없도록 합니다.

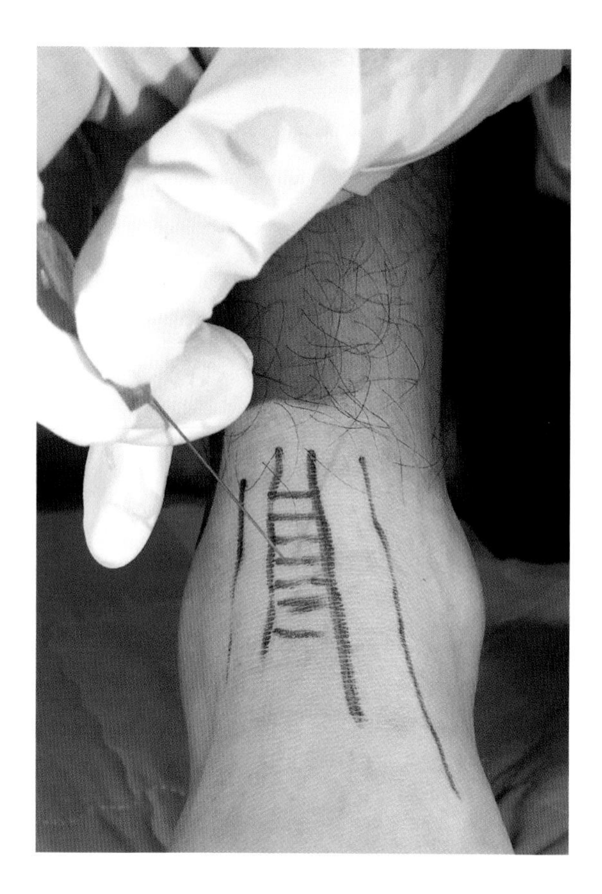

그림 3-4-25 전방발목터널증후군 도침시술

5 발목염좌

정의

- 발목의 내번 혹은 외번, 발목의 과사용으로 인한 인대의 손상증

히스토리

- 염좌, 과사용

증상

- 발을 디딜 때 불안정함이 느껴지는 것
- 접질린 발목 부위가 붓고 통증이 생기는 것
- 다치는 순간에 인대 파열음이 발생하는 것
- 장시간 걸었을 때 발목에 통증이 느껴지고 양반다리 자세가 힘들어지는 것

PE

- Talar tilt test, drawer test 등

영상진단

- 인대의 파열 정도 및 골절 여부를 평가하기 위해 X-ray 초음파 MRI 등을 활용할 수 있음

발목 염좌는 가장 흔한 스포츠 손상으로 운동이나 활동 중에 급격한 내번력이나 외번력에 의하여 측부인대 손상을 가져온 것입니다.

초기에 'PRICE' 원칙에 의해 치료할 경우, 대부분 호전되지만 적절한 치료를 받지 않을 경우 만성 재발성 염좌, 발목 관절 불안정성, 발목 충돌증후군 등으로 진행되는 경우도 많습니다.

족근관절의 염좌는 골절과 감별진단이 필수적입니다. 아래와 같은 증상이 나타나는 경우 골절을 의심할 수 있으며 Ottawa ankle rules은 급성 족관절 염좌 환자의 골절을 배제할 수 있는 정확한 도구로 알려져 있습니다.

- 손상 후 한 시간 이내에 부종이 급속하게 진행하는 경우
- 한 시간이 지나도 서 있기 힘들 정도의 심한 통증이 있는 경우
- 촉진 시 특정한 뼈에 심한 압통이 있으면서 타진이나 소리굽쇠 검사에서 통증이 증가하는 경우

1. 발목염좌 빈발 부위와 치료 포인트(그림 3-4-26)

족관절 염좌의 **90%는 외측인대 손상**이고 1–10%는 전방 원위 경비인대 손상으로 알려져 있습니다.

- 외측인대 손상: 대부분의 외측 인대 손상에서 **가장 많이 손상되는 것은 전거비인대(80%)**이고, 충격이 조금 강한 경우에는 종비인대 손상이 동반되기도 합니다. 그러나 염좌 시 종비인대 손상만 단독으로 나타나는 경우는 흔치 않으며, 충격이 강하면 전거비인대, 종비인대, 후거비인대 모두 손상될 수 있습니다.
- 내측인대 손상 : 내측인대는 발목 주위 관절 중 가장 강하기 때문에 손상되는 경우가 드뭅니다.

  특히 삼각인대의 경우 관절에 강하게 붙어 있으므로 **파열 시 내과 골절이 동반되지 않았는지** 의심해볼 필요가 있습니다.
- 전방 원위 경비인대 손상: 쉽게 손상되지는 않지만 손상될 경우 족관절의 불안정성이 매우 심하고 만성화되기 쉽습니다.

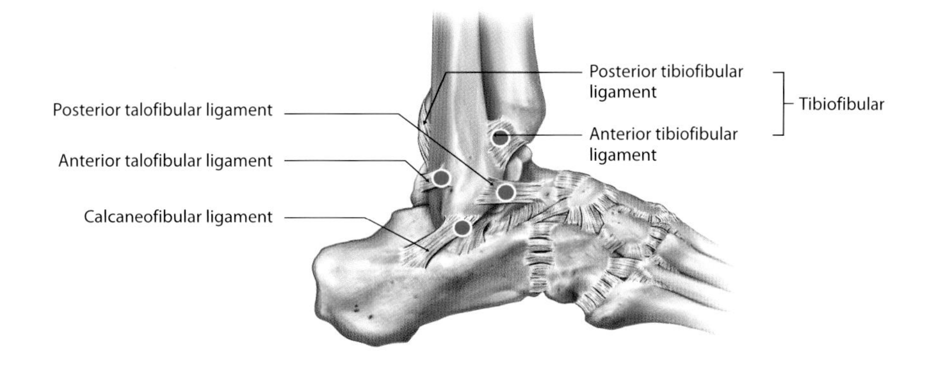

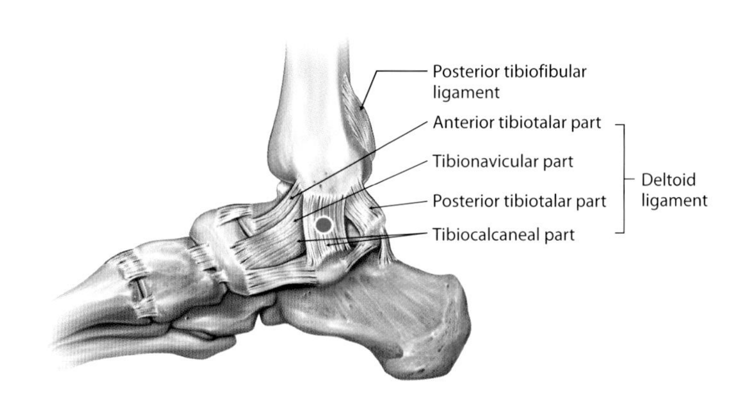

그림 3-4-26. 발목의 인대와 주요 치료 포인트

발목염좌의 손상 빈발 부위를 알면 환자가 내원했을 때 어디를 확인해야 하고, 어디에 치료를 해야하는지 쉽게 알 수 있습니다. 핵심적인 내용만 정리하자면, 슬관절의 외측에서는 전거비인대가 첫 번째 확인해야 할 포인트이고 전거비인대의 손상과 함께 다른 세 군데에 문제가 있는지 확인해주면 됩니다(즉, 발목외측에서 확인해야 할 포인트는 네 곳). 발목 내측의 염좌는 흔하지는 않지만 내과하단의 삼각인대 위주로만 확인하고 치료해주면 됩니다. 손상된 지점이 확인되면 아래의 손상 정도에 따른 분류를 참고하여 1단계와 2단계라면 보존적 치료와 함께 도침치료를 병행하여 빠른 치료효과를 기대할 수 있습니다.

2. 손상 정도에 따른 분류

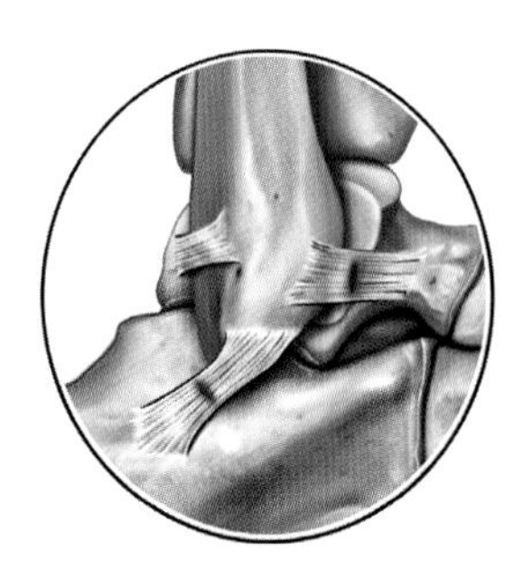
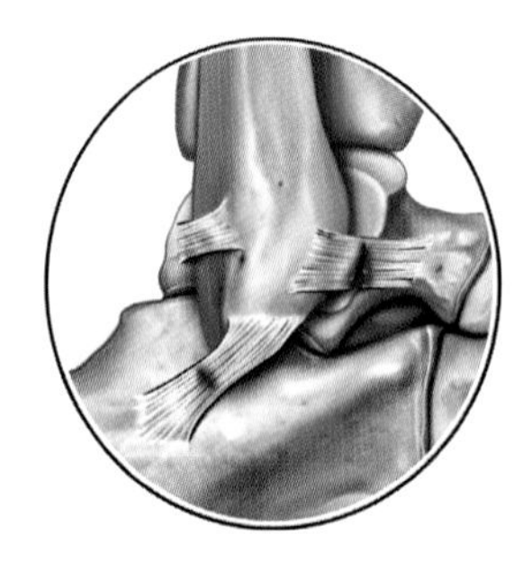
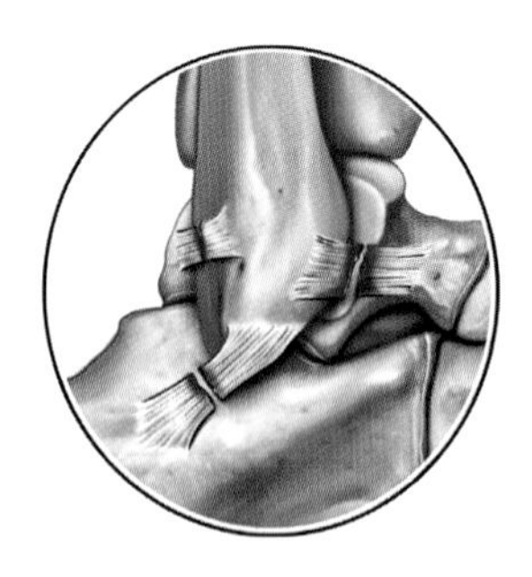

그림 3-4-27. 발목인대 손상 정도에 따른 분류

- 1단계 손상: 인대가 살짝 늘어나고 미세하게 찢어진 정도이며 환자의 발목이 경미하게 붓습니다. 검사 시 관절의 불안정성이 나타나지 않으며, 심한 통증 없이 보행이 가능하고 체중을 실어도 크게 무리가 없는 정도입니다.
- 2단계 손상: 부분 파열 손상으로 환자의 발목에 어느 정도의 통증, 붓기, 열감, 발적이 나타납니다. 검사 시 관절의 불안정성이 나타나며, 가동 범위와 기능의 소실이 조금 보인다. 체중을 싣거나 보행 시 통증을 느낍니다.
- 3단계 손상: 인대가 완전히 파열된 상태로 환자는 매우 심한 통증, 붓기, 열감, 발적감을 호소합니다.

3. 족근관절 염좌의 예후와 도침의 적용

난이도 ★

심한 손상이 아닌 경우 족관절 염좌는 대개 2주 안에 통증이 대부분 줄어들고, 5-33% 정도의 환자가 1년 후까지 통증을 호소합니다. 환자마다 호전되는 속도 및 양상이 다를 수 있지만 3년 이내에 거의 90%가 회복되는 것으로 관찰되었습니다. 반복적인 손상이 있는 경우, 초기 손상이 심했거나 관리와 치료를 제대로 하지 않은 경우에는 만성화될 수 있으며 간혹 골관절염이 동반될 수 있습니다.

도침은 염좌 초기부터 사용할 수 있습니다. 초기에는 손상 부위의 염증을 가라앉히는 용도로 1회 자입 후 자락관을 사용해주시면 손상 부위에 집중된 정확한 자락요법으로 사용할 수 있습니다. 중기에는 더욱 적극적으로 도침을 사용할 수 있으며, 장기간 발목고정 후 발목의 가동성이 떨어져서 고생하는 분을 많이 만날 수 있는데 이때 도침을 사용하면 드라마틱한 효과를 기대할 수 있습니다. 발목의 가동성이 빠르게 회복되며 발목이 가벼워지기 때문입니다.

정점

내외과전하방 압통점

치료 포인트

전거비인대 등 압통점

날 방향

인대 주행 방향

깊이 / 포인트 / 자입 횟수

1 cm 내외/ 1-2 포인트/ 2-3 회

시술빈도

주 2 회

[주의사항]
과도한 자극으로 인대 손상이 일어나지 않도록 합니다.

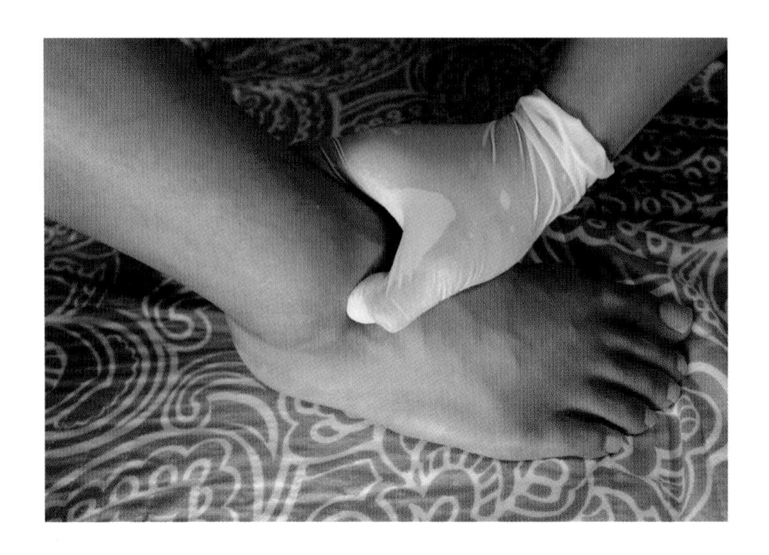

그림 3-4-28. 발목염좌 부위의 확인

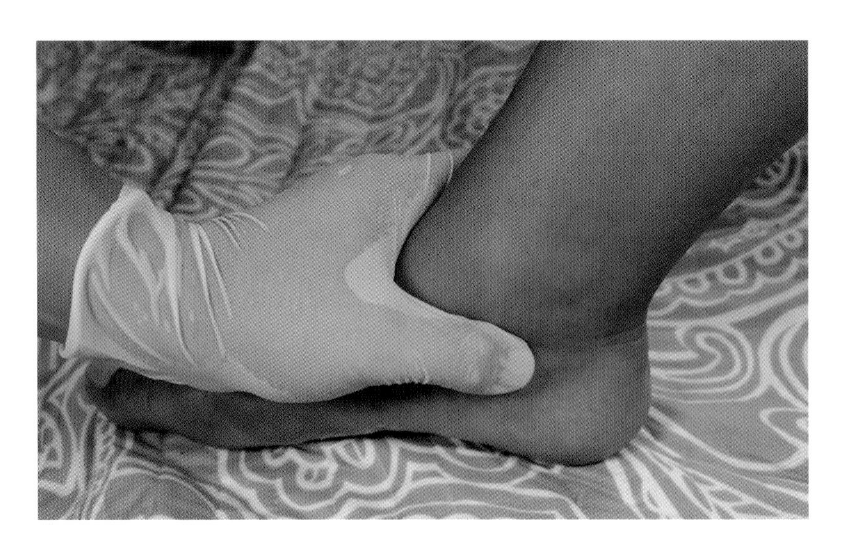

그림 3-4-29. 발목내측의 압통 확인